D1245439

Un apartamento en Urano

Paul B. Preciado

Un apartamento
en Urano

Crónicas del cruce

Prólogo de Virginie Despentes

EDITORIAL ANAGRAMA
BARCELONA

La edición final de este libro ha sido posible gracias a una beca de escritura de la Fundación LUMA Arles

Ilustración: Lorenza Böttner. © I. Oeding

Primera edición: abril 2019

Diseño de la colección: Julio Vivas y Estudio A

© Del prólogo, Virginie Despentes, 2019

© Paul B. Preciado, 2019

ISBN: 978-84-339-9876-7
Depósito Legal: B. 6975-2019

Printed in Spain

Liberdúplex, S. L. U., ctra. BV 2249, km 7,4 - Polígono Torrentfondo
08791 Sant Llorenç d'Hortons

Para Itziar,
the broad sun
the loved shore

PRÓLOGO

Paul,

Cuando me preguntaste si quería escribir este prólogo estábamos en el apartamento que ocupas en el centro de París. Los lugares en los que te instalas parecen siempre celdas monásticas. Un escritorio, un ordenador, unos cuadernos, una cama con un montón de libros que yacen a su lado. Es extraño estar en tu casa sin estar en mi casa; eres la persona con la que he pasado más tiempo en mi vida y ese afecto, extraño y familiar al mismo tiempo, sigue siendo un enigma para mí, como un sentimiento a medio camino entre el placer y el dolor, o más bien ambos a la vez. Eso debe de ser la nostalgia.

Me preguntaste si iba a escribir este prólogo y no me lo pensé antes de responder que sí. Vivíamos juntos cuando empezaste a escribir estas columnas para el periódico *Libération,* y después de separarnos continuaste enviándome tus textos para que siguiera leyendo tu francés. Todos sabemos que *Libération* podría muy bien ocuparse de ello. Pero esa era una forma de conservar un vínculo. Para mí, una manera de seguir viviendo en tus palabras, de no perder el hilo de tu pensamiento.

Sé cómo escribes. No sufres el bloqueo del escritor. Yo

no sería capaz de hacer este tipo de crónica porque cada vez me hundiría en una semana de pura angustia, una semana igual que la que acabo de pasar antes de comenzar a escribir este prólogo. Pensé desde el principio que este prólogo debería tener cinco mil caracteres, la longitud de tus artículos. Pensé en un plan, muy rápido, pero lo característico del bloqueo es que incluso aunque sepas lo que quieres escribir y no te muevas del escritorio, sigue sin venirte nada. El plan que tenía en mente comenzaba así: «El día en que escribo este prólogo, tú sales de la comisaría adonde has ido a denunciar las amenazas de muerte que esa misma noche han escrito en la puerta de tu casa.» Los mismos insultos y amenazas que aparecieron pintados en la puerta del local LGBT de Barcelona. Me escribes por WhatsApp: «Salgo de comisaría, tengo la mandíbula agarrotada y los huesos fríos. No me gusta ir a la policía.» Pero esta no es la primera vez que vas a la policía por amenazas de muerte desde que nos conocemos. La primera vez te pedí que no le dieras importancia, que no respondieras nada si te escribían para decirte que tenían intención de matarte y describían cómo iban a hacerlo. Hasta que a un activista gay de Madrid al que habían amenazado de muerte lo atacaron frente a su casa y lo dieron por muerto, aunque sobrevivió. Después de ese día, cuando volviste a recibir amenazas de muerte, fuiste a la comisaría. Recuerdo cómo le explicaste a la policía lo que eran las micropolíticas *queer*. Eso es lo que tú sabes hacer: contarles a los demás historias que eran incapaces de imaginarse y convencerlos de que es razonable querer que lo inimaginable suceda.

El día en que escribo este prólogo, el parlamentario brasileño Jean Wyllys anuncia su decisión de abandonar su país porque teme por su vida. Y un torrente de insultos homófobos cae sobre el joven Bilal Hassani, representante de Francia en Eurovisión.

Cuando comenzaste a escribir estos artículos para el periódico *Libération,* los principales medios de comunicación franceses apoyaban con entusiasmo las manifestaciones contra el matrimonio gay, como si hiciera falta promoverlas cada día. Dar voz a la intolerancia, defender el derecho de los fundamentalistas de la heterosexualidad a expresar su odio. Era indispensable. Era la señal, todos lo oímos, el final de una década de tolerancia. Cuando empezaste a escribir estas crónicas, todavía te llamabas Beto, no tomabas testosterona con regularidad, pero hablábamos de ti en masculino, como tú querías. Llamabas «peludos» a los biohombres, y eso me hacía reír. Hoy, nadie que te viera por la calle pensaría en decirte «Lo siento, señora» después de haberse confundido y haberte llamado señor. Hoy eres un hombre trans, y cuando estamos juntos en la calle lo que más me desconcierta no es que los hombres te hablen mejor, sino que las mujeres ya no se comporten de la misma manera contigo. Te adoran. Antes las chicas heteros no sabían qué pensar de tu feminidad masculina, quizás no se sentían cómodas contigo. Ahora te adoran, da igual que caminen por la calle paseando al perro, que vendan quesos o que sean camareras: a las mujeres les gustas, y te lo hacen saber como solo ellas saben hacerlo, colmándote de pequeñas atenciones gratuitas. Tú siempre dices que lo más extraño de convertirse en hombre es conservar intacto el recuerdo de la opresión. Tú siempre dices que exageró y que las mujeres no te prestan una atención especial. Y eso me hace reír.

Una vez reunidos, tus artículos dibujan un *skyline* coherente. Recuerdo todos los artículos, y el momento en que se publicaron, pero es una sorpresa descubrirlos de principio a fin. Una enorme sorpresa. En ellos se despliegan varias historias al mismo tiempo, a veces entrecruzadas, en ritmos alternos. En espiral, como diría Barthes, siempre alrededor de los mismos puntos, pero nunca a la misma altura. Este es un libro distinto de tus otros libros, más autobiográfico, más accesible, y, al mismo tiempo, un libro que recuerda a tu *Testo yonqui*, en el que también tejías varios hilos; «la trenza», lo llamabas tú. Esta colección es otra trenza. Hay un hilo de esta historia que nos concierne: nuestra separación y los años posteriores. Y otros hilos que se van entrelazando, para formar otros motivos. Es también la historia del fin de las democracias en Occidente. De cómo los mercados financieros han descubierto lo bien que pueden funcionar dentro de regímenes autoritarios, mejor incluso que dentro de las democracias, pues atados de pies y manos consumimos mejor. Y es también la historia de los refugiados retenidos en campos de asentamiento, o asesinados en el mar, o abandonados a la miseria en ciudades opulentas que se proclaman herederas del cristianismo. Sé que no estableces un paralelismo entre su situación y la tuya por gusto estético o por pose de izquierda, sino porque sabes, lo sabes por tu infancia de niña marimacho que creció a finales de la dictadura franquista y que ahora es trans, que eres y serás siempre uno de ellos, porque la miseria, como dice Calaferte, «nunca es una cuestión de fuerza» moral o mental o de mérito. La miseria es como un camión que puede lanzarse sobre ti, agarrarte y aplastarte en cualquier momento. Y tú no lo olvidas.

Y esta es también, por supuesto, la historia de tu transición: de tus transiciones. Tu historia no es la del paso de un punto a otro, sino la historia de una errancia, la búsqueda de un intervalo como lugar de la vida. Una transformación constante, sin identidad fija, sin actividad fija, sin dirección fija, sin país. Titulaste este libro *Un apartamento en Urano* porque no tienes ningún apartamento en la Tierra, solo las llaves de un lugar en París, como un día tuviste las llaves de un apartamento en Atenas. Tú nunca te mudas. Te mueves, pero no te mudas. A ti no te interesa afincarte. Detentas un estado de clandestinidad permanente. Cambias de nombre en tus documentos de identidad para poder cruzar las fronteras, pero, tan pronto como te llamas Paul, escribes en *Libération* que no tienes la menor intención de adoptar la masculinidad dominante como nuevo género: tú deseas un género utópico.

Es como si lo ya posible se hubiera convertido en una prisión y tú en un fugitivo. Escribes entre los posibles, y al hacerlo despliegas lo que era imposible como posible. Me enseñaste algo esencial: no se puede hacer política sin entusiasmo. Hacer política sin entusiasmo es situarse en la derecha. Y tú haces política con un entusiasmo contagioso, sin ninguna hostilidad contra aquellos que exigen tu muerte, solo una conciencia de la amenaza que representan para ti, para nosotros. Tú no tienes tiempo para la hostilidad, ni tampoco carácter para la ira; despliegas mundos desde los márgenes, y lo sorprendente de ti es esa capacidad para seguir imaginando otra cosa. Como si las propagandas resbalaran sobre ti y tu mirada fuera sistemáticamente capaz de desestabilizar toda evidencia. Es tu arrogancia la que te hace sexy, esa entusiasta arrogancia que te permite pensar en otros lugares, desde los intersticios, que te hace querer vivir en Urano, que te lleva a escribir en un idioma que no es el tuyo antes de dar conferencias en otro idioma que tampoco es el tuyo... Pasar de una lengua a otra, de un libro a otro, de una ciudad a otra, de un género a otro: las transiciones son tu hogar. Y no quiero abandonar nunca esa casa por completo, no quiero olvidar nunca tu lengua intermediaria, tu lengua de la encrucijada, tu lengua en transición.

Esta es la idea de plan que me había hecho y quería concluir hablando de la obsesión que todos los regímenes autocráticos (de extrema derecha, religiosos o comunistas) tienen de atacar los cuerpos *queer*, los cuerpos de puta, los cuerpos trans, los cuerpos fuera de la ley. Es como si tuviéramos petróleo y como si todos los regímenes poderosos quisieran acceder a él y para ello nos privaran de la gestión de nuestras tierras. Es como si fuéramos ricos en una materia prima indefinible. Si le interesamos a tanta gente, debe de ser porque tenemos una rara y preciosa esencia. De lo contrario, ¿cómo explicar que todos los movimientos liberticidas estén tan interesados en nuestras identidades, en nuestras vidas, en nuestros cuerpos y en lo que hacemos en nuestras camas?

Y por primera vez desde que nos conocemos, yo soy más optimista que tú. Imagino que los niños nacidos después del año 2000 se negarán a verse atrapados en esta estupidez, y no sé si mi optimismo proviene de un terror tan grande que me niego a afrontarlo, o si viene de una intuición justa o si es que me he aburguesado y me digo que todo seguirá como está porque tengo mucho que ganar. No lo sé. Pero por primera vez en mi vida siento que toda esta violencia que resurge no es más que el último gesto desesperado de la masculinidad tradicional abusiva y violadora. La última vez que los oímos gritar y salir a matarnos por las calles para conjurar la miseria que constituye su marco de pensamiento. Creo que los niños nacidos después del año 2000 pensarán que seguir bajo este orden masculinista (o, por decirlo con tus palabras, «tecnopatriarcal») sería morir y perderlo todo.

Y creo que esos niños leerán tus textos, y que entenderán lo que propones, y que te amarán. Desde tu pensamiento, desde tu horizonte, desde tus espacios. Escribes para un tiempo que aún no ha sucedido. Escribes para los niños que aún no han nacido y que vivirán, como tú, en esta transición constante, que es lo propio de la vida.

Y le deseo todo el placer del mundo al lector que entra en tu libro. Bienvenido al apartamento de Paul B. Preciado. Suba a bordo de una cápsula de la que no saldrá ileso, pero verá que nada de lo que le va a ocurrir será violento. Simplemente, al pasar estas páginas, verá que, poco a poco y sin darse cuenta, el mundo empezará a darle vueltas y la sensación de gravedad no será más que un vago recuerdo. Estará en otro lugar. Y, al salir de esta lectura, sabrá que ese espacio existe y que está abierto, que hay un lugar donde es posible ser algo completamente distinto de lo que hasta ahora le habían permitido imaginar.

VIRGINIE DESPENTES

INTRODUCCIÓN: UN APARTAMENTO
EN URANO

Con los años, he aprendido a considerar los sueños, váyase a saber si por consuelo o por sabiduría, como parte inte-
grante de la vida. Hay sueños que, por su intensidad sensorial, unas veces por su realismo y otras, precisamente, por su
falta de realismo, merecen pertenecer a una biografía con el
mismo derecho que el más notorio de los hechos acaecidos
durante eso a lo que comúnmente se reduce lo que se entiende por experiencias realmente vividas, es decir, las que
acontecen durante la vigilia. Al fin y al cabo, la vida empieza
y termina en la inconsciencia, de modo que las acciones que
llevamos a cabo en plena consciencia no son sino islotes en
un archipiélago de sueños. Sería tan absurdo reducir la vida
a la vigilia como considerar que la realidad está hecha de
bloques lisos y perceptibles en lugar de ser un enjambre
cambiante de partículas de energía y materia vibrátil, por el
mero hecho de que no somos capaces de observarlas a simple
vista. Por ello, ninguna vida puede ser narrada o evaluada
por completo en su felicidad o en su insensatez sin tener en
cuenta las experiencias oníricas. Lo que aquí funciona es la
máxima de Calderón de la Barca, pero invertida: no se trata
de que la vida sea sueño, sino de que los sueños también son
vida. Tan extraño resulta pensar, como los egipcios, que los

sueños son canales cósmicos por los que pasan las almas de los antepasados para comunicarse con nosotros como decir, como pretende la neurociencia, que los sueños están hechos de un corta y pega de elementos vividos por el cerebro durante la vigilia que vuelven en la fase REM del sueño, mientras nuestros ojos se mueven bajo los párpados como si mirasen. Cerrados y dormidos, los ojos ven. De ahí que sea más adecuado decir que el psiquismo humano no cesa de crear y procesar la realidad, a veces en sueños y a veces despierto.

Mientras que en los últimos meses mi vida diurna y despierta ha estado, por decirlo con la eufemística expresión catalana, «bien si no entramos en detalles», mi vida onírica se ha desplegado con la potencia de una novela de Ursula K. Le Guin. En uno de mis últimos sueños, hablaba con la artista Dominique Gonzalez-Foerster de mis problemas, después de años de una existencia nómada, para decidir en qué lugar del mundo vivir. Los dos mirábamos los planetas girando suavemente en sus órbitas como si fuéramos dos niños gigantes y el sistema solar fuera un móvil de Calder. Yo le explicaba que, por el momento, y para evitar el duelo que suponía la decisión, tenía alquilado un apartamento en cada planeta, y que pasaba algo más de un mes en cada uno, pero que esta situación parecía, económica y vitalmente, insostenible. Seguramente por ser la autora del proyecto *Exotourisme*, Dominique aparece en el sueño como una experta en cuestiones inmobiliarias en el universo extraterrestre. «Yo tendría un apartamento en Marte e incluso guardaría un *pied-à-terre* en Saturno», decía Dominique haciendo gala de gran pragmatismo, «pero dejaría el apartamento de Urano. Está demasiado lejos.»

No tengo un conocimiento informado de la astronomía y desconozco la posición y la distancia de los distintos planetas del sistema solar cuando estoy despierto. Pero compruebo con sorpresa, al consultar la entrada de la página de Wikipedia sobre Urano, que, en efecto, se trata de uno de los planetas más alejados de la Tierra. Solo Neptuno, Plutón y los planetas enanos Haumea, Makemake y Eris están más lejos. Leo también que Urano fue el primer planeta descubierto con ayuda de un telescopio apenas ocho años antes de la Revolución francesa. Utilizando una lente construida por él mismo, el astrónomo y músico William Herschel lo observó desde el jardín de su casa en el número 19 de la calle New King en la ciudad de Bath, un 13 de marzo de cielo despejado, brillando con luz amarilla y desplazándose lentamente. Sin saber todavía si se trataba de un astro enorme o de un cometa sin cola, Herschel lo nombró *Georgium Sidus,* «el planeta de Jorge», para consolar al rey, dicen, de la pérdida de las colonias británicas en América: Inglaterra había perdido un continente, pero había ganado un planeta. Gracias a Urano, Herschel pudo vivir de una generosa pensión real de doscientas libras de renta anual. Por culpa de Urano, tuvo que alejarse de la ciudad de Bath y de la música, donde era director de orquesta, y trasladarse a Windsor para que el rey pudiera tener la certeza de su nueva y lejana conquista colonial mirándola a través del telescopio. Por culpa de Urano, dicen, Herschel enloqueció y dedicó el resto de su vida a construir el telescopio más grande del siglo XVIII al que los ingleses denominaban popularmente el Monstruo. Por culpa de Urano, dicen, Herschel nunca más volvió a tocar el oboe. Murió con ochenta y cuatro años: exactamente los que tarda Urano en girar alrededor del Sol. Dicen que el tubo de su telescopio era de tal diámetro que la familia lo utilizó como refectorio para celebrar su entierro.

Con lentes más potentes que las del Monstruo, los físicos contemporáneos definen a Urano como un «gigante helado» y gaseoso compuesto de hielo, metano y amoniaco. Se trata del planeta más frío del sistema solar, con vientos que pueden sobrepasar los novecientos kilómetros por hora. En fin, no se puede decir que las condiciones de habitabilidad sean idóneas. Seguramente Dominique tenía razón: tendré que dejar el apartamento de Urano.

Pero el sueño de Urano funciona en mi cerebro como un virus. Después de esa noche, durante la vigilia, aumenta en mí la sensación no solo de tener un apartamento en Urano, sino también de que es en Urano donde quiero vivir.

Para los griegos, como para mí en el sueño, Urano era el techo sólido del mundo, el límite de la bóveda celeste. Por ello, en muchas de las invocaciones rituales griegas, Urano es pensado como el hogar de los dioses, por decirlo siguiendo la semántica del sueño, el lugar, lejano y etéreo, donde los dioses tenían sus apartamentos. En la mitología, Urano es el hijo que Gea, la Tierra, tuvo sola, sin inseminación ni apareamiento. La mitología griega es al mismo tiempo una suerte de relato de ciencia ficción retro que anticipa en modalidad *do it yourself* las tecnologías de reproducción y transformación del cuerpo que irán apareciendo a lo largo de los siglos XX y XXI y una telenovela cutre en la que los personajes se libran a una inimaginable cantidad de relaciones fuera de la ley. Así, se dice que Gea acabó casándose con su hijo Urano, un titán al que a menudo se representa en medio de una nube de estrellas, como si fuera un Tom de Finlandia bailando con otros tipos musculosos en una discoteca techno del Olimpo. De las incestuosas y poco heterosexuales nupcias del cielo y de la tierra nació la primera generación de titanes, entre los que estaban Océano (el Agua), Cronos (el Tiempo), o Mnemósine (la Memoria). Urano es al mismo tiempo el hijo de la Tierra y el padre de todo lo demás. No queda claro cuál era el problema de Urano, pero lo cierto es que no era buen padre: o retenía a sus hijos en el útero de Gea o los arrojaba al Tártaro cuando nacían. Así que Gea convenció a uno de sus hijos para que sometiera a su padre a una última y definitiva operación anticonceptiva. En el Palazzo Vecchio de Florencia puede verse la representación que Giorgio Vasari hizo en el siglo XVI de Cronos castrando con una guadaña a su padre Urano. De los genitales cortados de Urano surgió Afrodita, la diosa del amor..., lo que podría dar a entender que el amor procede por desconexión de los genitales del cuerpo, por desplazamiento y externalización de la fuerza genital.

Es esta forma de concepción no heterosexual que aparece citada en el *Banquete* de Platón la que inspirará a Karl Henrich Ulrichs para acuñar el término «uranista» en 1864, con el que se refiere a lo que él mismo denomina entonces los amores del «tercer sexo». Para explicar cómo puede haber hombres que se sienten atraídos por otros hombres, Ulrichs, siguiendo a Platón, corta la subjetividad en dos, separa el alma y el cuerpo, e inventa una combinatoria de almas y cuerpos que le permita reclamar la dignidad de aquellos que aman de otra manera. La segmentación alma y cuerpo reproduce en el orden de la experiencia la epistemología binaria de la diferencia sexual. Solo hay dos opciones, masculino y femenino. Los uranistas no son, dice Ulrichs, ni enfermos ni criminales, sino almas femeninas encerradas en cuerpos masculinos que se sienten atraídas por almas masculinas. No está mal pensado como solución para una forma de amar que en la Inglaterra o la Prusia de la época podía conducirte a la horca y que hoy sigue siendo ilegal en setenta y cuatro países y causa de pena de muerte en trece países, entre ellos Nigeria, Yemen, Sudán, Irán o Arabia Saudita, y motivo habitual de violencia familiar, social y policial en la mayoría de las democracias occidentales.

Ulrichs no hace esta afirmación como científico, sino en primera persona. No dice «hay uranistas», sino «yo soy uranista» y lo afirma, en latín, el 28 de agosto de 1867, después de haber sido condenado a prisión y de que sus libros hayan sido prohibidos, frente a un congreso de quinientos juristas,

21

frente a los miembros del Parlamento alemán y a un príncipe bávaro: un público ideal para esa suerte de confesiones. Hasta entonces Ulrichs se había ocultado tras el seudónimo Numa Numantius. Pero ese día habla en su propio nombre, se atreve a ensuciar definitivamente el apellido de su padre. En su diario, Ulrichs confiesa estar aterrado, haber pensado, pocos instantes antes de salir al escenario de la Gran Sala del Teatro del Odeón en Múnich, en escapar y en no volver nunca. Pero recuerda entonces las palabras del activista suizo Heinrich Hössli, que unos años antes había defendido la homosexualidad (aunque sin hablar de sí mismo):

> Ante mí se presentan dos senderos: escribir este libro y exponerme a la persecución, o no escribirlo y sentirme lleno de culpa hasta el día de mi entierro. Seguramente me he enfrentado con la tentación de dejar de escribir... Pero ¡ante mis ojos aparecieron las imágenes de los perseguidos y de los ya miserables que todavía no han nacido, y percibí a las madres infelices al lado de las cunas que mecían a sus niños malditos e inocentes! Y luego vi a nuestros jueces con los ojos vendados. Por fin me imaginé a mi sepulturero deslizando la cubierta de mi ataúd sobre mi cara fría. Entonces, antes de esclavizarme a él, me venció el deseo imperioso de levantarme y de defender la verdad oprimida... Y así seguí escribiendo con los ojos resueltamente desviados de los que trabajaban para mi destrucción. No tengo que escoger entre callarme o hablar. Me digo a mí mismo: «¡Hable o quédese juzgado!»

Cuenta Ulrichs en su diario que algunos jueces y parlamentarios sentados en la Gran Sala del Odeón de Múnich gritaban, al escuchar su discurso, como una turba enloquecida: «¡Cierren la sesión! ¡Cierren la sesión!» Pero anota también que una o dos voces se elevaban para decir: «¡Déjenlo seguir hablando!» En medio de un alboroto caótico, el presidente de la sala abandona el teatro, pero algunos parlamentarios se quedan. Escuchan.

Pero ¿qué significa hablar para aquellos a quienes se nos ha negado acceso a la razón y al conocimiento, para aquellos a quienes se nos ha considerado enfermos? ¿Con qué voz podemos hablar? ¿Nos prestarán sus voces el jaguar o el cíborg? Hablar es inventar la lengua del cruce, proyectar la voz en un viaje interestelar: traducir nuestra diferencia al lenguaje de la norma; mientras continuamos, en secreto, haciendo proliferar un bla-bla-bla insólito que la ley no entiende.

Ulrichs fue uno de los primeros ciudadanos europeos que afirmó públicamente que quería tener un apartamento en Urano. El primer enfermo sexual y criminal que tomó la palabra para denunciar las categorías que lo construían como enfermo sexual y como criminal. No dijo «no soy sodomita», sino que defendió el derecho a practicar la sodomía entre hombres apelando a una reorganización de los sistemas de signos, a una modificación de los rituales políticos, que definen el reconocimiento social de un cuerpo como sano o enfermo, como legal o ilegal. En cada palabra del Ulrichs que les habla a los juristas de Múnich desde Urano se oye la violencia que produce la epistemología binaria de Occidente. El universo entero cortado en dos y solamente en dos. En este sistema de conocimiento, todo tiene un derecho y un revés. Somos el humano o el animal. El hombre o la mujer. Lo vivo o lo muerto. Somos el colonizador o el colonizado. El organismo o la máquina. La norma nos ha dividido. Cortado en dos. Y forzado después a elegir una de nuestras partes. Lo que denominamos subjetividad no es sino la cicatriz que deja el corte en la multiplicidad de lo que habríamos podido ser. Sobre esa cicatriz se asienta la propiedad, se funda la familia y se lega la herencia. Sobre esa cicatriz se escribe el nombre y se afirma la identidad sexual.

El 6 de mayo de 1868, Karl Maria Kertbeny, activista y defensor de los derechos de las minorías sexuales, le envía una carta manuscrita a Ulrichs en la que inventa la palabra «homosexual» para referirse a lo que su amigo denominaba «uranistas». Defiende, contra la ley antisodomía que regía en Prusia, que las prácticas sexuales entre personas del mismo sexo eran tan «naturales» como las de esos que él denomina por primera vez también «heterosexuales». Si para Kertbeny homosexualidad y heterosexualidad eran simplemente dos formas naturales de amar, para los representantes de la ley de la medicina de finales del siglo XIX la homosexualidad será recodificada como enfermedad, como desviación y como crimen.

No les estoy hablando de historia. Les hablo de su vida, de la mía, del ahora. Mientras que la noción de «uranismo» se perdió en el archivo de la literatura, las nociones de Kertbeny se convertirán en auténticas técnicas biopolíticas de gestión de la sexualidad y de la reproducción durante el siglo XX, hasta el punto de que todavía la mayoría de ustedes continúan utilizándolas para referirse a su propia identidad como si se tratara de categorías descriptivas. La homosexualidad estará presente como enfermedad sexual hasta 1975 en los manuales psiquiátricos de Occidente y es todavía una noción central no solo en los discursos de psicología clínica, sino también en los lenguajes políticos de las democracias occidentales. Cuando la noción de «homosexualidad» desaparece de los manuales psiquiátricos aparecen las nociones de «intersexualidad» y «transexualidad» como nuevas patologías a las que la medicina, la farmacología y la ley proponen poner remedio. A cada cuerpo que nace en un hospital de Occidente se lo examina y somete a los protocolos de evaluación de normalidad de género inventados en los años cincuenta en Estados Unidos por los doctores John Money, John y Joan Hampson: si el cuerpo del bebé no se adecúa a los criterios visuales de la diferencia sexual será sometido a una batería de operaciones de «reasignación sexual». Del mismo modo, y con algunas excepciones, ni el discurso científico ni la ley reconocen la posibilidad de que un cuerpo pueda inscribirse en la sociedad de los humanos sin aceptar la diferencia sexual. La transexualidad y la intersexualidad se describen como patologías marginales, no como síntomas de la inadecuación de la complejidad de la vida con el régimen político-visual de la diferencia sexual.

¿Cómo pueden ustedes, cómo podemos nosotros, organizar todo un sistema de visibilidad, de representación y de concesión de soberanía y de reconocimiento político de acuerdo con tales nociones? ¿De verdad creen ustedes que son homosexuales o heterosexuales, intersexuales o transexuales? ¿Les preocupan esas distinciones? ¿Confían en ellas? ¿Reposa sobre ellas el sentido mismo de su identidad como humano? Si sienten un temblor bajo su garganta al oír una de estas palabras, no lo acallen. Es la multiplicidad del cosmos que intenta entrar en su garganta como si fuera el tubo del telescopio de Herschel. Permítanme decirles que la homosexualidad y la heterosexualidad no existen fuera de una taxonomía binaria y jerárquica que busca preservar el dominio del *pater familias* sobre la reproducción de la vida. La homosexualidad y la heterosexualidad, la intersexualidad y la transexualidad no existen fuera de una epistemología colonial y capitalista que privilegia las prácticas sexuales reproductivas en beneficio de una estrategia de gestión de la población, de la reproducción de la fuerza de trabajo, pero también de la reproducción de la población que consume. Es el capital y no la vida lo que se reproduce. Pero si la homosexualidad y la heterosexualidad, si la intersexualidad y la transexualidad no existen, ¿qué somos?, ¿cómo amamos? Imagínenselo.

Vuelve entonces mi sueño y comprendo que mi condición trans es una nueva forma de uranismo. No soy un hombre. No soy una mujer. No soy heterosexual. No soy homosexual. No soy tampoco bisexual. Soy un disidente del sistema sexo-género. Soy la multiplicidad del cosmos encerrada en un régimen epistemológico y político binario, gritando delante de ustedes. Soy un uranista en los confines del capitalismo tecnocientífico.

Como Ulrichs, no les traigo ninguna noticia de los márgenes, sino un trozo de horizonte. Les traigo noticias de Urano, que no es ni el reino de dios ni la cloaca, sino todo lo contrario. Me fue asignado género femenino en el nacimiento. Se dijo de mí que era lesbiana. Decidí autoadministrarme dosis regulares de testosterona. Nunca pensé que fuera un hombre. Nunca pensé que fuera una mujer. Era muchos. Nunca me consideré transexual. Quise experimentar con la testosterona. Me interesa su viscosidad, la imprevisibilidad de los cambios que provoca, la intensidad de los afectos que estimula cuarenta y ocho horas después de la inyección. Y su capacidad, si las inyecciones son regulares, de deshacer la identidad, de hacer emerger estratos orgánicos del cuerpo que de otro modo habrían permanecido invisibles. Aquí, como en otras cosas, lo esencial son las unidades de medida: la dosis, el ritmo de las tomas, la serie, la cadencia. Yo quería volverme desconocido. No pedí testosterona a las instituciones médicas como terapia hormonal para curar una supuesta «disforia de género». Quise funcionar con la testosterona, producir la intensidad de mi deseo en conexión con ella, multiplicar mis rostros metamorfoseando mi subjetividad, fabricar un cuerpo como se fabrica una máquina revolucionaria. Deshice la máscara de la feminidad que la sociedad había dibujado sobre mi cara hasta que mis documentos de identidad se volvieron ridículos, obsoletos. Y después, sin escapatoria, acepté identificarme como transexual y «enfermo mental» para que el sistema médico-legal pudiera reconocerme como cuerpo vivo humano. He pagado con mi cuerpo el nombre que llevo.

Con la decisión de construir mi subjetividad con la testosterona, como el chamán construye la suya con la planta, asumo la negatividad de mi tiempo, una negatividad que me veo forzado a representar, y contra la cual puedo luchar desde esta encarnación paradójica que es ser un hombre trans en el siglo XXI, un feminista con nombre de varón en el movimiento #NiUnaMenos, un ateo del sistema sexo-género convertido en consumidor de la industria farmacopornográfica. Mi in-existente existencia como hombre trans es al mismo tiempo el clímax del antiguo régimen sexual y el principio de su colapso, el término de una progresión normativa y el comienzo de una proliferación futura.

Vine a hablarles a ustedes y a los muertos, o mejor, a aquellos que viven como si ya estuvieran muertos, pero sobre todo he venido para hablar a los niños malditos e inocentes que nacerán. Los uranistas somos los supervivientes de una tentativa sistemática y política de infanticidio: hemos sobrevivido al intento de matar en nosotros, cuando aún no éramos adultos, ni podíamos defendernos, la multiplicidad radical de la vida y el deseo de cambiar los nombres de todas las cosas. ¿Están ustedes muertos? ¿Nacerán mañana? Los felicito retrasada o anticipadamente.

No les traigo ninguna noticia de los márgenes. Les traigo noticias del cruce, que no es ni el reino de dios ni la cloaca, sino todo lo contrario. No se asusten, no se exciten. No vine a explicarles nada morboso. No vine a contarles qué es un transexual, ni cómo se cambia de sexo, ni lo bien o lo mal que se pasa durante la transición. Porque nada de eso sería cierto o no más cierto que es cierta la luz de la tarde cuando el sol cae sobre algún lugar del planeta Tierra dependiendo de desde dónde se mire. O que es cierta la órbita lenta y amarilla que describe Urano cuando gira. No les diré qué pasa con la testosterona, ni qué ocurre con mi cuerpo. Tómense la molestia de administrarse ustedes mismos las dosis de conocimiento que les sean necesarias y que su gusto por el riesgo les permita.

No vine a nada de eso. No sé a lo que vine, como decía mi madre indígena Pedro Lemebel, pero estoy aquí. En este apartamento de Urano que da sobre los jardines de Roma. Y me voy a quedar un rato. En el cruce. Porque es el único sitio que existe, lo sepan o no. No existe ninguna de las dos orillas. Estamos todos en el cruce. Y es desde el cruce desde donde les hablo, como el monstruo que ha aprendido el lenguaje de los hombres.

Ya no necesito, como Ulrichs, afirmar que soy un alma de hombre encerrado en un cuerpo femenino. No tengo alma, ni tengo cuerpo. Soy el cosmos. Tengo un apartamento en Urano, lo que sin duda me sitúa lejos de la mayoría de los terrícolas, pero no tan lejos como para que cualquiera de ustedes no pueda viajar allí. Los espero. Aunque sea en sueños.

Crónicas del cruce

Si este libro está escrito bajo el signo de Urano es porque en él se recogen algunas de las «crónicas del cruce». Se trata de las crónicas, textos en su mayoría escritos en aeropuertos y en habitaciones de hotel, que escribí para el periódico francés *Libération* y para algunos otros medios europeos entre 2010 y principios de 2018. Cuando empecé a escribir estas crónicas mi nombre era aún Beatriz y, aunque disidente desde mi lesbianismo *queer,* ocupaba una posición social y legal femenina. Acabo este libro, aún en el cruce, firmando con un nuevo nombre y con un documento de identidad que indica que mi sexo legal es masculino. A partir de 2013 se ha mantenido el estricto orden cronológico en el que se escribieron las crónicas porque esta es también la secuencia de esta transición sexual y de género, el relato del cruce. En este sentido, estas crónicas tienen dos (o más) autores, o dicho de otro modo, en ellas se manifiesta de forma hiperbólica (un fenómeno que existe en todo proceso de escritura pero que se oculta bajo la unicidad del nombre) la distribución de la autoría en una multiplicidad de voces que operan el cruce.

Me atrevería a decir que son los procesos de cruce los que mejor permiten entender la transición política global a la que nos enfrentamos. El cambio de sexo y la migración son las dos prácticas de cruce que, al poner en cuestión la arquitectura política y legal del colonialismo patriarcal, de la diferencia sexual y del Estado-nación, sitúan a un cuerpo humano vivo en los límites de la ciudadanía e incluso de lo que entendemos por humanidad. Lo que caracteriza a ambos viajes, más allá del desplazamiento geográfico, lingüístico o corporal, es la transformación radical no solo del viajero, sino también de la comunidad humana que lo acoge o lo rechaza. El antiguo régimen (político, sexual, ecológico) criminaliza toda práctica de cruce. Pero allí donde el cruce es posible empieza a dibujarse el mapa de una nueva sociedad, con nuevas formas de producción y de reproducción de la vida.

En mi caso, el cruce comenzó en 2004, cuando empecé a administrarme pequeñas dosis de testosterona. Durante unos años, transitando un espacio de reconocimiento de género que oscilaba entre lo femenino y lo masculino, entre la masculinidad lesbiana y la feminidad King, experimenté la posición que ahora se denomina *gender fluid*. La fluidez de las encarnaciones sucesivas chocaba con la resistencia social a aceptar la existencia de un cuerpo fuera del binario sexual. Esa «fluidez» fue posible durante los años en los que me administré una dosis de testosterona que denominamos «umbral» porque no dispara la proliferación en el cuerpo de los llamados «caracteres secundarios» del sexo masculino. Estas crónicas comienzan en algún lugar de ese umbral.

Paradójicamente, renuncié a la fluidez porque deseaba el

cambio. La decisión de «cambiar de sexo» se acompaña forzosamente de eso que Édouard Glissant denomina «un temblor». El cruce es el lugar de la incertidumbre, de la no-evidencia, de lo extraño. Y todo eso no es una debilidad, sino una potencia. «El pensamiento de temblor», dice Glissant, «no es el pensamiento del miedo. Es el pensamiento que se opone al sistema.» En septiembre de 2014 inicié un protocolo médico-psiquiátrico de reasignación de género en la clínica Audre Lorde de Nueva York. «Cambiar de sexo» no es, como quiere la guardia del antiguo régimen sexual, dar un salto a la psicosis. Pero tampoco es, como pretende la nueva gestión neoliberal de la diferencia sexual, un mero trámite médico-legal que puede completarse durante la pubertad para dar paso a una normalidad absoluta. Un proceso de reasignación de género en una sociedad dominada por el axioma científico-mercantil del binarismo sexual, donde los espacios sociales, laborales, afectivos, económicos o gestacionales están segmentados en términos de masculinidad o feminidad, de heterosexualidad o de homosexualidad, es cruzar la que es quizás, junto con la raza, la más violenta de las fronteras políticas inventadas por la humanidad. Cruzar es al mismo tiempo saltar una pared vertical infinita y caminar sobre una línea dibujada en el aire. Si el régimen heteropatriarcal de la diferencia sexual es la religión científica de Occidente, entonces cambiar de sexo no puede ser sino un acto herético. A medida que aumentaba la dosis de testosterona, los cambios se intensificaron: el vello facial es simplemente un detalle en comparación con la rotundidad con la que la voz precipita un cambio de reconocimiento social. La testosterona propicia una variación del grosor de las cuerdas vocales, un músculo que, al modificar su forma, varía el tono y el registro de la voz. El cambio de voz es experimentado por el viajero de género como una posesión, un acto de ventriloquia que lo fuerza a identificarse a sí mismo con lo desconocido. Seguramente esta mutación es una de las cosas más bellas que he vivido. Ser trans es desear un proceso de *créolisation* interior: aceptar que uno solo es uno mismo gracias y a través del cambio, del mestizaje, de la mezcla. La voz que la testosterona propulsa en mi garganta no es una voz de hombre, es la voz del cruce. La voz que tiembla en mí es la voz de la frontera. «Entendemos mejor el mundo», dice Glissant, «cuando temblamos con él, porque el mundo está temblando en todas direcciones.»

Junto al cambio de voz vino el cambio de nombre. Durante un tiempo deseé que mi nombre femenino fuera declinado en masculino. Es decir, quise llamarme Beatriz y ser tratado, según las gramáticas, con pronombres y adjetivos masculinos. Pero aquella torsión gramatical era aún más difícil que la fluidez de género. Decidí entonces buscar un nombre masculino. En mayo de 2014, el Subcomandante Marcos anunciaba en una carta abierta enviada desde «la realidad zapatista» la muerte del personaje Marcos que había sido inventado como nombre sin rostro para dar voz al proceso revolucionario de Chiapas. En ese mismo comunicado, el Subcomandante afirmaba que dejaba de llamarse Marcos para llamarse Galeano, en homenaje a José Luis Solís Sánchez, alias Galeano, asesinado en mayo de 2014. Pensé entonces en llamarme Marcos. Quería llevar el nombre de Marcos como un pasamontañas que cubriera mi rostro y mi nombre. Marcos sería una forma de desprivatizar mi antiguo nombre, de colectivizar mi rostro. Mi decisión fue denunciada de inmediato en las redes por los activistas latinoamericanos como un gesto colonial. Afirmaban que, siendo blanco y español, no podía llevar el nombre de Marcos. La ficción política duró tan solo unos días. Ese nombre, injerto político fallido, existe solo como un rastro efímero insertado dentro de la firma de la crónica de *Libération* del 7 de junio de 2014. Sin duda tenían razón. Había en ese gesto arrogancia colonial y vanidad personal, pero también búsqueda desesperada de protección. ¿Quién se atreve a dejar su nombre para darse un nombre sin historia, sin memoria, sin vida? Aprendí dos cosas, aparentemente contradictorias, del fallo del injerto del nombre Marcos: tendría que luchar por mi nombre y, al mismo tiempo, mi nombre tendría que ser una ofrenda, me tendría que ser regalado como un talismán.

Les pedí a mis amigos que eligieran un nombre para mí: que mi nuevo nombre se escogiera de forma cooperativa. Pero ninguno de los nombres escogidos (Orlando, Max, Pascal...) se impuso como mío. Fue entonces cuando inicié una serie de rituales chamánicos para encontrar un nombre. Me dispuse a hacer lo necesario para cambiar. Me entregué al cruce. Así fue como, por fin, soñé mi nuevo nombre una noche de diciembre de 2015 en una cama del Barrio Gótico de Barcelona: acepté el nombre, extraño y absurdamente banal, de Paul. Lo acogí como mío. Pedí a todo el mundo que me llamara por ese nombre. En paralelo, inicié un proceso judicial de demanda de cambio de nombre y de sexo legal. Comencé, junto con la abogada Carme Herranz, un proceso de cambio de sexo legal en el que solicitaba que el nombre Paul Beatriz se reconociera como masculino. Después de meses de silencio e incertidumbre, la decisión legal llegó un 16 de noviembre de 2016. Mi nuevo nombre fue publicado, como lo exige la ley española vigente, entre los nombres de los niños que habían nacido ese día en la misma ciudad en la que yo nací hace más de cuarenta años. Estas crónicas registran el cambio de voz y de nombre. Hasta diciembre de 2015 están firmadas con el nombre Beatriz, excepto la que firmo, tentativa y brevemente, como Beatriz Marcos. A partir de enero de 2016, es Paul B. quien firma. En todos los casos, la firma, deshecha y reconstruida por una multitud de actos políticos, no aparece aquí como un lugar de autoridad, sino como un testigo del cruce.

Una transición de género es un viaje jalonado de múltiples fronteras. Quizás para intensificar la experiencia del cruce, nunca he viajado tanto como en los meses que duraron la parte más abrupta de la transición y el proceso de búsqueda de un nombre. Como en la experiencia del exilio, el viaje empezó con la pérdida del paraíso: la muerte de Pepa, la ruptura amorosa, la expulsión del museo, el derrumbe del Programa de Estudios Independientes, la pérdida de la casa, alejarme de París... A esas pérdidas involuntarias se añadieron otras pérdidas estratégicas: había decidido desidentificarme. El aumento de la dosis de testosterona suscitaba no solo la pérdida de la feminidad como código de identificación social, del rostro y del nombre, sino también, y sobre todo, durante meses, la pérdida de mi estatuto de ciudadanía legal. Con una apariencia cada vez más masculina y un documento de identidad femenino, perdí el privilegio de la invisibilidad social y de la impunidad de género. Me convertí en un migrante de género. En esta situación, con un pasaporte que era cuestionado en cada frontera, acepté la posición de comisario de programas públicos de documenta 14, una exposición de arte internacional, me mudé a Atenas y me entregué al viaje: Palermo, Buenos Aires, Estambul, Lyon, Kiev, Zúrich, Barcelona, Turín, Madrid, Frankfurt, Nueva York, Bergen, Chicago, Roma, Iowa, Berlín, Kassel, Londres, Cartagena de Indias, Viena, Los Ángeles, Trondheim, México D. F., Dublín, Helsinki, Ámsterdam, Bogotá, San Francisco, Ginebra, Róterdam, Múnich, las islas griegas, Lesbos, Hidra, Alónissos... Crucé innumerables fronteras con ese pasaporte que era constantemente cuestionado, adaptándome a contextos políticos que exigían una refeminización exprés: un buen afeitado, un pañuelo en el cuello, un bolso, una entonación más aguda de la voz... y mi cuerpo reencarnaba la feminidad que yo había des-aprendido para convertirme en Paul en un intento de cruzar la frontera. El cruce exigía al mismo tiempo flexibilidad y determinación. El cruce exigía pérdidas, pero las pérdidas me forzaban a inventar la libertad.

Sin rostro masculino ni femenino, sin nombre fijo y con un pasaporte incierto, me mudé a Atenas: una ciudad bisagra entre Occidente y Oriente, una ciudad del cruce. Llegué a una Atenas azotada por la economía de la deuda y las políticas de austeridad, confrontada a la gestión de la afluencia de miles de migrantes y refugiados que cruzaban las costas del Mediterráneo escapando de las guerras poscoloniales en Oriente Medio. Atenas era un observatorio único para entender los procesos de destrucción neoliberal de Europa, del control social a través de la economía de la deuda y de la reconstrucción de los Estados-nación como enclaves fantasmáticos de recuperación de soberanía racial y patriarcal frente a los procesos de guerra y globalización financiera que están teniendo lugar. Sentí que Atenas estaba, como mi voz, temblando, y la amé. Me enamoré de sus calles, de sus gentes, de su lengua. En el verano del 2015, la ciudad vivía un doble colapso político. El gobierno de Tsipras se negaba a aceptar el voto democrático contra las políticas de austeridad; al mismo tiempo que el puerto del Pireo y la plaza Victoria se convertían en improvisados campamentos de refugiados sin agua, sin comida, sin ninguna de las infraestructuras necesarias para la vida. Como ya ocurrió en el 15-M, una nueva figura de lo político fraguó frente a mí el día 5 de julio de 2015 cuando cientos de miles de atenienses, ciudadanos y migrantes, se dieron cita en la plaza Síntagma gritando «no nos representan». La utopía de las socialdemocracias representativas se había venido abajo. El Parlamento griego de la plaza Síntagma era una arquitectura de poder hueca. El verdadero parlamento estaba en las calles de Atenas.

Contra la hipótesis del «fin de la historia» según la cual las fuerzas neoliberales de la globalización actuarían como un vector democratizante y homogeneizador que erosionaría los Estados-nación para construir un único mundo sin fronteras, se alzaba un nuevo orden mundial definido por la reconstrucción de las fronteras raciales, de clase, de género y de sexualidad. Las reestructuraciones económicas y políticas que siguieron a la crisis financiera de 2008 y la reacción de los gobiernos europeos ante el éxodo de las poblaciones escapando del hambre y la guerra en Irak o Siria condenaban a gran parte de la población mundial al estatus de parias apátridas del neoliberalismo. Estaba sucediendo lo que nunca habríamos imaginado: el neoliberalismo no solo no cuestionaba los Estados-nación, sino que además establecía una alianza con sus segmentos políticos más conservadores para frenar el acceso de los subalternos a las tecnologías de poder y de producción de conocimiento. Había comenzado un nuevo ciclo caracterizado por el proceso que Deleuze y Guattari llamaban los «resurgimientos edípicos y las concreciones fascistas».[1]

Por ello no es casual que la primera crónica firmada con mi nuevo nombre fuera la del 16 de enero de 2015. Esa crónica habla de otro cruce, del «proceso» que podría llevar hacia una Cataluña independiente. Un proceso que, como el cambio de sexo, corre siempre el riesgo de cristalizar en la construcción de una identidad normativa y excluyente. El sujeto y la nación no son sino ficciones normativas que buscan clausurar los procesos constantemente cambiantes de subjetivación y de creación de sociedad. La subjetividad y la sociedad están hechas de una multiplicidad de fuerzas heterogéneas, irreductibles a una única identidad, una única lengua, una única cultura o a un único nombre. Ridículo cuando se expresa como lucha por la independencia de un Estado

1. Gilles Deleuze y Félix Guattari, *Mil mesetas*, Valencia, Pre-Textos, 1988, p. 15.

sobre otro, el proceso que tiene lugar en Cataluña es significativo, como lo es aún más en el caso de Rojava o de Chiapas, solo cuando se abre a la posibilidad de imaginar un agenciamiento colectivo anarco-*queer,* antiestatal y transfeminista.

El viaje y la vida en Atenas me hicieron comprender que no era yo el que estaba mutando, sino que estábamos inmersos en una transición planetaria. La ciencia, la técnica y el mercado están redibujando los límites de lo que es y será un cuerpo humano vivo. Esos límites se definen hoy no solo en relación con la animalidad y con las hasta ahora consideradas formas infrahumanas de la vida (los cuerpos no-blancos, proletarios, no masculinos, trans, discapacitados, enfermos, migrantes...), sino también frente a la máquina, frente a la inteligencia artificial, frente a la automatización de los procesos productivos y reproductivos. Si la primera Revolución Industrial se había caracterizado, con la invención de la máquina de vapor, por una aceleración de las formas de producción, la revolución industrial actual, marcada por la ingeniería genética, la nanotecnología, las tecnologías de la comunicación, la farmacología y la inteligencia artificial, afecta de lleno a los procesos de reproducción de la vida. El cuerpo y la sexualidad ocupan en la actual mutación industrial el lugar que la fábrica ocupó en el siglo XIX. Hay al mismo tiempo una revolución de los subalternos y apátridas en curso y un frente contrarrevolucionario en lucha por el control de los procesos de reproducción de la vida. En cada rincón del mundo, de Atenas a Kassel, de Rojava a Chiapas, de São Paulo a Johannesburgo es posible sentir no solo el agotamiento de las formas tradicionales de hacer política, sino también el surgimiento de cientos de miles de prácticas de experimentación social, sexual, política, artística... Frente al levantamiento de los poderes edípicos y fascistas surgen, por todas partes, las micropolíticas del cruce.

Aunque el contexto es de guerra global, no encontrarán en estas crónicas ni pedagogía ni moral. En el cruce no hay dogma. Ni siquiera cuando, enfurecido, respondo a los militantes de la *Manif pour tous,* o los representantes del régimen de la diferencia sexual, o cuando intervengo en las diatribas del #MeToo en las que los patrones del sexo se debaten para mantener sus privilegios tecnopatriarcales. Estas crónicas hablan de putas y maricas, no hablan de «sociología de la desviación», hablan de disidentes de género y sexuales y no de «disfóricos de género y transexuales», hablan de estrategias de cooperación de desempoderados y migrantes y no de «la crisis griega» o de la «crisis de los refugiados», hablan de la dificultad para habitar la ciudad y no de «ciudades verdes», o de «tribus urbanas», o de «barrios periféricos». Dejo esas palabras y su expectativa de clasificación y de control a los expertos disciplinarios: como decía Thomas Bernhard, «cuando el saber está muerto, lo llaman academia». En estos textos propongo pensar en términos de relación y potencial de transformación, en lugar de en términos de identidad.

Verán, sin embargo, que a veces, en los textos que aquí siguen, utilizo un buen número de rudimentos críticos que han sido inventados en los últimos años por los lenguajes feministas, *queer,* trans, anticoloniales y de la disidencia corporal. Piensen que me pongo un manto terminológico cuando escribo, como un migrante necesita un espeso abrigo para pasar el invierno de eso que llaman «hospitalidad» y que no es sino la negociación (más o menos violenta) de la frontera. Esta proliferación de nuevos términos críticos resulta imprescindible: funciona como un disolvente de los lenguajes normativos, como un antídoto frente a las categorías dominantes. Por una parte, es necesario distanciarse de los lenguajes científico-técnicos, mercantiles y legales dominantes que forman el esqueleto cognitivo de la epistemología de la diferencia sexual y del capitalismo tecnopatriarcal. Por otra, es urgente inventar una nueva gramática que permita imaginar otra organización social de las formas de vida. En la primera tarea, la filosofía opera, siguiendo a Nietzsche, como un martillo crítico. En la segunda, más cerca de Monique Wittig, Ursula K. Le Guin, Donna Haraway, Kathy Acker o Virginie Despentes, la filosofía se convierte en un lenguaje de política ficción que podría permitir imaginar un mundo. En todo caso, ambos lenguajes son estrategias para cruzar las fronteras: las que diferencian los géneros filosóficos, las fronteras epistemológicas entre los lenguajes científicos y de ficción; las fronteras de género, las del idioma o la nacionalidad, las que separan la humanidad y la animalidad, lo vivo y lo muerto, las fronteras entre el ahora y la historia.

Urano se acercó a la Tierra en 2013, cuando yo empezaba estas crónicas y me aventuraba en el camino del cruce. Me gusta pensar que el gigante helado volverá a pasar en 2096, ochenta y cuatro años después de haber completado un giro alrededor del Sol. Entonces, con toda certeza, mi cuerpo (intersexual, transexual, masculino, femenino, monstruoso, glorioso) ya no existirá como carne consciente sobre el planeta. Me pregunto si para entonces habremos sido capaces de superar la epistemología racial y de la diferencia sexual e inventar un nuevo marco cognitivo que permita la existencia de la diversidad de la vida, o si, por el contrario, el tecnopatriarcado colonial habrá arrasado los últimos vestigios de vida sobre planeta. Jamás podré saberlo. Pero deseo que los niños malditos e inocentes estén aún ahí para recibir de nuevo a Urano.

Atenas, 5 de octubre de 2018

DECIMOS REVOLUCIÓN

Los analistas políticos advierten del inicio de un nuevo ciclo de rebeliones sociales que habría comenzado en 2009 como reacción al colapso de los mercados financieros, el aumento de la deuda pública y las políticas de austeridad. La derecha, compuesta por un no siempre reconciliable enjambre de mánagers, tecnócratas y capitalistas financieros opulentos, pero también de pobres frustrados y monoteístas más o menos desposeídos, oscila entre una lógica futurista que empuja a la máquina bursátil hacia el plusvalor y el repliegue represor hacia el cuerpo social que reafirma la frontera y la filiación familiar como enclaves de soberanía. En la izquierda neocomunista (Slavoj Žižek, Alain Badiou y compañía) se habla del resurgimiento de la política emancipatoria a escala global, de Wall Street a El Cairo pasando por Atenas y Madrid. Los mismos que agitan el espectro del Octubre Rojo anuncian con pesimismo la incapacidad de los movimientos actuales de traducir una pluralidad de demandas en una lucha antagonista organizada. Žižek retoma la frase de William Butler Yeats para resumir su arrogante diagnóstico de la situación: «Los mejores carecen de toda convicción, mientras que los peores están llenos de apasionada intensidad.»[1] Pero ¿somos acaso los peores? Si es así, la revolución tendrá que ser hecha, una vez más, por los peores.

Los gurús de izquierda de la vieja Europa colonial se obstinan en querer explicar a los activistas de los movimientos Occupy, del 15-M, a las transfeministas del movimiento tullido-trans-puto-maricobollero-intersex y posporn que no podemos hacer la revolución porque no tenemos una ideología. Dicen «una ideología» como mi padre decía «un marido». No necesitamos ni ideología ni marido. Los transfeministas no necesitamos un marido porque no somos mujeres. Tampoco necesitamos ideología porque no somos un pueblo. Ni comunismo ni liberalismo. Ni la cantinela católico-musulmano-judía. Nosotros hablamos otras lenguas.

Ellos dicen representación. Nosotros decimos experimentación. Dicen identidad. Decimos multitud. Dicen lengua nacional. Decimos traducción multicódigo. Dicen domesticar la periferia. Decimos *mestizar* el centro. Dicen deuda. Decimos cooperación sexual e interdependencia somática. Dicen desahucio. Decimos habitemos lo común. Dicen capital humano. Decimos alianza multiespecies. Dicen diagnóstico clínico. Decimos capacitación colectiva. Dicen disforia, trastorno, síndrome, incongruencia, deficiencia, minusvalía. Decimos disidencia corporal. Un tecnochamán de la Pocha Nostra vale más que un psiconegociante neolacaniano, y un *fisting* contrasexual de Post-Op es mejor que una vaginoplastia de protocolo. Dicen autonomía o tutela. Decimos agencia relacional y distribuida. Dicen ingeniería social. Decimos pedagogía radical. Dicen detección temprana, terapia genética, mejora de la especie. Decimos mutación molecular anarcolibertaria. Dicen derechos humanos. Decimos la tierra y todas

1. Slavoj Žižek, *El año que soñamos peligrosamente,* Madrid, Akal, 2013, p. 66.

las especies que la habitan tienen también derechos. La materia tiene derechos. Dicen carne de caballo en el menú. Decimos subámonos a los caballos y escapemos del matadero global. Dicen que Facebook es la nueva arquitectura de lo social. Nosotros llamamos, con la Quimera Rosa y Pechblenda, a un ciberaquelarre de putones geeks. Dicen que Monsanto nos dará de comer y que la energía nuclear es la más barata. Decimos saca tu pezuña radiactiva de mis semillas. Dicen que el FMI y el Banco Mundial saben más y toman mejores decisiones. Pero ¿cuántos transfeministas seropositivos hay en el comité de dirección del FMI? ¿Cuántas trabajadoras sexuales migrantes pertenecen al cuadro directivo del Banco Mundial?

Dicen píldora para prevenir el embarazo. Dicen clínica reproductiva para convertirse en mamá y papá. Decimos colectivización de fluidos reproductivos y de úteros reproductores. Dicen poder. Decimos potencia. Dicen integración. Decimos proliferación de una multiplicidad de técnicas de producción de subjetividad. Dicen copyright. Decimos código abierto y programación estado beta: incompleta, imperfecta, procesual, colectivamente construida, relacional. Dicen hombre/mujer, blanco/negro, humano/animal, homosexual/heterosexual, válido/inválido, sano/enfermo, loco/cuerdo, judío/musulmán, Israel/Palestina. Decimos ya ves que tu aparato de producción de verdad no funciona... ¿Cuántas Galileas nos harán falta esta vez para aprender a ponerle un nombre nuevo a las cosas?

Nos hacen la guerra económica a golpe de machete digital neoliberal. Pero no vamos a ponernos a llorar por el fin del Estado benefactor, porque el Estado benefactor también tenía el monopolio del poder y de la violencia y venía acompañado del hospital psiquiátrico, del centro de inserción de discapacitados, de la cárcel, de la escuela patriarcal-colonial-heterocentrada. Llegó la hora de someter a Foucault a una

41

dieta tullido-*queer* y empezar a escribir *La muerte de la clíni-ca*. Llego la hora de invitar a Marx a un taller ecosexual. No queremos ni velo ni prohibición de llevar velo: si el problema es el pelo, nos lo raparemos. No vamos a entrar en el juego del Estado disciplinario contra el mercado neoliberal. Esos dos ya llegaron a un acuerdo: en la nueva Europa, el mercado es la única razón gubernamental, el Estado se convierte en un brazo punitivo cuya función se limitará a recrear la ficción de la identidad nacional agitando la amenaza de la inseguridad.

Necesitamos inventar nuevas metodologías de producción del conocimiento y una nueva imaginación política capaz de confrontar la lógica de la guerra, la razón heterocolonial y la hegemonía del mercado como lugar de producción del valor y de la verdad. No estamos hablando simplemente de un cambio de régimen institucional, de un desplazamiento de las élites políticas. Hablamos de la transformación micropolítica de «los dominios moleculares de la sensibilidad, de la inteligencia, del deseo».[1] Se trata de modificar la producción de signos, la sintaxis, la subjetividad. Los modos de producir y reproducir la vida. No estamos hablando solo de una reforma de los Estados-nación europeos. No estamos hablando de mover la frontera de aquí a allá. De quitar un estado para poner otro. Estamos hablando de descolonizar el mundo, de interrumpir el Capitalismo Mundial Integrado. Estamos hablando de modificar la «Terrapolítica».[2]

Somos los jacobinos negros y maricas, las bolleras rojas, los desahuciados verdes, somos los trans sin papeles, los animales de laboratorio y de los mataderos, los trabajadores y trabajadoras informático-sexuales, putones funcionales diversos, somos los sin tierra, los migrantes, los autistas, los que sufrimos de dé-

1. Félix Guattari, *Les trois écologies,* París, Galilée, 1989, p. 14.
2. Véase Donna Haraway, *SF: Speculative Fabulation and String Figures,* Documenta (13), Kassel, Hantje Cantz, 2011.

ficit de atención, exceso de tirosina, falta de serotonina, somos los que tenemos demasiada grasa, los discapacitados, los viejos en situación precaria. Somos la diáspora rabiosa. Somos los reproductores fracasados de la tierra, los cuerpos imposibles de rentabilizar para la economía del conocimiento.

No queremos definirnos ni como trabajadores cognitivos ni como consumidores farmacopornográficos. No somos Facebook, ni Shell, ni Nestlé, ni Pfizer-Wyeth. Tampoco somos ni Renault ni Peugeot. No queremos producir francés, ni español, ni catalán, ni tampoco producir europeo. No queremos producir. Somos la red viva descentralizada. Rechazamos una ciudadanía definida a partir de nuestra fuerza de producción o nuestra fuerza de reproducción. No somos biooperarios productores de óvulos, ni cavidades gestantes, ni inseminadores espermáticos. Queremos una ciudadanía total definida por la posibilidad de compartir técnicas, códigos, fluidos, simientes, agua, saberes... Ellos dicen que la nueva guerra limpia se hará con drones de combate. Nosotros queremos hacer el amor con esos drones. Nuestra insurrección es la paz, el afecto total. Ya sabemos que la paz es menos sexy que la guerra, vende menos un poema que una ráfaga de balas y una cabeza cortada pone más que una cabeza parlante. Pero nuestra revolución es la de Sojourner Truth, la de Harriet Tubman, la de Jeanne Deroin, la de Rosa Parks, la de Harvey Milk, la de Virginia Prince, la de Jack Smith, la de Ocaña, la de Sylvia Rae Rivera, la del Combahee River Collective, la de Lorenza Böttner, la de Pedro Lemebel, la de Giuseppe Campuzano y Miguel Benlloch. Hemos abandonado la política de la muerte: somos un batallón sexo-semiótico, una guerrilla cognitiva, una armada de amantes. Terror anal. Somos el futuro parlamento posporno, una nueva internacional somatopolítica hecha de alianzas sintéticas y no de vínculos identitarios. Dicen crisis. Decimos revolución.

París, 20 de marzo de 2013

EL ÚLTIMO CERCAMIENTO: APRENDIENDO
DE LA DEUDA CON SILVIA FEDERICI

Debería plegarme a la convención y recomendarles un libro de playa para estos días de estío, pero, frente al espectáculo del naufragio del Estado providencia, prefiero invitarles a la lectura de *Calibán y la bruja,* de Silvia Federici, publicado por Traficantes de Sueños hace ya un par de años y cuyos análisis permiten un diagnóstico inquietante, pero revelador, de la actual gestión de la crisis de la zona euro.

Nos cuenta Federici que fue durante su estancia en Nigeria en los años ochenta cuando comprendió que el proceso de *cercamiento* de las formas de vida y de relación colectivas que condujo al capitalismo en el siglo XV no había terminado, sino que seguía teniendo lugar a través de nuevas estrategias. En el siglo XV, las técnicas de cercamiento de los espacios comunitarios incluyeron la guerra, la persecución de brujas y herejes, la masacre y el saqueo colonial, la expropiación de las tierras comunes, la devaluación del trabajo de las mujeres y la invención de la ideología de la raza.

Los años ochenta constituyeron un punto de inflexión no solo para Nigeria, sino también para la mayoría de los países africanos y latinoamericanos. Durante el periodo conocido como la «crisis de la deuda», los gobiernos africanos presionados por el Fondo Monetario Internacional y por el

Banco Mundial adoptaron programas de ajuste estructural como garantía de su incorporación a la economía mundial. Aunque aparentemente destinados a hacer la economía africana competitiva en el mercado internacional, los programas de ajuste estructural tenían como objetivo allanar definitivamente el terreno social y político (ya debilitado por años de expolio colonial) y permitir la entrada de nuevas formas de capitalismo multinacional y neoliberal, liderado por las industrias petroquímicas y agroalimentarias, de alto impacto social y ecológico, que permitirían costear los excesos energéticos y de consumo de Occidente durante lo que para nosotros fueron los opulentos años ochenta y noventa. El terapéutico «ajuste estructural», advierte Federici, supuso la destrucción de los últimos vestigios de propiedad comunal en África y América del Sur, pero también de formas culturales y de gestión de la vida colectivas, imponiendo formas nuevas y más intensas de explotación política y ecológica. El resultado del ajuste fue la transformación de buena parte del territorio africano en un salón de juegos para Total, Shell o Monsanto, un pozo de especulación y un vertedero planetario.

El plan de austeridad que el metafísico FMI y los espectrales agentes de notación están poniendo en marcha en Europa no es otra cosa que el último de los cercamientos: la extensión de las técnicas neoliberales de confiscación perfeccionadas durante siglos en los territorios coloniales que ahora se despliegan sobre la vieja colonia. Si no resistimos colectivamente, las recetas del FMI para el nuevo ajuste estructural supondrán el desmantelamiento de los espacios comunes de gestión de la vida, del cuerpo y del tiempo que habían logrado sobrevivir a la extensión neoliberal en Europa: el cierre definitivo de los espacios comunes de la educación, de la cultura, de la asistencia sanitaria y social...

A lo que estamos asistiendo no es a la crisis del capitalismo, sino a su expansión exponencial, a su mutación desde un modelo industrial a un modelo informático-financiero: su forma más abstracta y arbitraria. El nuevo liberalismo nunca se ha sentido tan libre. Las multinacionales nadan en basura y beneficios, no nos engañemos: el mercado exulta. ¿A qué deuda se refiere el FMI? ¿A la deuda que Europa les debe a África o América Latina por haberlas expoliado durante siglos? ¿A la deuda que les deben los hombres a las mujeres por años de trabajos sexuales y domésticos no pagados? ¿A la deuda que les deben los ricos a los pobres por haberles robado el tiempo y la belleza? La deuda «soberana» (puesto que lo único que queda de soberano a los países europeos es la deuda), producto de la especulación con lo colectivo, es solo una excusa para legitimar el último cercamiento. El neoliberalismo da una nueva vuelta de tuerca: puesto que nada ha permitido probar que la democracia beneficie al libre mercado, transformemos la democracia misma en mercado. En su ascenso salvaje, el mercado neoliberal sueña con la extensión global del modelo chino o saudí, enclaves de innovación gubernamental: totalitarismo político más capitalismo económico más devastación ecológica más muerte social. Los nuevos magnates del capitalismo financiero no soportan que, durante los últimos cuarenta años, buena parte de la población europea haya ensanchado considerablemente la esfera de sus derechos jurídicos y económicos. Es necesario un último cercamiento: flexibilizar aún más el mercado de trabajo, bajar salarios, privatizar la educación, la sanidad, la cultura, las instituciones penitenciarias, el ejército..., acabar con el subsidio de desempleo, con las pensiones y vallar la Puerta del Sol para que pueda venir el papa. Frente a los nuevos mercados de Brasil, África del Sur o Asia, ya somos historia. Ahora nos toca a nosotros renunciar a todo para permitir la marcha siempre alegre del neoliberalismo hacia otras playas más florecientes. El capitalismo neoliberal está declarándole la guerra a la población europea.

Es significativo que frente a esta marea alta de cercamientos neoliberales los movimientos de indignados hayan elegido como gesto político definitivo la ocupación del espacio público, y más en concreto de las plazas, foros por excelencia de gestión de lo colectivo. Los indignados son los nuevos herejes y las nuevas brujas del capitalismo neoliberal. Los ecólogos dicen que un suelo está muerto cuando los agentes tóxicos han acabado con todos los microorganismos que oxigenan y regeneran la tierra. Del mismo modo, si el cercamiento vence, el capital acabará con todo lo colectivo: el día que muera el suelo de la Puerta del Sol, de la plaza de Cataluña o de la plaza Síntagma tendremos que hablar de necrocracia, una democracia muerta y para la muerte.

Nueva York, 27 de agosto de 2011

GOTERAS DIPLOMÁTICAS: JULIAN ASSANGE
Y LOS LÍMITES SEXUALES DEL ESTADO-NACIÓN

Es posible que algún historiador futuro recuerde el 7 de diciembre de 2010, cuando Julian Assange, el creador de WikiLeaks, fue arrestado en Londres, como el principio de una batalla sangrienta (tan definitoria de nuestra época como lo fueron en el siglo XVI las de la colonización del continente americano o las guerras de religiones en Europa central) entre la antigua comprensión democrática liberal del poder y una nueva teoría de la democracia como acceso público y no restringido a la información y a las tecnologías de producción de verdad. Dejando al margen por un momento la gravedad de su detención, resulta interesante detenerse en los insólitos cargos que le son imputados a Assange y que podrían dar lugar a una eventual extradición a Suecia o a Estados Unidos. Julian Assange no ha sido arrestado por sus actividades a la cabeza de WikiLeaks, como había sido anunciado por el Congreso estadounidense desde que se hicieran públicos los documentos sobre la guerra de Afganistán el pasado mes de julio, sino por «ofensa sexual»: las autoridades suecas lo han reclamado por dos acusaciones de «coerción ilegal» y de «acoso sexual y violación». Según Scotland Yard, «Los cargos hacen referencia a dos encuentros sexuales que según las dos denunciantes empezaron de forma consensual pero que dejaron de ser consensuales a partir del momento en que Julian Assange no utilizó un condón».

No sé si Scotland Yard se habrá puesto de acuerdo con Benedicto XVI, pero nunca antes un condón había cobrado tanto valor en las relaciones geopolíticas. Aunque Kafka nos enseñó que lo importante no son los cargos sino el proceso mismo de acusación, quizás valga la pena preguntarse por qué el gobierno sueco y Scotland Yard han escogido, de entre todas las posibles acusaciones (permítanme que apoye esta hipótesis en la presunción de inocencia), la figura de la violación y el corolario del condón para encerrar a Assange.

La acusación contra Assange es la materialización jurídica de una metáfora sexo-política. Los gobiernos nacionales han expresado como «violación» contra la soberanía sexual del cuerpo individual la amenaza que para los límites de los cuerpos políticos de los Estados-nación ha supuesto la posible difusión pública de más de doscientos cincuenta mil cables diplomáticos a través de WikiLeaks.

Este desplazamiento se debe a la imposibilidad de trazar los límites orgánicos de los actuales Estados-nación, por lo que resulta más operativo reclamar que lo que ha sido violado es el cuerpo individual; y, cuando se trata de cuerpo, no puede ser otro sino el femenino, puesto que somatopolíticamente los hombres no son cuerpo sino razón. Los actuales Estados-nación son ficciones decimonónicas cuyos límites se ven comprometidos por el proceso mismo de la globalización. En el capitalismo neoliberal dominado por relaciones financieras de carácter global y por ingentes intercambios de signos inmateriales, dígitos e información, los límites del cuerpo del Estado-nación no pueden trazarse de manera efectiva, ni bastan sus fronteras territoriales para contenerlos. Por decirlo de algún modo, los Estados-nación funcionan hoy como las líneas aéreas: cultivan mientras vuelan la ilusión nacional; Aeroméxico sigue sirviendo enchiladas con carne mientras

49

Air France nos agasaja con camembert y vino de Burdeos para que el viajero siga creyendo que pisa suelo nacional aun estando en las nubes. La exposición pública en internet del detalle de los intercambios diplomáticos muestra no solo el estado lamentable de las cocinas políticas, sino que las enchiladas son *made in USA* y que el vino de Burdeos proviene de las cepas sintéticas de Dubái. Se deshace de este modo la ilusión de la soberanía nacional y quedan al descubierto los menús globales de las diplomacias nacionales.

Como los Estados-nación no encuentran los poros de su propia piel para señalar el lugar de la penetración ilegal y de la fuga, buscan un cuerpo de sustitución que sirva para denunciar el agravio a la soberanía nacional. El cuerpo de las dos mujeres suecas opera aquí como un sustituto del cuerpo nacional –puro, casto e inviolable– que Julian Assange (léase WikiLeaks) habría ultrajado. De ahí la importancia simbólica del condón. Follar con condón, en este juego de sustitución de cuerpos políticos, equivaldría a haber obtenido los cables diplomáticos (algo así como el fluido seminal de los gobiernos) y haberlos mantenido en secreto, preservando la fuga (literalmente las goteras, *leaks)* de la información en el espacio público. Eso habría sido «sexo consensual», mientras que poner en circulación la información de manera pública es amenazar la inmunidad y el honor del Estado-nación, y de paso la del cuerpo femenino.

He aquí el delito: WikiLeaks se lo ha hecho con el Estado-nación, sin consentimiento y sin condón. He aquí la violación: WikiLeaks está reconfigurando las relaciones entre los espacios privados y públicos, entre la propiedad y lo común, entre la verdad y el secreto, entre política y pornografía. El paso desde Julian Assange-violador a WikiLeaks-terrorista será simplemente una cuestión de extensión del dominio de la metáfora.

París, 16 de diciembre de 2010

DERRIDA, FOUCAULT Y LAS BIOGRAFÍAS IMPOSIBLES

Se acaban de publicar en Francia, con pocos meses de intervalo, dos libros que podrían considerarse como ejemplos paradigmáticos de dos modos no solo diversos sino más bien irreconciliables de entender la biografía y, por extensión, de pensar el contenido de las dos raíces que componen esta práctica narrativa: *bios,* «vida», y *graphein,* «escritura». La divergencia de estas dos escuelas biográficas no sería dramática si esos dos libros no afectaran a la reconstrucción de las vidas de los que fueron sin duda no solo los protagonistas más emblemáticos de la filosofía posestructural francesa, sino también aquellos que de forma más radical habrían de redefinir lo que hoy entendemos respectivamente por escritura y *bios:* Jacques Derrida y Michel Foucault, objetos respectivamente de los libros *Derrida* de Benoît Peeters y *Ce qu'aimer veut dire,* de Mathieu Lindon.

De forma esquemática podríamos decir que en la primera de estas escuelas el biógrafo, exterior a la vida, pretende utilizar la escritura como instrumento de representación para producir un esquema detallado del tiempo y de la acción, mientras que la segunda, partiendo de la imposibilidad de la biografía, entiende la escritura como una tecnología de la subjetividad, como una práctica performativa de producción

51

de vida. Si tuviéramos que recoger sus diferencias en el lenguaje médico podríamos decir que la primera escuela entiende la biografía como anatomía patológica enfrentándose con su objeto de estudio cuando está muerto o como si ya lo estuviera, mientras que la segunda se piensa a sí misma como una fisiología total en la que el texto y el cuerpo funcionan siempre como órganos vitales.

Y como no hay justicia biográfica, le ha tocado a Derrida ser objeto de la anatomopatología a manos de Benoît Peeters, que ya había llevado a cabo un ejercicio semejante con Hergé, el creador de Tintín, y que, al buscar según sus propias palabras «otra personalidad» sobre la que desplegar sus virtudes y encontrarse con dificultades para trabajar sobre Magritte, el pintor surrealista, o sobre Jérôme Lindon, el mítico editor de Minuit (y padre de Mathieu, el escritor de *Ce qu'aimer veut dire),* acepta la propuesta de Flammarion de escribir una biografía sobre Derrida.

A través de lo que Peeters denomina una lectura «flotante» y «pudorosa», su biografía construye a Derrida como un tipo perdido y confuso, un trepa con muchos enemigos, emigrante argelino que aspira a llevar una vida de francés medio-burgués, a ganar algo de dinero y adquirir un poco de fama, y quizás a huir de tanto en tanto de la presión monógama de su matrimonio y de su vida familiar, llenándose de trabajo y de viajes, a riesgo de verse sepultado en una vorágine de conferencias, seminarios y entrevistas en interminables giras alrededor del mundo rodeado de *groupies,* un Derrida atormentado por la mentira, los celos y la doble vida. A aquellos que conocimos a Derrida, nada de todo esto nos parece que resuene con su vida ni con lo que su escritura hizo de ella. Por si esto fuera poco, Peeters acompaña esta biografía de un segundo libro, *Trois ans avec Derrida. Les carnets d'un biographe,* un diario de escritura en el que Peeters confiesa, por ejemplo, no soportar lo que denomina «grafomanía» de Derrida, su tendencia a «escribir demasiado, un defecto que se agrava con la edad», que su biógrafo no sabe si achacar a «la gloria, la oralidad, el tratamiento del texto» o incluso a «los excitantes». «¡Bachi-buzuk de los Cárpatos, ectoplasmas y anacolutos!», habría dicho el capitán Haddock si hubiera leído todo esto. Si algo demuestran las casi setecientas páginas de este libro es el «mal de archivo» de Peeters (resultan llamativas, sobre todo, las ausencias de Sylviane Agacinski, amante durante años de Derrida y madre de uno de sus hijos, y de Hélène Cixous, sin duda una de sus interlocutoras fundamentales) y la imposibilidad de la biografía como escritura (transitiva) *de* la vida. No merece la pena ir más lejos en esta crítica, pero sí invitar a sus posibles lectores a someter esta biografía y el cuaderno que la acompaña a un ejercicio deconstructivo entendiéndolos más bien como autorretratos del propio Peeters.

En el extremo opuesto de este ejercicio de contabilidad vital se encuentra el libro *Ce qu'aimer veut dire* de Mathieu Lindon que, teniendo como objetivo un relato autobiográfico, acaba produciendo un diagrama de la vida de Foucault que supera en intensidad y precisión los por otra parte muy detallados intentos de James Miller, David Macey y Didier Eribon. Mathieu Lindon cuenta en este libro sus años de juventud en París y, sobre todo, los días que vivió en el apartamento de Michel Foucault, ocupándose (con poco éxito) de sus plantas, mientras este viajaba al extranjero para dar conferencias o se iba de vacaciones con su compañero Daniel Defert. Lindon no nos habla de Foucault sino de su apartamento. La biografía se disuelve aquí en una geografía de afectos. Habitamos con Lindon por un tiempo en el número 295 de la rue de Vaugirard, entre los parques André-Citroën y Georges Brassens. Vemos en acción la ética del arte de vivir según Foucault. Resulta impresionante descubrir cómo Foucault transforma un apartamento típicamente familiar de un barrio más bien aburrido y burgués del distrito 15 de París, en el que abundan hospitales y colegios, en el centro de una compleja ecología gay, un lugar de encuentro para muchos de los militantes y activistas de finales de los años setenta, sede del Grupo de Investigación de Prisiones, pero también salón alucinógeno: Lindon cuenta las tardes interminables pasadas en el «rincón Mahler», un espacio del gran salón que Foucault dedicaba a escuchar música mientras tomaba LSD acompañado de sus amigos. Descubrimos poco a poco la doble estructura de este espacio: un apartamento unido a un estudio, que Foucault utilizaba a veces como despacho en el que trabajaba, según su propia expresión, «como una costurera», pero que otras veces prestaba a amigos o amantes, un armario-apartamento dentro de otro apartamento, que refleja de forma singular la segmentación de lo visible y lo invisible que caracterizó la vida del filósofo que quiso no tener rostro.

París, 17 de enero de 2011

FILIACIÓN Y AMOR MARICA SEGÚN JEAN GENET

La poeta Lydie Dattas cuenta que uno de los jóvenes que vivió con Jean Genet durante años le confesó, casi con temor a destruir la imagen del escritor lascivo y sátiro, que Genet y él hicieron el amor, en una cama, en la cama de la casa que habitaban juntos, solo una noche. Tan solo una noche en años. Una noche que el amante, al contarle la historia a Lydie Dattas, ni siquiera recuerda con nitidez. Sin embargo, aquel joven calificaba su relación con Genet como la más intensa, pasional e inolvidable de las que tuvo durante su vida.

Genet, que como recordarán fue abandonado por su madre al nacer y educado por la asistencia social francesa, establecía con sus amantes una relación filial, pero radicalmente opuesta a la estructura tradicional de la familia. Trataba a sus amantes como si fueran sus hijos, pero hijos-sin-padre. Las estructuras mitológicas de la paternidad no fueron las elegidas por Genet como forma de la relación paterno-filial: ni la que nos enseñan Layo y Yocasta, los fracasados padres de Edipo (váyase a saber por qué Freud habría de situarla después como modelo fundacional de la estructura deseante del inconsciente y cómo sus discípulos podrían tomar en serio una hipótesis tan descabellada como base de la práctica clínica: hacer de Edipo el centro de un proceso terapéutico sería tan errático como pretender curar a alguien estableciendo lazos narrativos entre su historia y la relación de la Pantoja y Paquirrín o de Belén Esteban con su hija), ni tampoco la de Cronos, que, después de castrar a su padre Urano y quizás alertado por la posibilidad de que sus instintos parricidas sean hereditarios, opta por la ingesta preventiva (y no muy dietética) de sus cinco vástagos.

Genet es, por decirlo con Deleuze y Guattari, un anti-Edipo moderno, o un Cronos ligero y funambulista que sufre de anorexia filial. No había entre Genet y sus amantes ni sexo al estilo Yocasta, ni intento de asesinato como en el caso de Layo: no olvidemos que este ordenó matar a su hijo Edipo, pero el asesino a sueldo al que contrató, más sensato que su propio padre, se apiadó de la criatura, lo que hizo posible el final tarantinesco que el oráculo de Delfos le había reservado al padre. Tampoco se manifiesta en Genet el canibalismo filial como sucedía en el caso de Cronos.

Genet inventó una forma de filiación-sin-hijos que escapa a los lazos de sangre y de leche, a las relaciones de identidad, oposición y exterminación que rigen las normas de la trasmisión paterno-filial narradas mitológicamente, formuladas por el derecho romano, asentadas después durante la Edad Media por los códigos eclesiásticos y hoy extendidas en su variación heterosexual como ideal de relación familiar y social. Las relaciones paterno-filiales de sangre y de leche, herederas de un modelo de poder soberano, deberían darnos miedo. En las sociedades soberanas, el poder del padre no es el poder de dar la vida, como dejaría claro un estudio criminológico detallado de los casos de Edipo y Cronos, sino el poder de dar la muerte. Si la madre era entendida como seno nutricio que debe dar leche, el padre era pensado por la posibilidad de establecer con el hijo, y por extensión con la madre (pues incluso la madre es construida en dependencia filial con el padre), relaciones de muerte, de sangre. Eso fue lo que el feminismo de los años setenta denunció con el nombre de patriarcado: el derecho del padre –del marido, del novio, del amante– a utilizar de forma legítima la violencia como modo de relación política y económica con el otro. Esa herencia mítico-teológica es la que arrastramos todavía bajo el nombre de violencia de género, encarnada ahora alternativamente por padres y madres («Por mi hija, mato», que diría Belén Esteban), por heteros y homos, por nuestros propios políticos e incluso por los hijos, ahogados todos en relaciones soberanas de sangre y de leche.

Genet deshace esos vínculos naturales y violentos e inventa otra filiación y, de paso, otro amor marica. A la sangre, opone Genet el robo. A la leche, la literatura. Sus amantes no recuerdan noches de sexo, sino conversaciones interminables, días a lo largo de los que Genet leía *Una temporada en el infierno* de Rimbaud o inventaba soliloquios. Recuerdan a Genet contando cómo Giacometti había creado las famosas miniaturas al intentar reducir sus esculturas hasta poder esconderlas en una caja de cerillas para cruzar la frontera sin que se las requisaran. Recuerdan también que Genet, al que nunca se le había dado muy bien el arte de la sustracción de bienes ajenos, les forzaba a robar maletas, libros o chaquetones en tiendas, en estaciones de trenes, en bibliotecas públicas donde los lectores descuidaban sus carteras ensimismados en una traducción francesa de Cervantes, y allí, cuando los ojos se humedecían leyendo el pasaje de la muerte del Quijote, el amante de Genet aprovechaba para huir con una billetera que era recibida no por su valor económico, sino como el signo de una alianza ardiente. De lo cual cabría deducir, contra todo pronóstico, que los hijos no se hacen ni con sangre ni con leche, sino con teatro o, como le gustaba decir a Genet, en el circo, y que no es en el sexo, sino en la poesía y en el robo, donde reside la dimensión pasional del amor marica.

Nueva York, 20 de febrero de 2011

REVOLUCIONES VELADAS: EL TURBANTE
DE SIMONE DE BEAUVOIR Y EL FEMINISMO ÁRABE

Resulta difícil dormir en las viejas metrópolis de Europa sabiendo que del otro lado del Mediterráneo la revolución se despierta. Para los que nacimos después del 68 y que, salvo durante la caída de Berlín, solo hemos oído hablar de guerras, los levantamientos de los países árabes nos permiten atisbar el gozo de las revoluciones pacíficas que no buscan el poder sino la transformación social. Cuando me reúno estos días en París con mis amigos tunecinos trans y lesbianas para celebrar la caída de Ben Ali, nos preguntamos impacientes cómo y cuándo se producirá el levantamiento transfeminista de Oriente. ¿Cómo será su próxima revolución sexual?

La biógrafa Deirdre Bair se desespera intentando explicar la obstinación (cuando no el mal gusto) de Beauvoir por cubrir una parte de su cuerpo. Deirdre Bair disculpa finalmente el turbante beauvoiriano explicando que ya había estado de moda entre las mujeres europeas del Segundo Imperio y que Beauvoir lo adoptó en 1939, igual que habían hecho otras muchas francesas, como un modo de ocultar el cabello femenino difícilmente limpio y arreglado en tiempos de guerra.

Sin embargo, lo que resulta específico de Beauvoir no es haber llevado turbante entre 1939 y 1945, sino haber hecho del turbante su signo distintivo después de la guerra cuando el resto de las mujeres europeas dejaron de llevarlo. Podríamos decir que Simone de Beauvoir se convierte después de la Segunda Guerra Mundial en una mujer-con-turbante. Cuando el turbante no está presente, su fuerza formal persiste por otros medios: Simone de Beauvoir enrolla su propio pelo en torno a la cabeza, convirtiéndose en una suerte de princesa Leia de la Guerra Fría. El ensamblaje cuerpo-turbante adquiere incluso una consistencia post mórtem, que supera la voluntad de representación de la propia Beauvoir: el 14 de abril de 1986, su cadáver será expuesto para el rito funerario con un turbante rojo, como si esa pieza textil se hubiera convertido con los años, a través de un proceso de solidificación somática, en parte de su cuerpo público.

¿Cómo evaluar el significado histórico del hecho de que la iniciadora del feminismo de la segunda ola llevara en sus intervenciones públicas un turbante? ¿Es posible pensar en una genealogía del feminismo que establezca vínculos entre la crítica de la opresión de las mujeres blancas que surge en el contexto posterior a la Segunda Guerra Mundial –y de la que Simone de Beauvoir es sin duda una de las figuras más representativas– y los feminismos periféricos, feminismos *queer*, feminismos negros, indigenistas o árabes que ponen en cuestión que la mujer blanca heterosexual pueda ser el único sujeto político de un movimiento de transformación social, esos feminismos cuyos discursos y teorías críticas fueron *velados* por un feminismo hegemónico y que hoy comienzan a adquirir visibilidad? ¿Seríamos capaces de escuchar hoy en Occidente a una feminista con turbante?

El término «turbante» entra en la lengua francesa en el siglo XVII, procedente del turco *tülbend* y del persa *dulband* para describir «una cofia de origen oriental que consta de una larga chalina (de entre 1 y 5 metros) enrollada en torno a la cabeza o en el interior de un sombrero que fue de uso común entre los sultanes otomanos», pero también «una cofia de mujer semejante al turbante oriental». En una teoría general de las técnicas somáticas, el turbante y el velo islámico pertenecían a un mismo conjunto de apéndices culturales de la cabeza, de accesorios de la identidad, extesis somatopolíticas inventadas en Oriente, a las que habría que añadir el *pagri* indio o el turbante sij y que no serían muy distintas de los occidentales velos cristianos o de una larga variedad de objetos fabricados en algodón, lana, piel, fieltro, paja, metal o incluso plástico que extienden la cabeza y encuadran el rostro.

Beauvoir que fue, junto con Joan Rivière, una de las primeras escritoras que rechazaron la idea de que existía una feminidad esencial, se cubre y se muestra a través de su turbante. Oscilando entre sombrero y peluca, al mismo tiempo práctica oriental y signo de distinción, el turbante opera en Beauvoir como una técnica que con Judith Butler podríamos denominar de «estilización del género», un elemento externo que al mismo tiempo produce y difiere la feminidad heterosexual, blanca, occidental y centroeuropea introduciendo una ruptura con la norma. Su uso obstinado del turbante podría leerse como una forma de disidencia de género y sexual, pero también nacional, al introducir un distanciamiento cultural en aquella parte del cuerpo (la cabeza y el rostro) que convoca los signos más determinantes de la identidad corporal entendida como verdad anatómica.

Si el pelo ha sido marcado históricamente como signo de seducción en la gramática de la feminidad heterosexual, el turbante, al cubrirlo, lo desnaturaliza. Significante dislocado, citación hiperbólica de otro tiempo, de otra cultura, de otro género sobre el cuerpo, el turbante es una técnica paródica, forma parte de un ejercicio de travestismo a través del que Beauvoir enmarca y teatraliza al mismo tiempo la feminidad burguesa heterosexual y su rechazo. El turbante, más disonante y excéntrico a medida que avanza el siglo, es la inscripción en la identidad pública de Beauvoir de sus prácticas *queer:* su rechazo de las instituciones del matrimonio y de la monogamia, su crítica de la maternidad como última legitimación política del cuerpo femenino, sus relaciones lesbianas, su uso de las prácticas hasta entonces consideradas como masculinas de la filosofía y de la política.

Sería posible considerar retrospectivamente el turbante beauvoiriano como una suerte de velo laico y *queer.* La feminista con turbante nos enseña a pensar el velo como una técnica de producción de identidad cuyo significado no puede ser únicamente determinado ni por los discursos religiosos ni por la ley, sino que, abierto a un proceso imparable de resignificación y de descontextualización, puede ser también parte de una estrategia de visibilidad y de resistencia a la normalización.

Me pregunto si, como feministas, deberíamos instaurar el Día del Turbante, más que el Día de la Falda, vestimenta a la que me costaría acomodarme después de años de luchar contra la imposición normativa de la feminidad. Este nuevo turbante transfeminista podrían llevarlo indistintamente hombres, mujeres y otros, como homenaje a la que fuera la autora de *El segundo sexo,* pero también como signo de un esfuerzo colectivo por resistir a la exclusión a la que están sometidas las mujeres musulmanas que llevan velo en el contexto occidental.

París, 2 de marzo de 2011

¿QUIÉN DEFIENDE AL NIÑO *QUEER*?

Los adversarios de la propuesta de enmienda de ley de matrimonio homosexual y de la extensión de la adopción y de la procreación médicamente asistida a las parejas homosexuales se manifestaron en Francia el 13 de enero de manera multitudinaria: más de seiscientas mil personas juzgaron pertinente salir a la calle para preservar su hegemonía político-sexual. Este ha sido el mayor *outing* nacional de heterócratas. Católicos, judíos y musulmanes integristas, los católicos supuestamente «progres» representados por Frigide Barjot, la derecha liderada por Jean-François Copé, los psicoanalistas edípicos, los socialistas de la diferencia sexual e incluso buena parte de la izquierda radical se han puesto de acuerdo para hacer del derecho del niño a tener un padre y una madre el argumento central que permitiría limitar los derechos de los homosexuales. Sus últimas manifestaciones públicas se han caracterizado por los lemas injuriosos y por la violencia de sus «servicios de orden». No es extraño que defiendan sus privilegios con un hacha de guerra en la mano. Lo que resulta filosófica y políticamente problemático es que lo hagan en nombre de la defensa de la infancia. Resulta inadmisible que sean los niños quienes tengan que llevar el hacha.

El niño que Frigide Barjot pretende proteger no existe.

Los defensores de la infancia y de la familia invocan la figura política de un niño que construyen de antemano como heterosexual y generonormado. Un niño al que privan de la energía de la resistencia y de la potencia de usar libre y colectivamente su cuerpo, sus órganos y sus fluidos sexuales. Esa infancia que pretenden proteger está llena de terror, de opresión y de muerte.

Frigide Barjot juega con la ventaja de que al niño no se le considera capaz de sublevación política contra el discurso de los adultos: al niño se lo sigue considerando como un cuerpo que no tiene derecho a gobernar. Permítanme inventar retrospectivamente una escena de la enunciación, responder como el niño gobernado que fui un día y proponer otra forma de gobierno de los niños que no son como los otros.

Yo fui un día el niño al que pretende proteger Frigide Barjot. Y me sublevo ahora en nombre de los niños a los que su falaz discurso se dirige.

¿Quién defiende los derechos del niño diferente? ¿Quién defiende los derechos del niño al que le gusta vestirse de rosa? ¿Y los de la niña que sueña con casarse con su mejor amiga? ¿Quién defiende los derechos del niño homosexual, del niño transexual o transgénero? ¿Quién defiende el derecho del niño a cambiar de género si así lo desea? ¿El derecho del niño a la libre autodeterminación de género y sexual? ¿Quién defiende el derecho del niño a crecer en un mundo sin violencia de género y sexual?

El invasivo discurso de Frigide Barjot y de los protectores del «derecho del niño a tener una madre y un padre» me devuelve tristemente al lenguaje del nacionalcatolicismo de mi infancia. Nací en la España franquista y crecí en una familia heterosexual católica de derechas. Una familia ejemplar que los naturalistas podrían erigir en emblema de la virtud moral. Tuve un padre y una madre que operaron virtuosamente como garantes domésticos del orden heterosexual.

En los actuales discursos franceses contra el matrimonio homosexual y la adopción y la procreación asistida reconozco las ideas y los argumentos de mi padre. En la intimidad del espacio doméstico, mi padre ponía en marcha un silogismo que invocaba la naturaleza y la ley moral y acababa justificando la exclusión, la violencia e incluso la muerte de los homosexuales, travestis y transexuales. Empezaba a menudo con «un hombre tiene que ser hombre, y una mujer, mujer, así lo ha querido dios», continuaba con «lo natural es la unión de un hombre y una mujer, por eso los homosexuales son estériles» y al final venía la implacable conclusión: «Si tengo un hijo maricón, lo mato.» Y ese hijo era yo.

El niño que Frigide Barjot pretende proteger es el efecto de un insidioso dispositivo pedagógico, el lugar de proyección de todos los fantasmas, la coartada que permite al adulto naturalizar la norma. La biopolítica es vivípara y pedófila. Está en juego el futuro de la nación heterosexual. El niño es un artefacto biopolítico que permite normalizar al adulto. La policía de género vigila las cunas para transformar todos los cuerpos en niños heterosexuales. O eres heterosexual o lo que te espera es la muerte. La norma hace la ronda alrededor de los recién nacidos, reclama cualidades femeninas y masculinas distintas a la niña y al niño. Modela los cuerpos y los gestos hasta diseñar órganos sexuales complementarios. Prepara e industrializa la reproducción, de la escuela al parlamento. El niño que Frigide Barjot pretende proteger es el hijo de la máquina despótica: un naturalista miniaturizado que hace campaña por la muerte en nombre de la protección de la vida.

Recuerdo el día en el que, en mi colegio de monjas Reparadoras, la madre Pilar nos pidió que dibujáramos nuestra familia en el futuro. Tenía siete años. Me dibujé en pareja con mi mejor amiga Marta, con tres hijos y varios gatos y perros. Yo había diseñado mi propia utopía sexual en la que regía el amor libre, la procreación colectivizada, y en la que los animales gozaban de estatuto político humano.

Pocos días después, el colegio envió una carta a mi casa aconsejando a mis padres que me llevaran a visitar a un psiquiatra para atajar cuanto antes un problema de identificación sexual. La visita al psiquiatra vino acompañada de fuertes represalias. Del desprecio de mi padre y de la vergüenza y la culpabilidad de mi madre. Se extendió en el colegio la idea de que yo era lesbiana. Una manifestación de naturalistas y frigidebarjotianos me esperaba cada día al salir de clase. «Puta tortillera», me decían, «te vamos a violar para enseñarte a follar como dios manda.» Tuve padre y madre, y, sin embargo, no fueron capaces de protegerme de la represión, del oprobio, de la exclusión ni de la violencia.

Lo que mi padre y mi madre protegían no eran mis derechos de «niño», sino las normas sexuales y de género que ellos mismos habían aprendido con dolor a través de un sistema educativo y social que castigaba toda forma de disidencia con la amenaza, la intimidación e incluso con la muerte. Tuve padre y madre, pero ninguno de ellos pudo proteger mi derecho a la libre autodeterminación de género y sexual.

Yo hui de ese padre y esa madre que Frigide Barjot habría querido para mí, porque de ello dependía mi supervivencia. Aunque tuve un padre y una madre, la ideología de la diferencia sexual y de la heterosexualidad normativa me privó de ellos. Mi padre se vio reducido a un representante represivo de la ley de género. A mi madre la despojaron de toda función que excediera la de útero gestante y reproductor de la norma sexual. La ideología de Frigide Barjot (articulada entonces por el nacionalcatolicismo franquista) me privó del derecho a tener un padre y una madre que pudieran amarme y protegerme.

Nos ha costado muchos años, muchas broncas y muchas lágrimas superar esa violencia. Cuando el gobierno socialista

65

de Zapatero propuso en 2005 la ley del matrimonio homo-sexual, mis padres, que siguen siendo católicos practicantes y de derechas, votaron socialista por primera vez en sus vidas. No lo hicieron únicamente por defender *mis* derechos, sino por su propio derecho a ser padre y madre de un hijo no-hete-rosexual. Por su derecho a la paternidad de *todos* los hijos, con independencia de su género, sexo u orientación sexual. Mi madre confiesa que fue ella la que arrastró a mi padre, más re-ticente, hasta la manifestación y las urnas. Me decía: «Noso-tros también tenemos derecho a ser tus padres.»

No nos engañemos. Los manifestantes nacionalcatólicos franceses no defienden los derechos del niño. Protegen el poder de educar a sus hijos en la norma sexual y de género, como presuntos heterosexuales, concediéndose el derecho de discriminar toda forma de disenso o desviación.

Lo que es preciso defender es el derecho de todo cuerpo, con independencia de su edad, de sus órganos sexuales o ge-nitales, de sus fluidos reproductivos y de sus órganos gestan-tes, a la autodeterminación de género y sexual. El derecho de todo cuerpo a no ser educado exclusivamente para convertir-se en fuerza de trabajo o fuerza de reproducción. Es preciso defender el derecho de los niños, de todos los niños, a ser considerados como subjetividades políticas irreductibles a una identidad de género, sexual o racial.

París, 14 de enero de 2013

PROCREACIÓN POLÍTICAMENTE ASISTIDA Y HETEROSEXUALISMO DE ESTADO

Aunque la ley del «matrimonio para todos» ha supuesto una apertura de la institución y una extensión de sus privilegios políticos, la negativa del gobierno francés a aceptar la PMA para las parejas, los colectivos o los individuos no heterosexuales es una manera de respaldar los modos hegemónicos de reproducción sexual y confirma que el Partido Socialista francés promueve una política de *heterosexualismo de Estado:* la heterosexualidad normativa y obligatoria sería de nuevo legitimada como técnica de gobierno nacional.

La restricción de la PMA a los reproductores heterosexuales es la respuesta de los señores feudales de la tecnoheterosexualidad, de los garantes del orden simbólico masculinista nacional (en esto se han puesto de acuerdo con los nuevos patronos del judaísmo-cristianismo-islam) a un conflicto social y político secular que podría hacer temblar su poder confiriendo por primera vez a los cuerpos de la multitud el control cooperativo sobre sus células, sus fluidos y sus órganos reproductivos.

En términos biológicos, afirmar que son necesarios un hombre y una mujer para llevar a cabo un proceso de reproducción sexual resulta tan ridículo como lo fueron en otro tiempo las afirmaciones según las cuales la reproducción solo podía darse entre dos cuerpos que compartían la misma religión, la misma «sangre», el mismo color de piel o el mismo estatus social. Si hoy somos capaces de identificar estas últimas afirmaciones como prescripciones políticas que dependían de una ideología religiosa, racial o de clase, deberíamos también ser capaces de discernir la ideología heterosexista y los procesos de normalización de género que subyacen a los argumentos que hacen de la unión sexo-política de un hombre y una mujer una condición de la reproducción.

Mientras la derecha francesa se embrutece negando lo que denominan «teoría de género» en nombre de la «naturaleza» –con una fanfarronería solo comparable a aquella con la que la derecha americana se opone a la «teoría de la evolución»–, la biología evolutiva del desarrollo, la ingeniería genética y la bioinformática están modificando radicalmente lo que hasta ahora entendíamos por naturaleza, por sexo y por transmisión hereditaria del patrimonio biológico.

Tras la reivindicación conservadora del carácter natural de la heterosexualidad se esconde la confusión estratégica entre reproducción sexual y práctica sexual. Cuando se dice que la reproducción heterosexual es más «natural» que la homosexual se confunde la «reproducción sexual» y las coreografías sociales que acompañan a la heterosexualidad. Como nos enseña la bióloga Lynn Margulis, lo único que podemos afirmar acerca de la reproducción sexual del animal humano es que es meiótica: la mayor parte de las células de nuestro cuerpo son diploides, es decir, tienen dos series de veintitrés cromosomas cada una. Sin embargo, los espermatozoides y los óvulos son células haploides, es decir, tienen un único juego de veintitrés cromosomas. El proceso de fertilización no supone la diferencia de sexo o de género de los cuerpos implicados, sino la fusión del material genético de dos células haploides. No hay nada que haga más apto para la reproducción a un cromosoma de un heterosexual que al de un homosexual, con independencia de que la inseminación se lleve a cabo con un pene o con una jeringa, en una vagina o sobre una placa de Petri. La reproducción sexual no necesita de la unión política ni sexual de un hombre y de una mujer, no es ni hetero ni homo. La reproducción sexual es simple y maravillosamente una recombinación cromosómica.

Lo único que podemos afirmar desde un punto de vista biológico es que ningún cuerpo «humano» puede reproducirse fuera de agenciamientos sociales y políticos colectivos. La reproducción es un acto de comunismo somático. Todos los animales humanos procreamos de forma políticamente asistida. La reproducción exige siempre una colectivización del material genético de un cuerpo a través de una práctica social más o menos regulada. Un espermatozoide no se encuentra nunca con un óvulo de forma «natural». Los úteros no se embarazan de manera espontánea, ni los espermatozoides viajan por instinto en busca de óvulos por las calles.

En términos históricos, diferentes técnicas de gestión política y social han tratado de controlar los procesos de reproducción de la vida. Hasta el siglo XX, cuando no era posible intervenir en los procesos moleculares y cromosómicos de la reproducción, el control se ejercía sobre el cuerpo femenino (como útero potencialmente gestante) y sobre los fluidos esperma, sangre y leche que, se creía, participaban en el proceso de la reproducción. La heterosexualidad se impuso como tecnología social de reproducción políticamente asistida. La particularidad de esta técnica es que ha sido históricamente naturalizada a través de un ejercicio de legitimación política. El matrimonio era la institución patriarcal necesaria para un mundo sin píldora anticonceptiva, sin mapa genético y sin test de paternidad: cualquier producto de un útero se consideraba de inmediato propiedad y cautela del *pater familias*. El sistema de subjetivación de la modernidad europea colonial se basó en la distribución política de los cuerpos con respecto a sus funciones reproductivas. En un proyecto biopolítico en el que la población era objeto de un cálculo económico, el agenciamiento heterosexual se convirtió en un dispositivo de reproducción nacional. Quedaron excluidos de este «contrato heterosexual» (podríamos decir leyendo de forma cruzada a Carole Pateman y Judith Butler) de las democracias modernas todos aquellos cuerpos cuyos agenciamientos sexuales no podían dar lugar a procesos de reproducción. A eso se referían Monique Wittig y Guy Hocquenghem cuando apuntaban en los años setenta que la heterosexualidad no era una simple práctica sexual, sino más bien un régimen político.

Para algunos homosexuales, algunos transexuales (aquellos que están en relaciones heterosexuales en las que los dos miembros de la pareja producen únicamente espermatozoides o únicamente óvulos), algunos heterosexuales (aquellos cuyas células reproductivas no pueden efectuar por sí solas el proceso de recombinación genética), asexuales, intersexuales y algunas personas con diversidad funcional, provocar el encuentro de sus materiales genéticos no es posible a través de un agenciamiento genital: es decir, a través de la penetración biopene-biovagina con eyaculación. Pero eso no quiere decir que no seamos fértiles o que no tengamos derecho a transmitir información genética. Los homosexuales, transexuales o asexuales no somos únicamente *minorías sexuales* (empleo aquí minoría en el sentido deleuziano del término, no en términos estadísticos, sino como un segmento social y políticamente oprimido), somos también *minorías reproductivas*. Hemos pagado nuestra disidencia sexual y reproductiva con el silencio genético: no solo hemos sido borrados de la historia social, sino que también hemos sido borrados de la historia genética. Junto con todos aquellos cuerpos considerados como «discapacitados», los homosexuales, los intersexuales y los transexuales, o bien hemos sido «políticamente» esterilizados, o bien se nos ha forzado a reproducirnos a través de técnicas heterosexuales ajenas a nuestros propios agenciamientos sexuales. La actual batalla por la extensión de la PMA a los cuerpos no heterosexuales es una guerra política y económica por la despatologización de nuestros cuerpos, por el control de nuestros materiales reproductivos: nuestros úteros, nuestros óvulos, nuestro esperma; en definitiva, nuestras cadenas de ADN.

Los heterosexócratas que salen a la calle y se manifiestan lo hacen para que su forma de reproducción asistida pueda seguir siendo validada por la ley y los aparatos gubernamentales como la única natural, lo que les permitiría mantener sus privilegios político-reproductivos. ¿Puede François Hollande y su gobierno, buscando el respaldo de las fuerzas conservadoras, alzarse como tecnopadre soberano de la patria, como policía de la recombinación genética, y arrogarse el derecho de esterilizarnos, de impedirnos utilizar nuestros fluidos y nuestras células reproductivas?

Los teóricos de la economía parecen ser conscientes de que el capitalismo ha entrado en un periodo de mutación de sus formas de producción. Sin embargo, la mayoría de estos análisis, al separar producción y reproducción, ignoran que una de las transformaciones más importantes del capitalismo contemporáneo depende de los cambios introducidos por las tecnologías biológicas, informáticas y farmacéuticas, pero también por las tecnologías de gobierno, en el proceso no ya de producción, sino de reproducción sexual y social. Mientras la producción se virtualiza y los flujos del capital financiero se vuelven cada vez más móviles y abstractos, el ámbito de la reproducción sexual y social aparece como el lugar de un nuevo proceso de acumulación primitiva. Es en este contexto de metamorfosis de la economía de la reproducción en el que quiero situar hoy la pregunta por la procreación médicamente asistida y sus condiciones.

71

La masculinidad y la feminidad, la heterosexualidad y la homosexualidad no son entidades ontológicas, no existen en la naturaleza con independencia de relaciones sociales y redes discursivas, y por tanto no pueden ser objeto de observación empírica. Son el efecto de relaciones de poder, sistemas de signos, mapas cognitivos y regímenes políticos de producción de la vida y la muerte. La anatomía no puede ser el fundamento sobre el que se apoyen las agendas políticas y los juicios morales, puesto que la anatomía (un sistema de representación históricamente fabricado) es en sí misma el resultado de convenciones políticas y sociales cambiantes.

Los siglos XVII y XVIII no fueron solamente un periodo de expansión colonial, de tráfico transatlántico y de desarrollo industrial, fueron también los años de un cambio de paradigma en los ámbitos de la biología y la representación anatómica del cuerpo. Un cambio tan radical como el que llevó desde la astronomía ptolemaica a la de Galileo, tuvo lugar en el ámbito de la representación del cuerpo: pasamos de una anatomía, regida por una lógica de similitudes, en el que solo los órganos sexuales masculinos tenían plena existencia (pues los femeninos eran variaciones degeneradas del sistema reproductivo masculino) a una anatomía regida por una lógica de diferencias en la que por primera vez los ovarios, el útero y las trompas de Falopio se representaban como órganos independientes con funciones específicas. La diferencia sexual entendida como verdad anatómica deriva de este sistema de representación moderno.

En la segunda mitad del siglo XX, con el descubrimiento (o la invención, dependiendo del grado de constructivismo biocultural que aceptemos) de las hormonas, los genes y los procesos de reproducción celular se inicia un nuevo cambio de paradigma epistémico y con él un nuevo modelo de gestión político-sexual que he denominado farmacopornográfico, un cambio tan profundo y objeto de tantos conflictos sociales y políticos como el que tuvo lugar entre los siglos XVII y XVIII.[1]

El bio-necro-poder ha cambiado su escala de acción, y con la ayuda de nuevas técnicas, ha extendido su regulación desde el cuerpo a los órganos y de estos hasta ámbitos microcelulares. Si el capitalismo industrial, apoyado en una anatomía de los órganos y las funciones, había hecho del cuerpo y sus órganos la base material de la fuerza de trabajo y de la fuerza de reproducción, el capitalismo cognitivo funciona como una nueva epistemología del cuerpo en el que los fluidos, las células, las hormonas, las moléculas y los genes son objeto de un nuevo proceso de extracción, tráfico y explotación global.

En términos históricos, penes y vaginas, testículos y úteros, esperma y óvulos se han visto sometidos a una gestión biopolítica diferencial. Mientras que los óvulos y el útero han sido objeto de privatización social y de cercamiento económico, el esperma, entendido como flujo soberano, ha sido un líquido cuya circulación pública ha sido promovida políticamente como índice de poder, salud y riqueza. En el capitalismo colonial, el útero se ha constituido como un órgano-trabajo cuya producción de riqueza biopolítica ha sido totalmente expropiada y ocultada bajo la cobertura de una función puramente biológica. Como Silvia Federici ha señalado, si el útero tiene una función central en el proceso de acumulación capitalista es en la medida en que este es el lugar «en el que se produce y se reproduce la mercancía capitalista más esencial: la fuerza de trabajo».[2]

1. Sobre la gestión farmacopornográfica de la sexualidad, véase Paul B. Preciado, *Testo yonqui. Sexo, drogas y biopolítica,* Madrid, Espasa Calpe, 2008.
2. Silvia Federici, *Calibán y la bruja,* Madrid, Traficantes de Sueños, 2010, p. 16.

Pensado el análisis de la acumulación primitiva de Marx en términos feministas, Silvia Federici ha definido el capitalismo como el sistema social de producción que no reconoce la reproducción de la fuerza de trabajo como una actividad socioeconómica y lugar de producción de valor «y en cambio lo mistifica como un recurso natural o un servicio personal al mismo tiempo que saca provecho de la condición no-asalariada del trabajo involucrado».[1] Mientras que el valor económico del cuerpo reproductor es devaluado y expropiado, su actividad reproductiva se ve simultáneamente investida de un plusvalor simbólico (la realización de la mujer a través de la maternidad) que asegura e intensifica su captura.

En el neopatriarcado farmacopornográfico, la hegemonía del cuerpo heterosexual blanco y válido y su histórica superioridad ontoteológica es avalada por su acceso prioritario a los dispositivos científico-técnicos de reproducción. De este modo, el cuerpo heterosexual es el único que tiene acceso legal al mercado de la reproducción técnicamente asistida. Se produce así una inesperada alianza entre los discursos ancestrales de corte mítico-religioso, los lenguajes coloniales y biopolíticos modernos y la bioinformática de la reproducción. Estas regulaciones estatales restrictivas dejan a las minorías reproductivas fuera de la ley, entregando la gestión de sus cadenas de ADN, de sus fluidos y órganos corporales al mercado. Cabría preguntarse si no es necesario inventar un conjunto de técnicas de gestión de nuestro material reproductivo que excedan el antagonismo entre las formas de reproducción naturalista legitimadas por los Estados-nación y las técnicas de privatización y capitalización establecidas por el mercado de la reproducción. Entre el cuerpo-reproductor-público del Estado-nación y el cuerpo-privado de la gestión neoliberal resulta urgente afirmar nuevas formas de produc-

1. Ibídem.

ción de anarcocomunismo somático. Entre la soberanía de la penetración heteropatriarcal y la regulación neoliberal del banco de esperma, entre la cama como lugar de producción de verdad y la mercantilización de los materiales genéticos parece necesario inventar nuevas prácticas de reproducción que excedan el cuadrilátero tecnoedípico mamá-papá-la clínica-el niño.

París, 28 de septiembre de 2013

CANDY CRUSH O LA ADICCIÓN EN LA ERA DE LA TELECOMUNICACIÓN

Somos la primera generación de la historia que vive rodeada por, por no decir inmersa en, una forma digital y virtual de realidad (internet, videojuegos) que constituye una tercera naturaleza, y digo tercera porque la cultura del libro y de los artefactos impresos funcionó durante siglos como nuestra segunda naturaleza artificial.

Durante mi último viaje a Estados Unidos, entre los cáusticos debates sobre la reforma del sistema de salud pública del Obamacare, los chantajes del Tea Party, las amenazas de colapso de la Reserva Federal y los rumores de las prácticas de espionaje americano, una noticia aparentemente más banal resulta significativa para entender la gestión política de esta nueva tercera naturaleza. La federación de psiquiatras americanos (que no son, por otra parte, un congreso de santos) advertía hace pocos días de que Candy Crush, con un número récord de usuarios adictos, debía considerarse como una auténtica epidemia nacional y apoyaba la creación de un centro virtual de rehabilitación.

Lanzado por la empresa británica King en 2012, Candy Crush es (junto con su equivalente oriental Puzzles and Dragons) la aplicación más descargada del mundo con más de ochenta millones de usuarios y reporta unos beneficios de 700.000 euros diarios. Los analistas de los videojuegos se preguntan por qué esta estúpida aplicación con caramelos flotantes ha podido superar a los sofisticados juegos desarrollados tras años de experimentación por especialistas como Nintendo.

Todo lo que podrían parecer defectos se convierten en razones del éxito en Candy Crush: el carácter infantil e inofensivo (no hay aquí ni violencia ni sexo), la recompensa indirecta desatada por la asociación entre la glucosa *(candy)* y el interminable paso de niveles (hasta 410) y la falta de contenidos culturales específicos que puedan suscitar adhesión o rechazo. Castidad, idiotez y gratuidad se convierten en condiciones de posibilidad de la democratización de la adicción.

Candy Crush es una disciplina del alma, una prisión inmaterial que propone una estricta temporalización del deseo y de la acción. Se dirige a un jugador genérico despojado de sus defensas sociales secundarias (esto explica quizás por qué el mayor número de los jugadores son eso que socialmente llamamos mujeres): el juego establece un circuito cerrado entre el cerebro límbico que gestiona la memoria afectiva, la mano y la pantalla. Candy Crush no es un juego de aprendizaje que entrena las habilidades del jugador y las mejora. Es simplemente un juego de azar instalado en el más accesible y cercano de nuestros tecnoórganos externos: el teléfono móvil. Las Vegas en tu mano. El objetivo de Candy Crush no es enseñarle nada al jugador, sino capturar la totalidad de sus capacidades cognitivas durante un tiempo dado y apropiarse de sus recursos libidinales, haciendo de la pantalla del ordenador una superficie masturbatoria subrogada. El jugador no gana nunca nada en Candy Crush, pero cuando completa un nivel es la pantalla la que tiene un orgasmo, que corresponde a los beneficios generados para la compañía.

Candy Crush pone en cuestión la relación entre libertad y gratuidad por la que abogan los defensores de la piratería:

la nueva estrategia de colonización del mundo virtual es crear un juego tan simple como sea posible y regalarlo, haciendo que el potencial jugador pase un máximo de horas conectado a él. Una vez que el juego ha sido instalado en las habitudes vitales del jugador, es el tiempo mismo del juego y sus formas asociadas de gasto (vidas suplementarias) lo que produce beneficios.

El usuario de Candy Crush gestiona al mismo tiempo una multiplicidad de pantallas: a menudo se encuentra físicamente situado frente a una pantalla de ordenador o de un televisor que no funciona como marco visual primario, sino como fondo y periferia, mientras se mantiene en ida y vuelta con la incesante variación de Facebook, chequea su e-mail... El casto tele-tecno-trabajador-masturbador contemporáneo se asemeja a un controlador aéreo situado en una quijotesca torre de control en la que tuitea con una mano mientras que con la otra ordena filas de caramelos numéricos. Si René Schérer nos enseñó que las disciplinas pedagógicas desarrolladas durante la modernidad habían servido para poner la mano masturbadora a escribir y trabajar, ahora entendemos que las nuevas disciplinas digitales ponen la mano escritora y trabajadora del fordismo a masturbar la pantalla del capitalismo cognitivo. En realidad, el sistema bimembre del cuerpo humano (heredado de nuestro cuerpo animal y de sus necesidades prensiles) representa una limitación para la capitalización total de la sensibilidad a la que aspiran las tecnologías virtuales. Si Google pudiera vendernos una mano prostética con la que interaccionar con el universo virtual, como la que hace unos años se instaló el artista visionario Stelarc, lo haría.

Nuestra tercera naturaleza artificial demanda una conciencia nueva, al mismo tiempo que suscita un nuevo conjunto de relaciones de dominación y sumisión. Cada generación necesita inventar su propia ética con respecto a sus tecnologías de producción de subjetividad, y si no lo hace, nos advertía Hannah Arendt, corre el riesgo del totalitarismo; no por malicia, sino por simple estupidez. Del mismo modo que los sistemas teológico-políticos apoyaron sus formas de control en la prevalencia del libro único, nuestras sociedades digitales corren hoy el riesgo de deslizarse hacia una forma de totalitarismo del software único, una suerte de ontoteología digital. Las aplicaciones descargables en Google Play o en Apple Store son los nuevos operadores de la subjetividad. Recuerda entonces que cuando descargas una aplicación no la instalas en tu ordenador o en tu teléfono móvil, sino en tu aparato cognitivo.

Nueva York, 26 de octubre de 2013

LAS GORILAS DE LA REPÚBLICA

Es una constante de la historia política: las clases dominantes buscan desplazar los antagonismos que podrían derrocarlos alentando a los diferentes grupos dominados a enfrentarse entre sí. Como explica el historiador Howard Zinn, en el territorio de América del Norte, en los siglos XVIII y XIX, las élites coloniales despiertan el odio entre los blancos pobres ingleses, alemanes o irlandeses que trabajan como sirvientes, y los nativos, los siervos y los esclavos negros. ¿Cómo se lleva a cabo este cambio de dirección de las energías antagonistas? El régimen colonial opera como un sistema de representación, transmitido por el discurso científico y la cultura popular de vodevil y bailes *blackface,* según el cual los indios americanos y los negros son biológicamente inferiores y, por lo tanto, no pueden acceder a las técnicas de gobierno. Intoxicados por la epistemología racista, trabajadores y sirvientes blancos transforman sus energías de protesta en odio racial y ayudan a los grandes propietarios blancos a asegurar su hegemonía, no solo denigrando a los trabajadores indígenas y negros, sino denigrándose también a sí mismos como trabajadores pobres e identificándose con los colonos blancos, a través de un deseo proyectivo que les impide tomar conciencia de su propia subalternidad. Al mismo tiempo, las feministas blancas que habían comenzado su lucha contra la dominación sexual, inspiradas en parte por la American Anti-Slavery Society, acabarán excluyendo a las mujeres negras de sus convenciones. La activista negra Sojourner Truth se levantará contra ellas y preguntará: «¿Acaso porque soy negra no soy mujer?»

Una revuelta hecha de alianzas entre trabajadores blancos y sirvientes, amerindios y negros, una revuelta anticolonial y feminista transversal contra el régimen colonial todavía era posible en el siglo XVIII. Una revuelta así, molecular, por decirlo con Guattari, habría cambiado el curso de la historia, no solo para Estados Unidos, sino también para el proceso de globalización. Sin embargo, para llevar a cabo una revuelta molecular habría sido indispensable pensar la política más allá de las oposiciones identitarias creadas por la epistemología colonial y el heterocapitalismo.

Nos enfrentamos hoy en Europa a un desplazamiento comparable de las energías de la protesta que de nuevo cristalizan en proyecciones identitarias, derivadas de la epistemología colonial. Como feministas o activistas por los derechos de los homosexuales y transexuales, constantemente se nos invita a oponernos al llamado islam homófobo, a enfrentarnos a las mujeres con velo, pero también a culturas no occidentales que supuestamente viven bajo una forma ancestral de machismo. Las fuerzas del capitalismo financiero y las del nacionalismo identitario, verdaderas herederas de la política heterocolonial, buscan una vez más dividirnos y oponernos entre nosotros.

La violencia del discurso neonacionalista puede paralizarnos, pero la forma de sus representaciones debería, más que atomizarnos, indicar la dirección hacia la cual deberíamos ampliar nuestras alianzas democráticas.

Los manifestantes contra el matrimonio entre personas del mismo sexo insultan a la ministra de Justicia francesa,

Christiane Taubira, a la que llaman «mona» y «chimpancé» y le muestran plátanos. El otro día, en una de estas marchas, se podía ver a los manifestantes llevando ostentosamente letreros que decían: «¿Y por qué no casarse con un mono?» En todos estos insultos, la figura del primate funciona como un significante abyecto que sirve, en comparación, para excluir a los emigrantes, no blancos y homosexuales de la especie humana, y por extensión, para eliminar todos los cuerpos considerados como animales del proyecto político nacional. En *Systema Naturæ* (1758), el tratado clásico de Linné, el inventor de la biología moderna, la nomenclatura *Homo sapiens* que todavía usamos hoy no designa simplemente una diferencia entre el humano y el primate no humano, sino que sirve para naturalizar una relación política de dominación que asocia especie, raza y nación.

La gorila que reaparece hoy en los insultos contra Taubira es la palanca epistemológica de la razón colonial: frontera entre lo humano y lo animal, entre lo masculino y lo femenino, la gorila delimita el final de la ética y justifica el principio de la política como guerra y apropiación. Al igual que las gorilas, las mujeres negras eran consideradas como objetos y mercancías, máquinas vivas y fuerzas puras de producción y reproducción. Al igual que las gorilas, se describía a los homosexuales o a los cuerpos con diversidad funcional como subhumanos, como indignos de pertenecer a la comunidad de hombres, incapaces de integrarse en las instituciones sociales del matrimonio, la reproducción y la filiación. Al igual que los primates, las mujeres negras, los homosexuales y las personas con diversidad funcional deben ser dominados, domesticados, encerrados, usados y consumidos. La gorila no es nuestro otro, sino que señala el horizonte de la democracia por venir.

Ya no se trata de reclamar nuestra (la de los negros, de los homosexuales, de las personas con diversidad funcional) pertenencia a la humanidad, como negros, homosexuales o diversos, negando a los primates. El nuevo rostro del racismo francés nos invita a ir más allá si no queremos reproducir las exclusiones y dividirnos. Debemos rechazar las clasificaciones que subyacen a la epistemología colonial. Debemos abrazar la animalidad a la que constantemente nos referimos. Con King Kong de Virginie Despentes, con las Guerrilla Girls, con el «mono» de Basquiat, el monstruo de Donna Haraway, las mujeres simiescas de Elly Strik, la mujer de la sandía de Cheryl Dunye... Cojamos los plátanos y subamos a los árboles. Todas las jaulas deben ser abiertas, todas las taxonomías desarticuladas para inventar, juntas, una política de las gorilas.

París, 15 de noviembre de 2013

LA NECROPOLÍTICA *À LA FRANÇAISE*

Crecí escuchando historias de la Guerra Civil española. Durante años no dejé de preguntar a los adultos cómo había sido posible que se hubieran matado entre hermanos, que hubieran decidido hacer de la muerte su único modo de hacer política. Me costaba entender por qué lucharon, qué los había movido a destruirse, a destruirlo todo. Mi abuela, hija de vendedores ambulantes, era católica y anarquista. Su hermano, obrero pobre de la industria pesquera, ateo y comunista. Su marido, contable de un ayuntamiento de pueblo, era militante franquista. Al hermano de su marido, también obrero, pero de tierra adentro, lo reclutó a la fuerza el ejército de Franco hasta convertirlo poco a poco en cazador de rojos. La historia más traumática de la familia, la que volvía cada Navidad como vuelve un síntoma, en un intento siempre fallido por rehacer su sentido, contaba cómo mi abuelo había sacado de prisión a mi tío el comunista el mismo día en que estaba previsto su ajusticiamiento. A menudo las cenas acababan con las lágrimas de mi abuelo, que, borracho, le gritaba a mi tío: «Casi me obligan a pegarte un tiro por la espalda.» A lo que mi tío respondía: «¿Y quién asegura que no habrías sido capaz?» Interpelación a la que le seguía un cortejo de reproches y recriminaciones sin fin que para mi escucha infantil era la actualización póstuma de la misma guerra. No había sentido, ni resolución.

Solo durante los últimos años he empezado a entender que no fue la determinación ideológica, sino la confusión, la desesperanza, la depresión, el hambre, la envidia y, por qué no decirlo, la falta de cultura política lo que los llevó a la guerra. La incapacidad de comprender que Franco había convertido en enemigos a aquellos que no podían ser sino aliados en una aventura común. A principios de los años treinta, la República española lleva a cabo algunas de las transformaciones democráticas más radicales de Occidente: inviste a la primera mujer ministra de Europa, Federica Montseny, despenaliza el aborto, amplia el derecho del sufragio activo a las mujeres, impone la enseñanza popular obligatoria, reforma la justicia en un primer intento de reconocer los derechos humanos... Este es probablemente uno de los momentos más luminosos y experimentales de la historia política ibérica. La situación internacional de crisis económica hacía que el proceso de transformación política fuera frágil. La República de repúblicas podría haber sido un laboratorio en el que reinventar Europa. Pero las oligarquías del ejército y la Iglesia no desean esa transformación. El nacionalcatolicismo español facilitaba una solución a la crisis en medio de un contexto complejo que no habría requerido de un jefe autoritario sino de una inteligencia colectiva, empática y cuidadosa. Franco se sacó de la manga una leyenda según la cual una alianza diabólica entre francmasones, judíos, homosexuales, comunistas, vascos y catalanes amenazaba con destruir España. Pero fue el nacionalcatolicismo el que destruyó la utopía de la República. Franco inventó una nación que no existía, dibujó el mito de una España nueva en nombre de la que mis abuelos y tíos debían luchar hasta matarse. Del mismo modo, los nuevos lenguajes nacionalcristianos franceses y sus estúpidos seguidores, de derecha, de izquierda o incluso aquellos que, como Manuel Valls, ejecutan hoy políticas lepenistas desde el gobierno socialista, pretenden inventar una nación francesa que no existe y llamar a la reconstrucción de una identidad francesa que, lejos de haber existido en un pasado mítico, no sería sino el triste resultado de un acto de exterminio intencional de la diversidad cultural.

Supongo que vine a vivir a Francia atraído por el rumor del 68 que todavía podía leerse en una filosofía cuya forma atlética solo era comparable con la del fútbol español. Me enamoré de la lengua francesa leyendo a Derrida, Deleuze, Foucault, Guattari: deseaba poder escribir en esa lengua, vivir en esa lengua. Pero sobre todo imaginaba Francia, porque entonces no conocía bien su historia colonial, como el lugar en el que la idiotez que lleva al fascismo podía ser disuelta por la fuerza de las instituciones democráticas; es decir, instituciones que promueven la crítica, y no el consenso. Pero la necedad y la confusión que tumbaron a mis antepasados ibéricos podría hoy atacarnos en Francia. Ninguna comunidad política está al abrigo de la tentación fascista.

Me asombra últimamente la fascinación que genera el lenguaje del odio que promueve el nacional-judeocristianismo francés (de Finkielkraut a Soral), la facilidad con la que la siguen los agentes políticos tanto de la derecha como de la izquierda, el buen número de conocidos que le hacen la corte y que si antes estaban callados ahora incluso se dicen heroicos y orgullosos de salvar Francia.

Es preciso no confundirnos y llamar por su nombre a esta propuesta política. Los lenguajes del patriotismo, el nacionalismo, la preferencia nacional, la identidad francesa, el orden familiar y la protección de la infancia comparten una misma y única forma de gobierno: la necropolítica.

La extrema derecha, como una parte de la izquierda (aquella que ve en los gitanos, los emigrantes, los musulmanes, los judíos, los negros, los feministas, los homosexuales o los trans la causa del desorden y de la decadencia nacionales), pretende explicarnos que la solución a los problemas sociales o económicos vendría de la aplicación de técnicas de exclusión y muerte contra una parte de la población. Lo que me asusta es que haya, si atendemos a las estadísticas, un 23 % de franceses que estén tan confundidos como para creer que hay futuro o esperanza en la más antigua y brutal de las formas de gobierno: la necropolítica, el gobierno de una población a través de la aplicación de las técnicas de muerte sobre una parte (o incluso la totalidad) de esa misma población en beneficio no de la población sino de una definición soberana y religiosa de identidad nacional.

Lo que proponen los lenguajes nacional-judeocristianos agitando la bandera de la ruptura y la rebelión social no puede llamarse política, sino guerra. La militarización de todas las relaciones sociales. La transformación del ágora en espacio vigilado. Cerrar las fronteras, capturar úteros, expulsar a los extranjeros y emigrantes, negarles trabajo, habitación, sanidad, erradicar judíos, islamistas, negros, encerrar o exterminar homosexuales, transexuales... En definitiva, se trata de explicarnos que determinados cuerpos de la República no deben tener acceso a las técnicas de gobierno debido a su diferencia cultural, sexual, racial, religiosa, funcional..., que hay cuerpos que nacieron para gobernar y otros que son y deberán seguir siendo objetos (y nunca sujetos) de la práctica gubernamental. Si esta propuesta política les cautiva, y me dirijo ahora a los votantes de Le Pen, cuyo gesto y palabras después de todo no dejan de serme familiares, llámenla por su nombre: digan que lo que quieren es la guerra, que votan ustedes a favor de la muerte. A los que soñamos un día con Francia como alternativa a la muerte nos quedará de nuevo el exilio territorial, aunque no podrán quitarnos la lengua.

París, 23 de noviembre de 2013

Fabricación y venta de armas: trabajo. Matar a alguien aplicando la pena capital: trabajo. Torturar a un animal en un laboratorio: trabajo. Masajear un pene con la mano hasta provocar una eyaculación: ¡crimen! ¿Cómo entender que nuestras sociedades democráticas y neoliberales rehúyan considerar los servicios sexuales como un trabajo? La respuesta no debe buscarse en el lado de la moral o la filosofía política, sino más bien en la historia del trabajo de las mujeres en la modernidad. Excluidos del dominio de la economía productiva en nombre de una definición que los convierte en bienes naturales inalienables y no comercializables, los fluidos, los órganos y las prácticas corporales de las mujeres han sido objeto de un proceso de privatización, de captura y de expropiación que se confirma hoy con la criminalización de la prostitución.

Tomemos un ejemplo para comprender este proceso: hasta el siglo XVIII, numerosas mujeres de clase obrera se ganaban la vida vendiendo sus servicios como nodrizas profesionales. En las grandes ciudades más de dos tercios de los niños pertenecientes a familias aristócratas y de la burguesía urbana eran amamantados por nodrizas.

En 1752, en pleno periodo de expansión colonial europea, el científico Carl Von Linné publica el panfleto *La nodriza madrastra,* en el cual se exhorta a cada mujer a amamantar a sus propios hijos para «evitar la contaminación de raza y clase» a través de la leche y pide a los gobiernos que prohíban, en beneficio de la higiene y del orden social, la práctica del amamantamiento de los hijos ajenos. El tratado de Linné contribuirá a la devaluación del trabajo femenino en el siglo XVIII y a la criminalización de las nodrizas. La devaluación de la leche en el mercado de trabajo se acompañó de una nueva retórica del valor simbólico de la leche materna. La leche, representada como fluido material al través del cual se transmitía el linaje nacional desde la madre a sus hijos, debía consumirse en la esfera doméstica y no debía ser objeto de intercambio económico.

La leche pasó de ser una fuerza de trabajo que las mujeres proletarias podían poner a la venta a convertirse en un líquido biopolítico de alto valor simbólico a través del cual fluía la identidad racial y nacional. La leche dejó de pertenecer a las mujeres para pertenecer al Estado y se volvió objeto al mismo tiempo de vigilancia y de devoción. Se produjo así un triple proceso: devaluación del trabajo de las mujeres, privatización de los fluidos y confinamiento de las madres en el espacio doméstico.

Una operación similar está en marcha con la extracción de las prácticas sexuales femeninas de la esfera económica. La fuerza de producción de placer de las mujeres no les pertenece: pertenece al Estado. Es por ello por lo que el Estado se reserva el derecho de poner una multa a los clientes que solicitan los servicios sexuales de mujeres, no para castigarlos, sino para cobrarse el uso de un producto (la sexualidad femenina) cuyo beneficio debe dirigirse únicamente a la producción o la reproducción nacional.

Como sucedió con la regulación política de la circulación y compraventa de la leche humana, las cuestiones de migración y de identidad nacional están en el centro de las nuevas leyes contra la prostitución. La prostituta (en la mayoría de los casos migrante, precaria, cuyos recursos afectivos, lingüísticos y somáticos son los únicos medios de producción) es la figura paradigmática del trabajador biopolítico en el siglo XXI. La cuestión marxista de la propiedad de los medios de producción encuentra en la figura de la trabajadora sexual una modalidad ejemplar de explotación. La primera causa de alienación en la prostituta no es la extracción de plusvalía del trabajo individual, sino que depende ante todo del no reconocimiento de su subjetividad y de su cuerpo como fuentes de la verdad y del valor: se trata de poder afirmar que las putas no saben, que no pueden y que no son unos sujetos políticos ni económicos en sí mismos.

La prostitución es un trabajo sexual que consiste en crear un dispositivo masturbatorio (a través del tacto, el lenguaje y la puesta en escena teatral) susceptible de poner en marcha los mecanismos musculares, neurológicos y bioquímicos que rigen la producción de placer del cliente. El/la trabajador/a sexual no pone a la venta su cuerpo, sino que transforma, como lo hacen el osteópata, el actor o el publicista, sus recursos somáticos y cognitivos en fuerza de producción viva. Así como el/la osteópata usa sus músculos, él/ella hace un francés con la misma precisión con que el osteópata manipula el sistema musculoesquelético de su cliente. Como el/la actor/actriz, su práctica depende de su capacidad de teatralizar una escena de deseo. Como el/la publicista, su trabajo consiste en crear formas específicas de placer a través de la comunicación y la relación social. Como todo trabajo, el trabajo sexual es el resultado de una cooperación entre sujetos vivos basada en la producción de símbolos, de lenguaje y de afectos.

Las prostitutas son la carne productiva subalterna del capitalismo global. Que un gobierno socialista convierta en prioridad nacional la prohibición para las mujeres de transformar su fuerza productiva en trabajo es sintomático de la crisis de la izquierda en Europa.

París, 21 de diciembre de 2013

HUELGA DE ÚTEROS

Encerrados en la ficción individualista neoliberal, vivimos con la ingenua sensación de que nuestro cuerpo nos pertenece, de que es nuestra propiedad más íntima. Sin embargo, la gestión de la mayor parte de nuestros órganos está a cargo de diferentes instancias gubernamentales o económicas. No cabe duda de que, de todos los órganos del cuerpo, el útero ha sido históricamente aquel que ha sido objeto de una mayor expropiación política y económica. Cavidad potencialmente gestacional, el útero no es un órgano privado, sino un espacio biopolítico de excepción, al que no se le aplican las normas que regulan el resto de nuestras cavidades anatómicas. Como espacio de excepción, el útero se parece más al campo de refugiados o a la prisión que al hígado o al pulmón.

En la epistemología somática de Occidente, el cuerpo de las mujeres contiene dentro de sí un espacio público, cuya jurisdicción se disputan no solo los poderes religiosos y políticos, sino también las industrias médicas, farmacéuticas y agroalimentarias. De ahí que, como bien señala la historiadora Joan Scott, las mujeres hayan estado durante largo tiempo en una situación de «ciudadanía paradójica»: si como cuerpos humanos pertenecen a la comunidad democrática de ciudadanos libres, como cuerpos con úteros potencialmente gestantes pierden su autonomía y pasan a ser objeto de una intensa vigilancia y tutela política. Cada mujer lleva dentro de sí un laboratorio del Estado-nación de cuya gestión depende la pureza de la etnia nacional. Durante los últimos cuarenta años, el feminismo ha llevado a cabo un proceso de descolonización del útero. Pero la actualidad española nos muestra que este proceso no solo está inacabado, sino que además es frágil y fácil de revocar.

El pasado 20 de diciembre, el gobierno de Mariano Rajoy aprobaba en España el anteproyecto para la nueva ley del aborto, que sería, junto con la irlandesa, la más restrictiva de toda Europa. La nueva Ley de Protección de la Vida del Concebido y de los Derechos de la Mujer Embarazada contempla únicamente dos supuestos de aborto legal: el riesgo para la salud física o psíquica de la madre (con un plazo de veintidós semanas) o violación (con un plazo de doce semanas). Además, el riesgo de la madre deberá ser acreditado por un médico y un psiquiatra independientes y deberá ser objeto de un proceso colectivo de deliberación. El anteproyecto ha suscitado no solo la indignación de los grupos de izquierda y feministas, sino también la oposición del colectivo de psiquiatras, que se niegan a participar en este proceso de vigilancia y patologización de las mujeres embarazadas que restringe su derecho a decidir por sí mismas.

¿Cómo explicar esta iniciativa del gobierno de Rajoy? Las políticas del útero, como la censura o la restricción de la libertad de manifestación, son un buen detector de las derivas nacionalistas y totalitarias. En un contexto de crisis económica y política del Estado español, frente a la reorganización del territorio y de la «anatomía» nacional (pensemos en el proceso abierto de secesión de Cataluña, pero también en el actual descrédito de la monarquía y en la corrupción de las élites dirigentes), el gobierno busca recuperar el útero como lugar biopolítico en el que fabricar de nuevo la soberanía nacional. Sueñan que poseyendo el útero podrán mantener las viejas fronteras del Estado-nación, hoy en descomposición. Este anteproyecto de ley es también una respuesta a la legalización del matrimonio homosexual que tuvo lugar durante el mandato del anterior gobierno socialista y que, a pesar de los intentos recurrentes del PP, el Tribunal Constitucional no ha aceptado derogar. Frente a la puesta en cuestión del modelo de familia heterosexual, el gobierno de Rajoy, próximo del grupo integrista católico Opus Dei, pretende ahora ocupar el cuerpo femenino como último lugar en el que se juega no solo la reproducción nacional, sino también la hegemonía masculina.

Si la historia biopolítica pudiera narrarse en términos cinematográficos, diríamos que la película que nos prepara el PP es un febril porno gore en el que el presidente Rajoy y su ministro de Justicia Ruiz Gallardón plantan una bandera de España en todos y cada uno de los úteros del Estado-nación. Este es el mensaje que envía el gobierno de Rajoy a todas las mujeres del país: tu útero es territorio del Estado español, coto y fermento de la soberanía nacionalcatólica. Solo existes como Madre. Ábrete de piernas, sé tierra de inseminación, reproduce España. Si la ley que pretende implantar el PP se hiciera efectiva, las mujeres del Estado español se despertarían con el Consejo de Ministros y con la Conferencia Episcopal dentro de sus endometrios.

Como cuerpo nacido con útero, me cierro de piernas frente al nacionalcatolicismo. Les digo a Rajoy y Rouco Varela que no pondrán un pie en mi útero: ni he gestado, ni nunca gestaré al servicio de la política españolista. Desde esta modesta tribuna, invito a todos los cuerpos a hacer huelga de útero. Afirmémonos como ciudadanos totales, no como úteros reproductivos. No solo a través de la abstinencia y la homosexualidad, sino también de la masturbación, de la sodomía, del fetichismo, de la coprofagia, del amor animal... y del aborto. No dejemos que penetre en nuestros úteros ni una sola gota de esperma nacionalcatólico. No gestemos para las cuentas del PP, ni para las parroquias de la Conferencia Episcopal. Hagamos esta huelga como haríamos el más *matriótico* de los gestos: para acabar con la ficción nacional y empezar a imaginar una comunidad de vida pos-Estado-nacional, que no tenga como condición de posibilidad la violencia y la expropiación del útero.

París, 18 de enero de 2014

CINE Y SEXUALIDAD: «LA VIDA DE ADÈLE» Y «NYMPHOMANIAC»

El estreno en los últimos meses de *La vida de Adèle* de Abdellatif Kechiche y de *Nymphomaniac* de Lars Von Trier ha desatado una ardiente polémica acerca de la representación cinematográfica de la sexualidad.

En el caso de *La vida de Adèle,* la crítica ha ensalzado de manera casi unánime la cámara táctil e intrusiva de Sofian El Fani y las secuencias repetitivas de la película como estrategias magistrales a través de las que Kechiche consigue captar la verdad de la experiencia sexual lesbiana. Por el contrario, buena parte de la comunidad lesbiana (incluida Julie Maroh, la autora de *El azul es un color cálido,* la novela gráfica que inspiró la película), más visible en los foros de internet que en los periódicos y en las revistas cinematográficas, no ha dejado de denunciar la película como una impostura visual que no consigue representar el «verdadero sexo entre mujeres». En el caso de *Nymphomaniac* es el propio Lars Von Trier el que juega con la cantidad de verdad sexual que contiene el corte final de su película. Von Trier afirma haberlo filmado «todo», pero se lamenta de no poder mostrárnoslo, como si el corte que supuestamente se ha visto forzado a hacer fuera un striptease invertido: cuanto más avanza la tijera digital menos verdad vemos. En ambos casos, la pregunta sobre la verdad de lo representado aparece con una insistencia clínica, judicial... e incluso policial.

Aquellos que disputan sobre las tijeretas de *Adèle* o sobre la forzada (y promocional) tijera de Von Trier –comparten una misma metafísica de la representación: todos ellos creen que existe una verdad del sexo a la que el cine se aproxima o que el cine traiciona, que la imagen en movimiento logra o no simular con éxito–, aunque sea a golpe de vagina prostética en el caso de *La vida de Adèle* o de la sobreteatralización de los diálogos filosóficos de Sade en *Nymphomaniac*.

El problema es que la relación entre sexualidad y cine no es del orden de la representación, sino del de la producción. La crítica feminista Teresa de Lauretis afirma que en la modernidad la fotografía y el cine funcionan como auténticas tecnologías del sexo y de la sexualidad: producen las diferencias sexuales y de sexualidad que pretenden representar. El cine no representa una sexualidad que le preexiste, sino que es (junto con el discurso médico, jurídico, literario, etc.) uno de los dispositivos que construyen el marco epistemológico y que trazan los límites dentro de los cuales la sexualidad aparece como visible.

La sexualidad (en nuestra memoria o en nuestra fantasía) se parece al cine. Está hecha de fragmentos de espacio-tiempo, cambios abruptos de plano, secuencias de sensaciones, diálogos apenas audibles, imágenes borrosas... que el deseo, encerrado en la sala de montaje, corta, colorea, reorganiza, ecualiza y ensambla. Ese proceso que tiene lugar en el sistema neuronal privado (otros dirán en el inconsciente) encuentra con la invención de la industria cinematográfica una dimensión colectiva, pública y política. La industria del cine es la sala de montaje donde se inventa, produce y difunde la sexualidad pública como imagen visible.

La cuestión decisiva, por tanto, no es si una imagen es una representación verdadera o falsa de una determinada sexuali-

97

dad (lesbiana u otra), sino quién tiene acceso a la sala de montaje colectiva en la que se producen las ficciones de la sexualidad. Lo que una imagen nos muestra no es la verdad (o falsedad) de lo representado, sino el conjunto de convenciones (o críticas) visuales y políticas de la sociedad que la mira. Aquí la pregunta por el «quién» no apunta al sujeto individual (saber si Kechiche puede o no representar la verdad lesbiana porque sea supuestamente un hombre heterosexual) sino a la construcción política de la mirada. ¿Cómo modificar jerarquías visuales que nos han constituido como sujetos? ¿Cómo desplazar los códigos visuales que históricamente han servido para designar lo normal o lo abyecto?

Pensemos, por ejemplo, que la distinción moderna entre homosexualidad y heterosexualidad, operativa aún en las películas de Kechiche y Von Trier, aparece al mismo tiempo que la fotografía y el cine. Los nuevos discursos médicos, jurídicos y policiales se sirven de las técnicas fotográficas como de aparatos de vigilancia y control, difusión e inscripción. Mientras que los hospitales psiquiátricos europeos de finales de siglo XIX trabajan con la complicidad de un equipo fotográfico que produce de manera incansable imágenes del homosexual o de la histérica como prototipos visuales de la patología, el cine comercial inventa y reproduce la imagen publicitaria de la pareja heterosexual como unión romántica. Del mismo modo, mientras que durante buena parte del siglo XX el cuerpo blanco es objeto de la representación cinematográfica comercial, los cuerpos no-blancos suelen filmarse con los códigos reservados a los lenguajes de la criminología y de la antropología colonial.

Desde los años setenta estamos asistiendo a lo que podríamos llamar un asalto a la sala de montaje por parte de las minorías político-visuales cuyas prácticas, cuerpos y deseos habían sido hasta ahora construidos cinematográficamente como patológicos. De nuevo, cuando hablo de minorías no me refiero a un número sino a un índice de subalternidad. Las mujeres, por ejemplo, eran y siguen siendo una minoría político-visual, puesto que la feminidad como imagen se ha construido como el efecto de la mirada heteronormativa. El cine feminista (Trinh T. Minh-ha), experimental lesbiano (Barbara Hammer) o experimental *queer (Freak Orlando* de Ulrike Ottinger o *Dandy Dust* de Ashley Hans Scheirl) no buscan representar la *auténtica* sexualidad de las mujeres, lesbianas o gays, sino producir contraficciones visuales, capaces de poner en cuestión los modos dominantes de ver la norma y la desviación. Del mismo modo, la Nouvelle Vague posporno hecha sobre todo con vídeo (Virginie Despentes, Gaspar Noé, Shu Lea Cheang, Post-Op...) no busca representar toda la verdad del sexo sino cuestionar los límites culturales que separan la representación pornográfica y no pornográfica, así como los códigos visuales que determinan la normalidad o la patología de un cuerpo o de una práctica. Finalmente, de lo que se trata, y les dejo a ustedes decidir si Kechiche y Von Trier lo logran, es de inventar otras ficciones visuales que modifiquen nuestro imaginario colectivo.

Nueva York, 3 de febrero de 2014

LA BALA

La homosexualidad es un francotirador silencioso que pone una bala en el corazón de los niños que juegan en los patios, sin importarle si son hijos de pijos o de progres, de agnósticos o de católicos integristas, no le falla la puntería ni en los colegios de las zonas altas ni en los de las zonas de educación prioritaria. Tira con la misma pericia en las calles de Chicago que en los pueblos de Italia o en las barriadas de Johannesburgo. La homosexualidad es un francotirador ciego como el amor, generoso como la risa, tolerante y cariñoso como un perro. Cuando se cansa de disparar a los niños, tira una ráfaga de balas perdidas que van a alojarse en los corazones de una campesina, de un conductor de taxi, de un paseante de parques... La última bala alcanzó a una mujer de ochenta años mientras dormía.

La transexualidad es un francotirador silencioso que dispara directo al pecho de los niños que se miran al espejo, o aquellos que cuentan los pasos mientras caminan. No sabe si nacieron de una PMA (Procreación Médicamente Asistida) o de un matrimonio romano. No le importa si vienen de familias monoparentales o si papá se vestía de azul y mamá de rosa. Ni el frío de Sochi ni el calor de Cartagena de Indias le hacen temblar. Abre fuego por igual en Israel que en Palestina. La transexualidad es un francotirador ciego como la risa, generoso como el amor, cariñoso y tolerante como una perra. De cuando en cuando, dispara sobre un profesor de provincias o sobre una madre de familia, *et boom*.

Para los que tienen la valentía de mirar la herida de frente, la bala se convierte en una llave maestra que abre una puerta hacia un mundo que nunca antes habían visto. Caen todos los velos, la matriz se descompone. Pero algunos de los que llevan una bala en el pecho deciden vivir como si no la llevaran dentro. Hay quien ha muerto por llevar la bala.

Otros compensan el peso de la bala con grandes gestos de donjuanes o de princesas. Hay médicos e iglesias que prometen extirpar la bala. Dicen que en Ecuador cada día abre una nueva clínica evangelista para reeducar homosexuales y transexuales. Los rayos de la fe se confunden con las descargas de electricidad. Pero nadie ha logrado nunca extirpar una bala. Se puede enterrar más profunda en el pecho, pero no extirpar. Tu bala es como tu ángel de la guarda: siempre estará contigo.

Yo tenía tres años cuando sentí por primera vez el peso de la bala. Sentí que la llevaba cuando escuché a mi padre tratar de sucias tortilleras a dos chicas extranjeras que caminaban de la mano por el pueblo. Sentí en ese momento que el pecho me ardía. Esa noche, sin saber por qué, imaginé por primera vez que me escapaba del pueblo para ir a un lugar extranjero. Los días que vinieron después fueron los días del miedo, de la vergüenza.

No es difícil imaginar que entre los adultos que marchan en la manifestación de Hazte Oír hay algunos que llevan, enquistada en el pecho, una bala ardiendo.

Tampoco es difícil saber, por deducción estadística, conociendo la buena puntería de nuestros francotiradores, que habrá entre sus hijos algunos niños que crecerán con la bala en el corazón.

Cuando veo avanzar a las familias de las manifestaciones neoconservadoras con sus hijos, no puedo evitar pensar que entre esos niños hay algunos de tres, cinco, quién sabe, apenas ocho años, que llevan ya una bala ardiendo en el pecho. Sostienen banderas que dicen *«pas touche à nos stereotypes de genre»*, «Los niños tienen pene, las niñas tienen vulva, que no te engañen», que alguien les ha puesto entre las manos. Pero ellos saben ya que no podrán estar a la altura del estereotipo. Sus padres gritan para que las niñas lesbianas, para que los niños maricas y los niñes trans no vayan al colegio, pero ellos saben que llevan la bala dentro. Por la noche, como cuando yo era un niño, se van a la cama con la vergüenza de decepcionar a sus padres, con miedo quizás de que sus padres les abandonen o deseen su muerte. Y sueñan, como yo cuando era un niño, que huyen hacia un lugar extranjero, o a un planeta lejano, donde los niños de la bala pueden vivir. Yo os hablo a vosotros, los niños de la bala, y os digo: la vida es maravillosa, os esperamos aquí, todos los caídos, los amantes del pecho agujereado. No estáis solos.

París, 15 de febrero de 2014

MICHEL ONFRAY EN PLENA CONFUSIÓN DE GÉNERO

En un artículo publicado hace unos días,[1] Michel On-fray dice haber descubierto «con asombro las raíces concretas de la absurda teoría del género popularizada en Estados Unidos en los años noventa por la filósofa Judith Butler». Para explicar su desconcierto, el escritor francés se refiere a la conocida historia de David/Brenda Reimer. Así es como lo cuenta, errores incluidos: cuando era bebé, David fue sometido a una operación de fimosis durante la cual su pene se cauterizó de manera accidental. El doctor John Money propuso en 1966 que a David se le reasignara género femenino, y así comenzó el proceso de transformación de David en Brenda a través de operaciones quirúrgicas y tratamientos

---

1. Nos referimos aquí a la crónica publicada por Michel Onfray en su blog mo.michelonfray.fr y republicada en *Le Point* el 6 de marzo de 2014. Desde entonces ha sido borrada tanto de su blog como de *Le Point*, pero puede leerse en páginas como esta, de «espíritu cristiano y francés»: http://www.lescrutateur.com/2016/10/quand-michel-onfray-va-aux-sources-de-la-theorie-du-genre.html. A finales del mismo 2014 Onfray insistía en sus críticas a la teoría del género al hilo de un libro de la pensadora conservadora Bérénice Levet: https://bibliobs.nouvelobs.com/essais/201412 19.OBS8406/la-theorie-du-genre-ce-nouveau-puritanisme-par-michel-onfray.html.

hormonales. Money, inventor de la noción clínica de «género», intentó de este modo demostrar por medios científicos su tesis según la cual la anatomía no determina el género, sino que este puede ser construido de manera intencional por la interacción de variables hormonales y del contexto educativo. David/Brenda «crece dolorosamente [...] se siente atraído por las chicas. Rechaza la vaginoplastia, pide que le prescriban testosterona y se somete a dos operaciones de faloplastia, de construcción quirúrgica de un pene». Onfray se escandaliza. Ante la angustia de Brenda, cuenta Onfray, sus padres le revelan finalmente la verdad. Brenda vuelve a convertirse en lo que era: David. Se casa con una mujer. Pero no encuentra ni paz ni serenidad. Se suicida en 2002 con una sobredosis de medicamentos. En 1997, el doctor Milton Diamond «descubre la falsificación y la denuncia». Money no logró transformar a un niño en una niña. La realidad, la verdad anatómica del sexo de Reimer, afirma Onfray, se impuso finalmente.

De paso, Onfray denuncia que «Judith Butler recorra el mundo defendiendo estos delirios». El drama de Reimer demuestra, según Onfray, el carácter «delirante» de las «peligrosas ficciones» de Butler. El filósofo francés, que se jacta siempre de su condición disidente y contracultural, toma aquí la más conservadora de las posiciones y concluye su artículo calificando los argumentos de Judith Butler de «irrazonables», no duda en definir la teoría de género como una «alarmante ideología posmoderna» y nos alerta de que un día «lo real» desvelará estos errores y evitará «daños considerables».

Pero es Onfray quien delira al imaginar una continuidad estricta entre las teorías y las prácticas clínicas de John Money y las teorías feministas y *queer* de Judith Butler. La lectura de esta crónica grotesca de Onfray nos permite sacar varias conclusiones, no solo sobre la falta de rigor filosófico y de documentación de Michel Onfray acerca del caso Reimer y de su relación con la obra de Judith Butler, sino también, y más ampliamente, sobre la confusión teórica acerca de las teorías de género que sacude el territorio francés.

Por una parte, y como ya hemos dicho, su relato de la vida de Reimer está plagado de errores y de interpretaciones equivocadas. Por otro lado, y es aún más grave si uno piensa en la agresividad de sus ataques contra Judith Butler, podríamos concluir que Onfray no ha leído la obra de la filósofa americana. Pero si Onfray no ha leído a Butler, ¿de dónde ha sacado sus argumentos sobre Reimer y sobre la teoría del género? Internet es un bosque digital en el que las palabras son pequeñas migas electrónicas que permiten rastrear el paso del lector: entre otros errores, Onfray comete dos que nos ayudan a ir hasta sus verdaderas fuentes. En primer lugar, el nombre de nacimiento de Reimer no era David, sino Bruce. En segundo lugar, Onfray parece desconocer que Milton Diamond fue el médico que le practicó la faloplastia a Reimer. Ambos errores nos conducen directamente al artículo publicado por Émilie Lanez en la revista *Le Point,* titulado «La experiencia trágica del gurú de "la teoría del género"».

Este artículo que inspira a Onfray es un ejercicio de una necedad insondable y de una gran deshonestidad intelectual. Émilie Lanez establece una relación inexistente entre las teorías de John Money (el doctor estadounidense que popularizó los tratamientos de los bebés intersexuales) y las teorías de Judith Butler. La instrumentalización política prevalece aquí sobre el rigor en el uso de fuentes. Más aún, rastreando de nuevo internet, nos damos cuenta de que hay pasajes completos del texto de Onfray que están tomados directamente de un artículo de *Pour une école libre au Québec,* una página web de contenido explícitamente homófobo, de la que Onfray extrae el argumento según el cual John Money «defendió la pedofilia y estigmatizó la heterosexualidad como una convención que debía ser deconstruida».

Resulta sorprendente que para documentarse y expresarse sobre las teorías de género contemporáneas, Onfray elija plagiar las páginas web de los católicos fundamentalistas canadienses. Estas buenas fuentes ultraconservadoras no parecen haber tenido a Onfray al corriente de que la historia de Reimer es uno de los casos más comentados y criticados por los estudios de género y *queer*. Si Onfray hubiera leído a Butler, sabría que esta dedica un capítulo completo de su libro *Deshacer el género* a analizar el tratamiento médico-legal del que Reimer fue objeto. Butler critica tanto el uso normativo de una teoría constructivista de género que permite a John Money decidir que un niño sin pene debe ser educado como una niña como las teorías naturalistas de la diferencia sexual defendidas por Milton Diamond, según las cuales solo la anatomía y la genética definen la verdad del género.

Contrariamente a lo que Onfray imagina, Money no era un transgresor de las normas políticas de la diferencia sexual y de la heterosexualidad dominante. Tampoco Milton Diamond era un efusivo creyente en la autenticidad del sexo. Ambos compartían una misma visión normativa de la diferencia sexual. Según ellos, solo podía haber dos sexos (y dos géneros), por lo que era necesario reconducir toda forma de ambigüedad sexual presente en los bebés intersexuales, pero también en las personas homosexuales o transexuales, a una elección coherente y definitiva de su género. Tanto las asociaciones de personas intersexuales como Judith Butler no confirman las teorías de Money y de Diamond, sino que las critican, denunciando el uso normativo y violento que tanto Money como Diamond hacen de las nociones médico-legales de género y de diferencia sexual. Money, afirma Judith Butler, «impone la maleabilidad del género violentamente», mientras que Diamond «produce artificialmente la naturalidad del sexo».

El brutal tratamiento médico impuesto a Reimer después de haber perdido su pene fue el mismo que se reservaba para los niños intersexuales. Desde los años cincuenta, y siguiendo precisamente el así llamado «protocolo Money», los recién nacidos cuyo aparato genital no puede definirse como masculino o femenino están sujetos a operaciones quirúrgicas de reasignación sexual. En todos los casos, el objetivo es siempre el mismo: reproducir la diferencia sexual, aunque sea a costa de la mutilación genital. ¿Por qué los teóricos y los militantes antigénero se escandalizan frente al destino de Reimer, pero no son capaces de alzar la voz para pedir la prohibición de la cirugía de mutilación genital de niños intersexuales?

Tanto las representaciones biológicas como los códigos culturales que permiten el reconocimiento del cuerpo humano como femenino o masculino pertenecen a un régimen de verdad social e históricamente arbitrario, cuyo carácter normativo debe cuestionarse. Nuestra concepción del cuerpo y la diferencia sexual depende de lo que podríamos llamar, con Thomas Kuhn, un paradigma científico-cultural. Pero, como cualquier paradigma, es probable (digamos mejor deseable) que sea reemplazado por otro. El paradigma de la diferencia sexual que ha estado operando en la medicina y el derecho occidentales desde el siglo XVI entró en crisis a partir de la segunda mitad del siglo XX, con el desarrollo del análisis cromosómico y del mapeo genético. Ahora sabemos que uno de cada mil quinientos niños nace con genitales que no pueden considerarse como masculinos o femeninos. Esos bebés tienen derecho a ser niños sin pene, niñas sin útero, a no ser ni niñas ni niños, a ser niñes autodeterminados y felices. Lo que el dramático caso de Reimer muestra son los esfuerzos de la institución médica para salvar el paradigma de la diferencia sexual cueste lo que cueste, aunque el precio que haya que pagar sea el bienestar fí-

107

sico o psíquico de cientos de miles de personas. La teoría *queer* se eleva contra las nociones normativas de género de John Money y de diferencia sexual de Milton Diamond. Nuestro grito es una demanda epistemológica: necesitamos un nuevo modelo de inteligibilidad, una nueva cartografía del ser vivo, más abierta y menos jerárquica. Necesitamos una revolución en el paradigma de la representación corporal similar a la iniciada por Copérnico en el sistema de representación planetario. Enfrentados con los Ptolomeos de la diferencia sexual, somos los nuevos ateos del sistema de sexo/género.

París, 15 de marzo de 2014

AMOR EN EL ANTROPOCENO

Hago uno de tantos viajes de ida y vuelta entre Barcelona y París solamente para sentir cerca de mí el calor de Philomène. Es inteligente, vivaz, extremadamente bella. Es tan alegre que resulta imposible no dibujar una sonrisa al mirarla. Su simple presencia me llena de una satisfacción inmensa, un júbilo orgánico incomparable. Me ama. Sabe que he entrado en un lugar sin necesidad de mirarme. Busca sutilmente la proximidad de mi piel, pero sin imponerse. Sus ojos se cierran de placer cuando la acaricio. Me emocionan tres pequeñas arrugas que hay en su frente cuando lo hago. Me resulta imposible pensar que dormiré otra semana sin tenerla a mi lado.

Philomène es peluda, dos retazos negros cubren sus ojos sobre una cara blanca y se extienden hacia sus orejas puntiagudas. Según la taxonomía biológica ella pertenece a la especie *Canis lupus familiaris* y yo a la *Homo sapiens sapiens*. Si buscara hacer una autobiografía desantropocentrada, diría no solo que he estado cuatro veces profundamente enamorado de *Canis lupus*, sino que los *Canis lupus* han sido, exceptuando dos gloriosas excepciones de *Homo sapiens sapiens*, los grandes amores de mi vida. Philomène no es mi proyección, no es mi juguete, no es un remedio a la soledad, no es el sustituto del hijo que no tengo. Puedo afirmarlo: he conocido el amor canino.

Durante años fui un cuerpo del campo, hermano de los animales, su igual. En cambio, en la casa de los hombres, en el colegio, en la iglesia..., donde los animales no entran, me siento solo. Esto es lo que siento, aquí está. Como otro *coming out,* esta vez definitivo. Terrafilia. Estoy enamorado del planeta, me excita el espesor de la hierba, nada me conmueve más profundamente que el delicado movimiento de una oruga que sube por la corteza de un árbol. A veces, sin que nadie me vea, me agacho y beso un gusano sabiendo que la intensidad de mi aliento acelerará también su pulso.

Los historiadores de la Tierra afirman hoy que hemos abandonado el Holoceno para entrar en el Antropoceno: al menos desde la Revolución Industrial, nuestra especie, el *Homo sapiens sapiens,* se ha convertido en la mayor fuerza de modificación del ecosistema terrestre. El Antropoceno no se define solo por nuestro protagonismo sino también por la extensión a la totalidad del planeta de las tecnologías necropolíticas que nuestra especie ha inventado: las prácticas capitalistas y coloniales, las culturas del carbón y del petróleo y la transformación del ecosistema en recurso explotable que han dado lugar a una oleada de extinciones animales y vegetales y al progresivo calentamiento planetario. Para transformar nuestra relación con el planeta Tierra en una relación de soberanía, de dominación y de muerte fue necesario iniciar un proceso de ruptura, de externalización, de desafección. Erotizar nuestra relación con el poder y deserotizar nuestra relación con el planeta. Creernos que estábamos fuera, que éramos otro.

Philomène y yo somos hijos del Antropoceno. Nuestra relación sigue marcada por lazos de dominación: legalmente, yo tendría derecho a someterla, a encerrarla, a abandonarla, a venderla. Pero nos amamos. Porque como nos recuerda

Donna Haraway, el *Canis lupus* y el *Homo sapiens* se han construido mutuamente durante los últimos nueve mil años como «especies compañeras». El perro es el animal que cruza el umbral de lo humano no para ser comido, sino para comer-con-el-humano. En algún momento fuimos presa del *Lupus* y lo transformamos, *nos transformamos* con el predador, en predadores-compañeros. ¿Cómo pudo ocurrir? Este es sin duda uno de los procesos políticos más extraordinarios y singulares que nos quedan por entender. Philomène y yo nos amamos en la brecha necropolítica. El amor canino, dice Haraway, «es una aberración histórica y una herencia naturalcultural». Quizás la única y más certera prueba de que el proyecto democrático planetario es posible. De que el feminismo, la descolonización y la reconciliación posapartheid que Mandela anhelaba son posibles.

París, 12 de abril de 2014

LA AMNESIA DEL FEMINISMO

Como suele pasar con las prácticas de oposición política y de resistencia de las minorías, el feminismo adolece de un olvido crónico de su propia genealogía. Ignora sus gramáticas, olvida sus fuentes, borra sus voces, pierde sus textos y no tiene la llave de sus propios archivos. En las *Tesis sobre el concepto de historia,* Walter Benjamin nos recuerda que la historia se escribe desde el punto de vista de los vencedores. Es por eso por lo que el espíritu feminista es amnésico. Lo que Benjamin nos invita a hacer es escribir la historia desde el punto de vista de los vencidos. Solo a través de esta reescritura invertida será posible interrumpir la repetición de la opresión.

Cada palabra de nuestro lenguaje contiene, como enrollada sobre sí misma, una bobina de tiempo hecha con los hilos de miles de operaciones históricas. Mientras el profeta y el político se esfuerzan por santificar las palabras ocultando su historicidad, pertenece a la filosofía y a la poesía, como sugiere Giorgio Agamben, la tarea de profanar las palabras sagradas para devolverlas al uso cotidiano. Esto supone deshacer los nudos del tiempo, arrancar las palabras a los ganadores para ponerlas de nuevo en la plaza pública, donde pueden ser objeto de un proceso de resignificación colectiva.

Es urgente recordar, por ejemplo, ante el aumento de los

movimientos «antigénero» (curioso nombre que los naturalistas se dan a sí mismos), que las palabras «feminismo», «homosexualidad», «transexualidad» o «género» no las inventaron los activistas sexuales, sino el discurso médico y psiquiátrico de los últimos dos siglos. Esta es una de las características de los regímenes de saber que sirven para legitimar las prácticas de dominación somatopolítica en la modernidad: mientras que los lenguajes de la dominación anteriores al siglo XVII trabajaban con un aparato de verificación (un sistema de producción de verdad) teológico, los lenguajes modernos de dominación toman la forma de un aparato de verificación científico-técnico. Por eso, iniciar un proceso de emancipación requiere, como nos enseñan Iris Murdoch, Donna Haraway y Londa Schiebinger, no solo deconstruir la religión, sino también la ciencia.

Tomemos, por ejemplo, el ovillo de la historia que contiene la palabra «feminismo». Descubriremos entonces, con sorpresa, que la noción de «feminismo» la inventó en 1871 el joven médico francés Ferdinand-Valère Fanneau de la Cour en su tesis doctoral *Feminismo e infantilismo en los tuberculosos*. Según la hipótesis científica de Fanneau de la Cour, el «feminismo» era una patología que afectaba a los hombres tuberculosos y que producía, como síntoma secundario, una «feminización» del cuerpo masculino. El hombre tuberculoso, afirmaba Fanneau de la Cour, «tiene el cabello y las cejas finos, las pestañas largas y afinadas como las de las mujeres; la piel blanca, la panícula adiposa subcutánea muy desarrollada, y los contornos del cuerpo son de una suavidad notable, al mismo tiempo que las articulaciones y los músculos combinan su acción para dar a los movimientos esa flexibilidad, ese qué sé yo ondulante y elegante que es peculiar del gato y de la mujer. Si el sujeto ha alcanzado la edad en que la virilidad determina el crecimiento de la barba, encontramos que esta producción es completamente inexistente, o existe solo en ciertos lugares, que generalmente son el borde superior de los labios, primero, luego el mentón y la región próxima al mentón. Y de nuevo, estos pocos cabellos son delgados, finos y, a menudo, caprichosos. [...] Los genitales llaman la atención por su pequeño tamaño. Feminizado, sin "poder de generación y facultad de concepción", el hombre tuberculoso pierde su condición de ciudadano viril y se convierte en un agente contaminante que debe ser colocado bajo la tutela de la medicina pública». En el lenguaje científico de Fanneau de la Cour, «feminista» describe este tipo según él patológico de masculinidad tuberculosa.

Un año después de la publicación de la tesis de Fanneau de la Cour, Alexandre Dumas hijo retoma en uno de sus panfletos políticos la noción médica de «feminismo» para describir a los hombres que se muestran solidarios con la causa de las «ciudadanas», el movimiento de mujeres que luchan por el derecho al voto y la igualdad política. Las primeras feministas eran, por tanto, hombres: hombres a quienes el discurso médico consideraba anormales por haber perdido sus «atributos viriles»; pero también hombres acusados de feminizarse debido a su proximidad con el movimiento político de las ciudadanas. Las sufragistas tardarán todavía unos años en reclamar este adjetivo patológico y transformarlo en un lugar de identificación y acción política.

¿Dónde están hoy los nuevos feministas? ¿Quiénes son los nuevos pacientes con tuberculosis y las nuevas sufragistas? Debemos liberar al feminismo de la tiranía de la política de identidad y abrirlo a alianzas con nuevos sujetos que se resisten a la normalización y a la exclusión, con los afeminados de la historia; ciudadanos de segunda clase, cuerpos seropositivos, cuerpos con diversidad funcional y cognitiva, migrantes, refugiados que huyen de las guerras, apátridas y saltadores ensangrentados de las fronteras de alambre de Calais y de Melilla.

París, 10 de mayo de 2014

MARCOS *FOREVER*

El 25 de mayo de 2014, el Subcomandante Marcos enviaba una carta abierta al mundo desde «la realidad zapatista» anunciando la muerte del personaje Marcos que fue construido para servir de soporte mediático y de voz enunciativa al proyecto revolucionario de Chiapas. «Estas serán mis últimas palabras en público antes de dejar de existir.» El mismo comunicado anunciaba el nacimiento del Subcomandante Galeano, que tomaba el nombre del compañero José Luis Solís Sánchez, *Galeano,* asesinado por los paramilitares el día 2 de mayo. «Es necesario que uno de nosotros muera», dice el comunicado, «para que Galeano viva. Y para que esa impertinente que es la muerte quede satisfecha, en lugar de Galeano ponemos otro nombre para que él viva y la muerte se lleve no una vida, sino un nombre solamente, unas letras vaciadas de todo sentido, sin historia propia, sin vida.» Sabemos, a su vez, que José Luis Solís había tomado su nombre del escritor de *Las venas abiertas de América Latina.* El Subcomandante, que siempre ha caminado dos millas por delante de los viejos ególatras del posestructuralismo francés, opera en el dominio de la producción política la muerte del autor que Barthes anunció en el espacio del texto.

En los últimos años, los zapatistas han construido la opción más seria frente a las (fracasadas) opciones necropolíticas del neoliberalismo, pero también frente a la arrogancia patriarcal y totalitaria del comunismo. El zapatismo, como ningún otro movimiento, está inventando una metodología política para «organizar la rabia». Y reinventar la vida. A partir de 1994, el EZLN concibe, a través del Subcomandante Marcos, una nueva manera de *hacer* filosofía decolonial para el siglo XXI que se aleja del tratado y de la tesis (herederos de la cultura eclesiástica y colonial del libro que se inicia en el siglo XVI y declina a finales del siglo pasado) para actuar desde la cultura oral-digital tecnoindígena que susurra en las redes a través de rituales, cartas, mensajes, relatos y parábolas. He aquí una de las técnicas centrales de producción de subjetividad política que nos han enseñado los zapatistas: desprivatizar el nombre propio con el nombre prestado y deshacer la ficción individualista del rostro con el pasamontañas.

No tan lejos del Subcomandante, habito otro espacio político donde se desafía con la misma fuerza teatral y chamánica la estabilidad del nombre propio y la verdad del rostro como últimos referentes de la identidad personal: las culturas transexuales, transgénero, *drag king* y *drag queen*. Toda persona trans tiene (o tuvo) dos (o más) nombres propios. Aquel que le fue asignado en el nacimiento y con el que la cultura dominante buscó normalizarlo y el nombre que señala el inicio de un proceso de subjetivación disidente. Los nombres trans no indican la pertenencia a otro sexo, sino que denotan un proceso de desidentificación. El Subcomandante Marcos, que aprendió más de la pluma del escritor marica mexicano Carlos Monsiváis que de la barba viril de Fidel, era en realidad un personaje *drag king:* la construcción intencional de una ficción de masculinidad (el héroe y la voz del rebelde) a través de técnicas performativas. Un emblema revolucionario sin rostro ni ego: hecho de palabras y sueños colectivos, construido con un pasamontañas y una pipa. El

116

nombre prestado, como el pasamontañas, es una máscara paródica que denuncia las máscaras que cubren los rostros de la corrupción política y de la hegemonía: «¿A qué tanto escándalo por el pasamontañas? [...] ¿acaso está la sociedad mexicana lista a quitarse su máscara?» Como sucede con el rostro individual al ser cubierto por el pasamontañas zapatista, el nombre propio es también deshecho y colectivizado.

En los zapatistas, los nombres prestados y los pasamontañas funcionan como lo hacen en la cultura trans los segundos nombres, la peluca *drag,* el bigote o el taconazo: como signos intencionales e hiperbólicos de un travestismo político-sexual, pero también como armas *queer*-indígenas que permiten enfrentarse a la estética neoliberal. Y esto no se hace a través del verdadero sexo o del auténtico nombre, sino a través de la construcción de una *ficción política viva* que resiste a la norma.

A lo que nos invitan los experimentos zapatistas, *queer* y trans es a desprivatizar el rostro y el nombre para hacer del cuerpo de la multitud el agente colectivo de la revolución. Me permito desde esta modesta tribuna responder al Subcomandante Galeano diciéndole que a partir de ahora firmaré con mi nombre trans Beatriz Marcos Preciado, recogiendo la fuerza performativa de la ficción que los zapatistas crearon y haciéndola vivir desde las postrimerías de una Europa que se descompone, y para que la realidad zapatista sea.

Barcelona, 7 de junio de 2014

LA ESTADÍSTICA ES MÁS FUERTE QUE EL AMOR

Existe una tabla de riesgos anuales de ruptura de pareja. Una tabla estadística que mide la catástrofe. O la liberación. Una tabla que computa el entusiasmo. O el estancamiento. Que calcula el dolor. El caos y la reorganización del mundo afectivo.

Dependiendo del año en que se empezó a estar en pareja, dependiendo de las edades y los sexos respectivos, de los salarios, del número de hijos en común, de la edad a la que se empieza la pareja, dependiendo del tiempo que pasó entre que se dejó el domicilio familiar y el momento en que se empezó a estar en pareja, dependiendo de la profesión (el estudio incluye agricultores, abogados, dirigentes, obreros, amas de casa, parados...), dependiendo del lugar de nacimiento y el lugar de habitación, la edad respectiva a la que se acabaron los estudios, el estatuto jurídico (matrimonio, pareja de hecho, cohabitación, pareja que vive en domicilios separados...), dependiendo también de la existencia y la frecuencia de las infidelidades o dependiendo del PIB anual es posible saber cuál es el riesgo estadístico de continuidad o de destrucción de una pareja. Todo está ya allí. Vuestra ruptura futura está ya codificada en esos cuadros, más fáciles de leer que una desviación en la línea de una mano, sin que eso os impida seguir leyendo el periódico bajo el sol de julio.

Las estadísticas dicen que un matrimonio de cada dos dura menos de diez años y que el 15 % de las personas de entre veinticinco y sesenta y cinco años viven solas. Que en Francia, en 2013, hubo 130.000 divorcios y 10.000 disoluciones de parejas de hecho. Y que entre los cuarenta y los cuarenta y cinco años es más probable separarse. Que de las decisiones de ruptura, el 65 % tienen lugar durante las vacaciones. Como consecuencia, tres de cada cinco parejas que se separan lo hacen durante el verano. Estamos, por tanto, en periodo de alta probabilidad estadística. Un 37 % de las parejas vuelven después de una primera ruptura, pero solamente el 12 % logran consolidarse.

El matrimonio favorece la estabilidad de la unión, dice la tabla, del mismo modo que lo hace la presencia de niños, pero solo durante el primer año. Por el contrario, las parejas son más frágiles cuando comienzan su relación jóvenes, en un contexto económica o socialmente precario (antes del final de los estudios o del comienzo de la vida activa). Los agricultores, hombres o mujeres (el estudio no dice nada de los trans), y en menor medida los trabajadores independientes y los obreros, rompen menos sus uniones que los empleados, afirma el estudio.

En el caso de las mujeres, las rupturas son más numerosas entre las trabajadoras en puestos directivos; en los hombres, es justo lo contrario. Según la encuesta, los hombres directivos tienen un riesgo anual de ruptura un 17 % inferior a los hombres empleados de las mismas características. En el caso de las mujeres que ocupan puestos directivos, el riesgo anual de ruptura es un 11 % más elevado que para las mujeres empleadas. Las mujeres inactivas en pareja heterosexual (deduzco que, debido a prejuicios patriarcales, el estudio considera inactivas a las mujeres que trabajan únicamente en el espacio doméstico) son las que aportan mayor estabilidad a la pareja. El estudio habla de estabilidad y no de fidelidad del compañero o de realización de la vida de la esposa. Aquí la estabilidad es un factor de control político. Una sociedad en la que todas las parejas se separan sería una sociedad revolucionaria, quizás la sociedad de la revolución total.

Cuando hago pasar mi vida (mi vida material, mi vida reducida a información computable) a través de esa retícula me doy cuenta (primero con sorpresa, y luego con alivio) de que estoy en la media estadística, aunque el estudio no ha tenido en cuenta las parejas formadas por un trans *in between* preoperado y por una mujer fuera de toda norma. La singularidad de nuestra resistencia sexual y de género se rinde a las leyes estadísticas. La estadística es más fuerte que el amor. Más fuerte que la política *queer*.

La estadística transforma las noches que nos amamos y los días sin columna vertebral que vienen después de la ruptura en la materia inerte de un cálculo aritmético. Y ahora, esta inmovilidad de las cifras me consuela.

El uso de la estadística como técnica de representación social apareció en torno a 1760 con la aplicación de la aritmética a la gestión de la población nacional en la obra de Gottfried Achenwall y Bisset Hawkins. Pero se desarrolló como una auténtica «aritmética política» a partir de finales del siglo XIX con André-Michel Guerry y Louis-Adolphe Bertillon. Galton y los eugenistas hicieron un uso estratégico de esas correlaciones. Estas matemáticas de lo social tenían como objetivo producir conocimiento a partir de hechos físicos o sociales difícilmente controlables. Por eso los estadistas eran también meteorólogos y antropometristas. Aprendían a predecir el tiempo como aprendían a predecir los nacimientos y las muertes, los flechazos y las rupturas.

Otra encuesta realizada en Inglaterra en 2013 con los métodos heredados de la estadística moral de Guerry concluye que durante los primeros quince meses de «luna de miel» las parejas hacen el amor una media de una vez al día. Después de cuatro años de relación, la media desciende a cuatro veces al mes. Después de quince años, el 50 % de las parejas lo hacen cuatro veces al año y el otro 50 % duermen en camas separadas.

Después de una relectura detallada de mis diarios y de un escrupuloso cálculo hecho en las horas libres y con la energía obsesiva que deja la ruptura, calculo que la he amado el 93 % de los días, que he sido feliz con ella el 67 % del tiempo e infeliz el 11 %. No puedo calificar el 22 % del tiempo restante por falta de memoria o de registro preciso. Hicimos el amor el 60 % del tiempo, con una satisfacción del 90 % los tres primeros años, el 76 % los dos siguientes y solamente del 17 % los últimos. Dormimos juntos el 87 % de las noches, nos besamos antes de dormir el 97,3 % de las veces. Leímos juntos en la cama el 99 % de los días. La cualidad relativa (al 98 %) de las palabras que intercambiamos se mantuvo invariante en el tiempo, con la excepción de unos escasos días que precedieron a la separación.

Nuestra pareja, la hipérbole de la perversión según la psicología heterocentrada, está simplemente dentro de la norma estadística. Nunca los instrumentos de la biopolítica hegemónica me habían reconfortado tanto. Concluyo que el sufrimiento amoroso es inversamente proporcional al agenciamiento crítico y a la capacidad de rebelión. Como Spinoza anunciaba en 1677, antes de la invención de la estadística, un mismo afecto no puede desplegarse en dos direcciones divergentes. Estoy en el verano de la ruptura y las revoluciones que tocan directamente al plexo solar hacen huir a cualquier héroe. Comienza ahora en mi corazón la batalla entre la calma de la estadística y el furor alegre de la revolución.

París, 1 de agosto de 2014

EL 12%

Después de años hablando de la performatividad del lenguaje, citando a Walter Benjamin, a John Austin, a Jacques Derrida y a Judith Butler, experimento la «fuerza performativa» como una llama ardiendo que encuentra una piel. Desde que escribí la última crónica sobre la estadística y la ruptura, mi vida se ha convertido en un efecto performativo.

El día en que se publica la crónica no soy ni siquiera capaz de abrir el periódico. Leo los titulares como si se dirigieran directamente a nosotros: «Israel-Hamás. ¿Podemos juzgar la guerra?». La tregua no ha sido respetada en Gaza. Los combates han vuelto a empezar, los dos bandos se acusan mutuamente de violación del derecho internacional. Ella me acusa de exhibicionismo, de querer exponer sobre la plaza pública una crisis de pareja. Nuestros amigos, los mismos que me habían dicho que una carta de amor haría volver a cualquiera, me escriben ahora para decirme que, esta vez, quizás he ido demasiado lejos. El artículo, traducido en varias lenguas por internautas anónimos, viaja por todas las terminales cibernéticas a la velocidad de la 4G. Aunque soy Faceless, en las redes sociales los comentarios se multiplican: «Ya era hora», «Bien hecho», «Que se jodan».

Sufro del performativo. Me avergüenzo de amar. Me

avergüenzo de no haber sabido hacerlo. Me avergüenzo de mi escritura. Me avergüenzo del ajuste entre mi vida y la escritura. Me avergüenzo de la distancia entre la vida y la escritura. Frente al lenguaje, soy vulnerable. Entiendo ahora que las historias de amor tampoco nos pertenecen. Que cuando amamos es la cultura la que se ama a través de nuestros cuerpos, utilizando nuestras neuronas como receptores biológicos de un relato normativo que nos escribe. Y cuando nos separamos, es otra vez el discurso el que impone su ley. Pronuncié la palabra «ruptura» como un supersticioso saca un paraguas para conjurar la lluvia. Deseaba entonces que nuestra pareja formara parte del 12 % egregio. Ese 12 % de parejas que logran superar una crisis. Pero una vez que la palabra «ruptura» había sido pronunciada, como en un ritual de chamanismo periodístico, la ruptura había tenido lugar.

La teoría *queer,* fórmula punk inventada por Teresa de Lauretis en 1990 (teoría de los anormales, saber de los desviados, algo así como decir: teoría de la locura hecha por los locos para denunciar el horror de la civilización de la salud mental), no solo fue el resultado de la lectura feminista de la *Historia de la sexualidad* de Foucault, sino también de un «giro pragmático» en la comprensión de la producción de las identidades de género. En 1954, el lingüista John Austin afirma que existe una diferencia entre los enunciados constatativos y los performativos. Los primeros describen la realidad. Los segundos buscan transformarla. Con los performativos el lenguaje se convierte en acción. «Hoy llueve» enuncia un hecho, «Os declaro marido y mujer» produce un cierto número de efectos en lo real.

Derrida desconfía de la buena conciencia de Austin y postula, leyendo a Benjamin, que el éxito del performativo no depende de un poder trascendente del lenguaje (una suerte de voz divina que declara «Hágase la luz»), sino de la simple repetición de un ritual social que, legitimado por el

123

poder, esconde su historicidad. De un teatro en el que las palabras y los personajes están determinados por la convención. La fuerza del performativo resulta de la imposición violenta de una norma a la que hemos preferido llamar naturaleza para evitar confrontarnos con la reorganización de las relaciones sociales de poder que un cambio de convenciones implicaría. El debate acerca del matrimonio homosexual era en realidad una guerra por el control de la fuerza performativa. «Os declaro...» Pero ¿quién declara y para qué? ¿Quién tiene el poder de decidir a quién puede aplicarse este vigoroso performativo? ¿Cuál es la violencia que repetimos cuando aceptamos el «os declaro»? ¿Podemos distribuir esta fuerza de otro modo, limitar esta violencia? Butler va todavía más lejos al pensar los enunciados de identidad (de género, pero también sexuales, o raciales, «hombre», «mujer», «homosexual», «negro», etc.) como performativos que se hacen pasar por constatativos, palabras que producen lo que pretenden describir, interpelaciones que toman la forma de representaciones científicas, órdenes que se presentan como si se tratara de retratos etnográficos.

Para el subalterno, hablar no es simplemente resistir a la violencia del performativo hegemónico. Es sobre todo imaginar teatros disidentes en los que sea posible producir otra fuerza performativa. Inventar una nueva escena de la enunciación, diría Jacques Rancière. Desidentificarse para reconstruir una subjetividad que el performativo dominante ha herido. ¿Existe algo, un lugar, entre la pareja y su ruptura? ¿Es posible amar más allá de las convenciones? ¿Amar más allá de la crisis y fuera de la pareja? ¿Cómo crear contrarrituales? ¿Y quiénes seremos si corremos el riesgo de otro performativo?

Barcelona, 30 de agosto de 2014

EL FEMINISMO NO ES UN HUMANISMO

Durante una de sus «entrevistas infinitas», Hans Ulrich Obrist me pide que haga una pregunta a la que tanto artistas como movimientos políticos deberían responder con urgencia. Digo: «¿Cómo vivir con los animales? ¿Cómo vivir con los muertos?» Alguien más pregunta: «¿Y el humanismo? ¿Y el feminismo?»

Señores, señoras y sobre todo todes aquelles que no son ni señores ni señoras, de una vez por todas, el feminismo no es un humanismo. El feminismo es un animalismo. O por decirlo de otro modo, el animalismo es un feminismo expandido y no antropocéntrico.

Las primeras máquinas de la Revolución Industrial no fueron ni la máquina de vapor, ni la imprenta, ni la guillotina, sino el trabajador esclavo de la plantación, la trabajadora sexual y reproductiva y el animal. Las primeras máquinas de la Revolución Industrial fueron máquinas vivas. El humanismo inventa otro cuerpo al que llama humano: un cuerpo soberano, blanco, heterosexual, sano, seminal. Un cuerpo estratificado y lleno de órganos, lleno de capital, cuyos gestos están cronometrados y cuyos deseos son el efecto de una tecnología necropolítica del placer. Libertad, igualdad, fraternidad. El animalismo desvela las raíces coloniales y patriarcales de los principios universales del humanismo europeo. El régimen de la esclavitud y después el del salario aparecen como el fundamento de la «libertad» de los hombres modernos; la guerra, la competencia y la rivalidad son los operadores de la fraternidad; y la expropiación y la segmentación de la vida y del conocimiento, el reverso de la igualdad.

El Renacimiento europeo, la Ilustración y el milagro de la Revolución Industrial reposan sobre la reducción de los cuerpos no blancos y de las mujeres al estatuto de animal y de todos ellos (esclavos, mujeres, animales) al estatuto de máquina (re)productiva. Como el animal fue un día concebido y tratado como máquina, la máquina se vuelve poco a poco un tecnoanimal que vive entre los animales tecnovivos. La máquina y el animal (migrantes, cuerpos farmacopornográficos, hijos de la oveja Dolly, cerebros electronuméricos) se constituyen poco a poco como los nuevos sujetos políticos del animalismo por venir. Nosotros somos con la máquina y el animal homónimos cuánticos.

Puesto que la modernidad humanista no ha sabido sino hacer proliferar las tecnologías de la muerte, el animalismo necesita inventar una nueva manera de vivir con los muertos. Vivir con el planeta como cadáver y fantasma. Es decir: transformar la necropolítica en necroestética. El animalismo debe ser una fiesta fúnebre. La celebración de un duelo. Un rito funerario. Un nacimiento. En consecuencia, una relación con la muerte y una iniciación a la vida. Una asamblea solemne de plantas y de flores en torno a las víctimas de la historia del humanismo. El animalismo es una separación y un abrazo. El indigenismo *queer,* pansexualidad planetaria que trasciende las especies y los sexos, y el tecnochamanismo, sistema de comunicación interespecies, son sus dispositivos de duelo y reanimación.

El animalismo no es un naturalismo. Es un sistema ritual total. Una contratecnología material de producción de conciencia. La conversión a una forma de vida sin soberanía alguna. Sin jerarquía alguna. El animalismo instituye su propio derecho. Su propia economía. El animalismo no es un moralismo contractual. Rechaza la estética del capitalismo como captura del deseo a través del consumo (de bienes, de información, de cuerpos). No reposa ni sobre el intercambio ni sobre el interés individual. El animalismo no es el culto de un clan sobre otro clan. Por tanto, el animalismo no es un heterosexualismo, ni un homosexualismo, ni un transexualismo. El animalismo no es ni moderno ni posmoderno. Puedo afirmar sin reír que el animalismo no es un liberalismo. Ni un patriotismo ni un reformismo. El animalismo no es tampoco un matriotismo. No es un nacionalismo. Ni un europeísmo. El animalismo no es un capitalismo ni un comunismo. La economía animalista es una prestación total de tipo no antagónico. Una cooperación fotosintética. Un goce molecular. El animalismo es el viento que sopla. El animalismo es la manera a través de la que el espíritu del bosque de átomos decide la suerte de los ladrones. Los humanos, encarnaciones enmascaradas del bosque, deberán desenmascararse de lo humano y enmascararse de nuevo con el saber de las abejas.

El cambio necesario para comenzar el tiempo animalista es tan profundo que parece imposible. Tan profundo que es inimaginable. Pero lo imposible es lo que viene. Y lo inimaginable es lo debido. ¿Qué fue más imposible o más imaginable: el esclavismo o su abolición? El tiempo del animalismo es el tiempo de lo imposible y de lo inimaginable. Nuestro tiempo: el único que tenemos.

París, 27 de septiembre de 2014

SOBERANÍA *SNUFF*

Las últimas decapitaciones cometidas por el Daesh y retransmitidas por internet han sido calificadas de «barbarie». En el lenguaje del Imperio romano, la palabra «bárbaro» se usaba para describir a los extranjeros que no hablaban latín. Al invocar la barbarie, se subraya la dimensión «primitiva» y anacrónica del crimen. «Barbarie» es un operador de alteridad. Como si ellos no fuéramos nosotros. Pero estas decapitaciones no son bárbaras. Son un sofisticado lenguaje de comunicación. Se trata de imágenes codificadas en el idioma audiovisual moderno, han sido organizadas para ser vistas por nosotros. Las técnicas de representación del Daesh no son arcaicas, sino, al contrario, de alta tecnología político-cultural. Los hijos de Wes Craven, de John Carpenter y de James Wan hacen *sampling* con el Corán.

No pretendo ni puedo hacer aquí una iconografía crítica del yihadismo, sino más bien comprender cómo y por qué estamos volviendo a situar la teatralización de la muerte en el centro de un nuevo régimen escópico farmacopornográfico. Los días en que las técnicas del gobierno disciplinarias eclipsaron el castigo y la muerte han terminado. Una nueva gestión de la subjetividad política requiere otra vez la espectacularización ritual de los efectos del terror y el pánico. En inglés, se denomina *snuff* a un género real (o fantaseado) de películas que pretenden ser filmaciones reales de asesinatos o torturas, destinadas a un público que paga por verlas. La transmisión en vivo de la destrucción de las Torres Gemelas inauguró una nueva era del *snuff* televisivo. En esta nueva guerra, la transmisión audiovisual a través de los medios de comunicación de masas y de internet es tan importante como la muerte del enemigo. Si la soberanía tradicional, definida como poder de dar la muerte, hacía correr y circular los flujos sanguíneos, las nuevas formas de soberanía pasan ahora a través de la imagen y el sonido, a través del fluido ininterrumpido de los datos digitales de internet.

En el imaginario visual de las guerras de Oriente Próximo, donde se juega la fabricación de una nueva forma de soberanía masculina, hemos asistido al desplazamiento desde el cuerpo vulnerable del kamikaze suicida al cuerpo todopoderoso del verdugo. En el caso del kamikaze, la fragmentación del cuerpo individual representa la destrucción del cuerpo político del territorio. Esta fragmentación viene también a poner en cuestión la diferencia de identidad entre «ellos» y «nosotros» puesto que, después del estallido de la bomba, es imposible distinguir el cuerpo muerto del atacante del cuerpo atacado. Aquí ambos, atacante y atacado, son víctimas de la misma política. El cuerpo del kamikaze encarna de este modo un territorio nacional imposible que solo puede existir desmembrado y desmembrante: su carne se mezcla para siempre con la del enemigo. Esta promiscuidad, que se ha puesto de manifiesto de forma dramática en la ocupación de Palestina, niega la diferencia irreconciliable entre los cuerpos (individuales y políticos) en guerra. El ritual suicida del atacante se materializa mediante la destrucción de una geografía política constantemente amenazada cuyos elementos dispersos no se pueden conciliar en un solo cuerpo vivo y que solo pueden unirse en la sangre y a través de la muerte.

En el extremo opuesto, la nueva figura del actor verdugo construida por el yihadismo se refiere a una superestructura estatal transnacional, encarnada en un cuerpo masculino que dramatiza hiperbólicamente los rituales de la muerte. Mientras que la soberanía masculina tradicional de carácter teocrático hacía que la palabra de dios corriera en y a través de la sangre, la neosoberanía yihadista corre a través de internet y las redes sociales. El hombre neosoberano es ahora un actor en una puesta en escena de *snuff* político. Este desplazamiento conlleva el riesgo de una reversión sacrificial: el atacante suicida era un mártir, ahora el mártir es la víctima (real o visual).

La escena de la ejecución busca instituir un nuevo ritual necropolítico donde la plaza pública global es una página web. Y lo que es mostrado es la teatralización publicitaria de una nueva masculinidad soberana. El yihadismo inventa una forma teocibernética de *snuff* que se articula en torno a dos cuerpos masculinos privados de su individualidad: un cuerpo encarna al Estado islámico, el otro se reduce al papel de actor víctima, ubicado allí como un cuerpo sacrificial, como un objeto político de transición, como cuerpo para la muerte. El marco de la imagen se cierra hasta que la cara de la víctima satura el primer plano. Esta representación política de la soberanía masculina requiere un primer plano, el sonido de la voz, la palabra íntima, signos capaces de llevar la identificación narrativa. El *snuff* capitaliza aquí las técnicas modernas del retrato fotográfico, así como la subjetivación intimista de la música cinematográfica. El actor verdugo levanta la cabeza de la víctima y corta la garganta. Tobe Hooper se da cita con Al Qaeda: después de la decapitación viene un corte y luego un plano de la bandera del Daesh. La amputación de la cabeza destruye el cuerpo político, niega la racionalidad del poder occidental. Pero la amputación por sí misma no es suficiente. La auténtica técnica necropolítica es el vídeo y su difusión viral. No hay aquí barbarie. Esta nueva soberanía masculina *snuff* ya no saca su poder de un dios trascendente, sino de la red inmanente y todopoderosa de internet.

París, 25 de octubre de 2014

LA VALENTÍA DE SER UNO MISMO[1]

Cuando recibo esta invitación para hablar de la valentía de ser yo mismo, al principio, mi ego se regodea como frente a una página publicitaria en la que soy al mismo tiempo objeto y consumidor. Me veo ya cargado de medallas, vestido de héroe..., pero luego la memoria de los subalternos me ataca y borra toda complacencia.

Me dais ahora el privilegio de hablar de la valentía de ser yo mismo después de haberme hecho llevar el peso de la exclusión y la vergüenza toda mi infancia. Venís a darme este privilegio como daríais un vasito de vino más a un enfermo de cirrosis, al mismo tiempo que me negáis mis derechos fundamentales en nombre de la naturaleza y de la nación, que me confiscáis mis células y mis órganos para vuestra delirante gestión política. Me concedéis ahora la valentía como daríais una ficha de casino a un adicto al juego, mientras os negáis a llamarme por un nombre masculino o a declinar los adjetivos que a mí se refieren en masculino, simplemente

1. Paul B. Preciado, entonces todavía legalmente Beatriz, escribió este texto con ocasión de un debate sobre «La valentía de ser uno mismo» en el festival Mode d'Emploi de Lyon, al que estaban también invitadas Catherine Millet, Cécile Guilbert y Hélène Cixous.

porque no tengo ni los documentos oficiales adecuados ni la barba necesaria.

Y nos reunís aquí como a un grupo de esclavos que han sabido alargar sus cadenas pero que se muestran todavía cooperantes, que tienen diplomas y que aceptan hablar en el lenguaje de los amos: estamos aquí, frente a vosotros, todos cuerpos asignados sexo femenino en el nacimiento, Catherine Millet, Cécile Guilbert, Hélène Cixous, como se convoca a una banda de putas, de bisexuales, de mujeres como voz ronca, de argelinas, de judías, de españolas, de mujeres de pieles oscuras o con rostros de marimacho. Pero ¿no os cansaréis nunca de sentaros frente a nuestra «valentía» como uno se sienta frente a un divertimento? ¿No os cansaréis de alterizarnos para poder convertiros en vosotros mismos?

Me concedéis valentía, imagino, porque he militado junto con esos que vosotros llamáis putas, sidosos y discapacitados, porque he hablado en mis libros de prácticas sexuales con dildos y prótesis, porque he contado mi relación con la testosterona. Este es todo mi mundo. Esta es mi vida y no la he vivido con valentía, sino con entusiasmo y júbilo. Pero vosotros no queréis saber nada de mi dicha. Preferís compadecerme y garantizarme un poco más de valentía todavía porque en nuestro régimen político-sexual, en el capitalismo farmacopornográfico reinante, negar la diferencia sexual equivale a negar la encarnación de Cristo en la Edad Media. Me concedéis un paquete de valentía porque frente a los teoremas genéticos y a los papeles administrativos negar la diferencia sexual hoy equivale a escupir a la cara del rey en el siglo XV.

Y me decís «háblanos de la valentía de ser tú mismo», como los jueces del tribunal de la Inquisición le dijeron a Giordano Bruno durante ocho años «háblanos del heliocentrismo, de la imposibilidad de la santísima trinidad», mientras preparaban un saco de ramitas para encender un buen fuego. En efecto, como Giordano Bruno, y aunque huelo también a humo, pienso que un pequeño cambio no va a ser suficiente. Que va a haber que pegar una buena sacudida a todo esto. Hacer saltar el campo semántico y el dominio de lo pragmático. Despertar del sueño colectivo de la verdad del sexo, como tuvimos un día que despertar de la idea según la cual el Sol giraba alrededor de la Tierra. Para hablar de sexo, de género y de sexualidad hace falta empezar por un acto de ruptura epistemológica, una desaprobación categórica, una quiebra de la columna conceptual que permita una primera emancipación cognitiva: hay que abandonar totalmente el lenguaje de la diferencia sexual y de la identidad sexual (incluso el lenguaje de la identidad estratégica como quiere Spivak o de la identidad nómada como pide Rosi Braidotti). El sexo y la sexualidad no son propiedades esenciales del sujeto, sino más bien el producto de diversas tecnologías sociales y discursivas, de prácticas políticas de gestión de la verdad y de la vida. Son el producto de vuestro coraje. No hay ni sexos ni sexualidades, sino usos del cuerpo reconocidos como naturales o sancionados como desviantes. Y no vale la pena que saquéis la última carta trascendental: la maternidad no es sino otro uso posible del cuerpo, en ningún caso una garantía de diferencia sexual o de feminidad.

Guardad la valentía para vosotros. Para vuestros matrimonios y vuestros divorcios, para vuestras infidelidades y mentiras, para vuestras familias y vuestras maternidades, para vuestros hijos y vuestra herencia. Guardad la valentía que necesitáis para mantener la norma. Guardad la sangre fría que os hace falta para prestar vuestros cuerpos al incesante proceso de repetición regulada. La valentía, como la violencia y el silencio, como la fuerza y el orden, están de vuestro lado. Por el contrario, yo reivindico aquí la legendaria falta de valentía de Virginia Woolf y de Klaus Mann, de Audre Lorde y de Adrienne Rich, de Angela Davis y de Fred

Moten, de Kathy Acker y de Annie Sprinkle, de June Jordan y de Pedro Lemebel, de Eve K. Sedgwick y de Gregg Bordowitz, de Guillaume Dustan y de Amelia Baggs, de Beth Stephens y de María Galindo, de Judith Butler y de Dean Spade.

Pero porque os amo, mis iguales valientes, os deseo que vosotros también perdáis la valentía. Os deseo que os falte la fuerza de repetir la norma, que no tengáis la energía de seguir fabricando la identidad, que perdáis la determinación de seguir creyendo que vuestros papeles dicen la verdad sobre vosotros. Y cuando hayáis perdido toda la valentía, locos de cobardía, os deseo que inventéis nuevos y frágiles usos para vuestros cuerpos vulnerables. Porque os amo, os deseo débiles y no valientes. Porque la revolución actúa a través de la debilidad.

Lyon, 22 de noviembre de 2014

CATALUÑA TRANS

En Francia, el año ha comenzado con un asalto, un derribo, una batalla perdida, una contrarrevolución, un duelo, pero también quizás con la posibilidad de construir alianzas nuevas que acordonen lo que amamos, que lo protejan. Por mi parte, yo he empezado el año pidiendo a mis amigos cercanos, pero también a aquellos que no me conocen, que cambien el nombre femenino que me fue asignado en el nacimiento por otro nombre. Una deconstrucción, una revolución, un salto sin red, otro duelo. Beatriz es Paul. Y mientras camino con ese nuevo nombre por las calles del Raval de Barcelona pienso que el proceso de borrado del género normativo y la invención de una nueva forma de vida en la que estoy embarcado desde hace tiempo podría parecerse al proceso de transformación en el que se halla inmersa Cataluña. Vayan a saber si es fruto de otra disforia que hace que los paisajes sin frontera desde los Pirineos hasta las Terres de Ponent y del Ebro se confundan ahora con mi propia anatomía desdibujada o si es la conclusión lógica de la resonancia entre dos mudanzas posibles: aventuro que hay similitud formal y política entre la subjetividad trans en mutación y Cataluña en devenir. Dos ficciones que se deshacen y se hacen. Dicho de otro modo, el proceso de constitución de una Cataluña libre podría parecerse, en sus modalidades de relación con el poder, la memoria y el futuro, a las prácticas de invención de la libertad de género y sexual que se llevan a cabo en las micropolíticas transexuales y transgénero.

Más allá de la identidad nacional, ¿qué fuerzas entran o podrían entrar en la composición de la forma-Cataluña? ¿Más allá de la identidad de género, qué fuerzas entran o podrían entrar en la composición de la forma-trans? ¿Qué sé? ¿Qué sabemos? ¿Qué puedo? ¿Qué podemos? ¿Qué voy a hacer? ¿Qué vamos a hacer?

En el caso del devenir-trans, como en el devenir-Cataluña, o bien se trata de seguir un protocolo previsible de cambio de sexo (diagnóstico de un malestar que se cree patológico, administración de hormonas en dosis que permitan precipitar un cambio culturalmente reconocible, operaciones de reasignación sexual...) o por el contrario se trata de poner en marcha un conjunto de prácticas de desestabilización de las fuerzas de dominación del cuerpo que puedan dar lugar a la invención de una nueva forma somatopolítica viva. Una forma de existencia cuya jovialidad crítica haga el duelo de la violencia abriendo a una relacionalidad nueva un lugar experimental. O bien se trata de pasar de un sexo a otro replicando las convenciones normativas o, por el contrario, es posible iniciar una deriva que permita crear un afuera. Entonces lo más importante no será la transexualidad o la independencia, sino el conjunto de relaciones que ese proceso de transformación active y que hasta ahora estaban capturadas por la norma.

En el caso del devenir-Cataluña-libre, o bien la independencia es el objetivo final de un trámite político que tiende a la fijación de una identidad nacional, a la cristalización de un mapa del poder, o por el contrario se trata de un proceso de experimentación social y subjetiva que implica la puesta en cuestión de todas las identidades normativas (nacionales, de clase, género, sexuales, territoriales, lingüísticas, raciales, de diferencia corporal o cognitiva...).

O bien la masculinidad, la feminidad, la nación, las fronteras, las demarcaciones territoriales y lingüísticas... prevalecen sobre la infinitud de series posibles de relaciones establecidas y por establecer, o bien fabricamos juntos el entusiasmo experimental capaz de sostener un proceso constituyente permanentemente abierto.

Devenir-trans, como devenir-independiente, significa que de la nación, como del género, hay que empezar por dimitir. Renunciar a la anatomía como destino y a la historia como prescriptora de contenidos doctrinales. Renunciar a la anatomía, a la sangre y al suelo como ley. Ni la identidad nacional ni la identidad de género pueden ser origen o fin de un proceso político. No pueden ser ni fundamento ni teleología. En la nación, como en el género, no hay verdades ontológicas ni necesidades empíricas de las que puedan derivarse pertenencias o demarcaciones. No hay nada que verificar o que demostrar, todo está por experimentar. Como el género, la nación no existe fuera de las prácticas colectivas que la imaginan y la construyen. La batalla, por tanto, comienza con la desidentificación, con la desobediencia, y no con la identidad. Rayando el mapa, borrando el nombre, para proponer otros mapas, otros nombres que evidencien su condición de ficción pactada. Ficciones que nos permita fabricar la libertad.

Calella, 17 de enero de 2015

NECROLÓGICA A GRITOS PARA PEDRO LEMEBEL[1]

Puto sida, puto cáncer de laringe, puta dictadura y puta fachada de democracia, puta mafia machista a la que siguen llamando partido, puta censura, putas parejas y putas rupturas, puto Pedro y puto Pancho, puta televisión, putos movimientos alternativos, puto socialismo, puta Iglesia colonial, putas ONG, putas multinacionales farmacéuticas, puta farra neoliberal posdictadura, puto mapa del Cono Sur, puto consenso cultural, puto turismo, puta tolerancia, putas bienales de arte y puto museo de la homosexualidad. Puta tú y puto yo. Puto tu cuerpo que ha perdido. Y puta tu alma que no perderá nunca. Puta la multitud minoritaria frente a un solo hombre armado. Putas las yeguas y puto el río Mapocho.

1. El escritor chileno y activista *queer* Pedro Lemebel murió el viernes 23 de enero de 2015 de cáncer en Santiago. Durante el régimen de Pinochet, Pedro Lemebel y Francisco Casas formaron el colectivo artístico-activista Yeguas del Apocalipsis y utilizaron la performance y la escritura como herramientas críticas para luchar contra la dictadura. Lemebel fue autor, entre otros libros, de *Loco afán* (1996), *De perlas y cicatrices* (1998) y *Tengo miedo torero* (2001). Fue galardonado con el Premio José Donoso en 2013 y fue candidato al Premio Nacional de Literatura en Chile en 2014. Seguirá siendo uno de los escritores y activistas políticos *queer* más creativos y radicales del siglo XX.

Putos los días que pasamos juntos en Santiago, putas las noches de Valparaíso, putos tus besos y puta tu lengua. Mirábamos al Pacífico y yo citaba a Deleuze: «El mar es como el cine, una imagen en movimiento.» Tú me decías: «No te hagas el intelectual, machito. La única imagen en movimiento es el amor.» Tú me criaste y de ti salí como un hijo, de los cientos que tuviste, inventado por tu voz. Tú eres mi madre y te lloro como se llora a una madre travesti. Con una dosis de testosterona y un grito. Tú eres mi amante y te lloro como se llora a una amante comunista e indígena. Con una hoz y un martillo dibujados sobre la piel de la cara. Tú eres mi chamana y te lloro como se llora a la ayahuasca. Salgo a las calles de Nueva York y me abrazo a un árbol radiactivo mientras te pido perdón por no haber ido a verte. Por el miedo a la memoria de la tortura, por el miedo a los perros muertos de hambre en las calles de Santiago y a las minas de Antofagasta. Los diamantes son eternos y las bombas también. El sida habla inglés. Dices *«Darling, I must die»* y no te duele. Y el cáncer no habla. Te mueres silenciosa como una barbie cutre, sudaca, proletaria y marica. Incorrupta eres, como una diosa trans-andina. Y nos arrancarán de la historia los libros que ya no escribirás. Pero no tu voz. Y nacerán otra vez mil niños con la alita rota y mil niñas que llevarán tu nombre. Pedro Lemebel. Mil veces, en mil lenguas.

Nueva York, 28 de enero de 2015

HAPPY VALENTINE

Quisiera celebrar el 14 de febrero confesándoles un secreto. Digamos que este será mi regalo de San Valentín. Este verano dejé de creer en el amor. En el amor de pareja. No fue algo progresivo. Fue un golpe seco: el orden de mis ideas cambió y mi deseo se vio radicalmente modificado. ¿O quizás fue al revés? Me descubrí deseando de otro modo y las ideas cayeron por su propio peso. Aunque soy con respecto a toda teología ateo, y en filosofía metodológicamente nominalista, el amor romántico había hasta entonces resistido la hermenéutica de la sospecha y el acoso de la deconstrucción. Por el lado de la virtud, la retórica del amor persistía en mí como un resto neoplatónico de años de entrenamiento metafísico. Me afectaron también sin duda las fanfarronadas de san Pablo, que se leían en las bodas católicas quién sabe si como palabras de ánimo, como mandatos o como conjuros. No tan lejos de san Pablo como debiéramos, en las micropolíticas gays, lesbianas y trans se habla del «derecho a amar» y vuelve como un rumor la afirmación de que lo importante es que «dos personas se amen aunque sean del mismo sexo». Y así el fluido normalizador del amor se derramaba sobre nosotros, los parias de la sexualidad y de la diferencia sexual.

Sí es cierto, para qué negarlo, que todo empezó cuando

me separé de la persona con la que había imaginado que viviría para siempre. Fui con ella hasta las últimas consecuencias de la ideología del amor, abrazando todos los efectos secundarios de su sistema material y discursivo. Pero nunca habría llegado a hacer del campo de dolor que creó la ruptura un aparato de verificación que sirviera para algo más que para destrozar mis mañanas. Más aún, la sensación de fracaso pudo haber alimentado la utopía. Sin embargo, fueron las conversaciones con mis amigos próximos y no tan próximos en búsqueda de respuesta a mi propia confusión las que desmontaron la hipótesis del amor romántico. Los datos que fui acumulando fueron como un estudio de campo empírico que, al estilo Feyerabend, permitía, si no definir lo cierto, en todo caso afirmar que algo no es verdadero.

Al hablarles de nuestra separación, muchos de nuestros amigos manifestaron su deseo encubierto de separarse, y al mismo tiempo su falta de valentía para hacerlo. La mayoría de ellos me decían en secreto que habían dejado de follar hacía tiempo o que tenían una amante y al hablar de la persona que supuestamente amaban manifestaban un rencor infinito hacia el otro, como si la pareja fuera una reserva ilimitada de frustración y tedio. Mi perplejidad era enorme: me parecía entonces que todos ellos debían separarse y no nosotros. Y sin embargo, los que nos separamos fuimos nosotros. Todos ellos siguieron juntos: eligieron el amor romántico como instinto de muerte.

Nosotros decidimos no creer en ese amor para salvarlo de la institución pareja. Elegimos la libertad en lugar del amor. Platón era un embaucador, san Valentín un criminal y san Pablo un mero publicista. ¿Un alma cortada en dos mitades que luego se encuentran? ¿Y si en lugar de ser cortada simétricamente, el alma se corta en dos trozos desiguales? ¿Y si en lugar de en dos mitades, se divide en 12.568 pequeños fragmentos? ¿Y si no tenemos un alma sino ocho como

142

afirman otras cosmologías? ¿Y si el alma es indivisible? ¿Y si no hay alma? Después, una mañana de junio, me levanté con una sola idea en la cabeza: el amor es un dron. Y mientras pensaba en cambiar mi nombre por el de Paul, me encontré a mí mismo escribiendo una versión punk de la Epístola a los Corintios.

Copio ahora directamente de mi cuaderno como quien transcribe las palabras de un extraño:

El amor es cruel. El amor es egoísta. El amor no entiende de la pena ajena. El amor siempre golpea en la otra mejilla. El amor rompe. El amor destruye. El amor es grosero. Una tijera es el amor. El amor corta. Un hacha es el amor. El amor es mentiroso. El amor es falaz. El amor es codicioso. Un banquero es el amor. El amor es perezoso. El amor es envidioso. El amor es orgulloso. El amor lo quiere todo. Una bomba extractora es el amor. El amor es voraz. El amor es abstracto. Un algoritmo es el amor. El amor es mezquino. Un colmillo es el amor. Leviatán es el amor. El amor es soberbio. El amor quema. Una mecha es el amor. El amor es agresivo. El amor es colérico. El amor golpea. Una guillotina es el amor. Un látigo es el amor. El amor es caprichoso. El amor es falso. El amor es impaciente. El amor es envidioso. El amor no conoce la moderación. El amor es vanidoso. El amor es un dron.

El amor no es un sentimiento, sino una tecnología de gobierno de los cuerpos, una política de gestión del deseo que captura la potencia de actuar y de gozar de dos máquinas vivas y las pone al servicio de la reproducción social. El amor es un bosque en llamas del que no podrás salir sin haberte quemado los pies. El fuego y la piel calcinada son las promesas de San Valentín. Cógelos y corre.

Eso es lo que hicimos nosotros: destrozar la ficción normativa del amor y correr. Cada uno a su manera, desde la precariedad, intentamos ahora inventar otras tecnologías de producción de subjetividad. Y ahora que ya no creo en el amor, por primera vez, estoy preparado para amar: de forma finita, inmanente, anormalmente. O dicho de otro modo, siento que empiezo a prepararme para la muerte. Feliz San Valentín.

Nueva York, 14 de febrero de 2015

EL MUSEO APAGADO

Es difícil estar en Nueva York y no ser presa de las redes mediáticas de la exposición de Björk en el MoMA, como es difícil no serlo de las de Jeff Koons en el Centre Pompidou estando en París. La voz de Björk siempre me pareció un buen himno al amor vegetal y solo puedo manifestar simpatía por un tipo que se fotografía desnudo follando con la Cicciolina y al que, como a mí, le gustan los caniches. Dejando a Björk y a Koons de lado –ellos son meramente instrumentales en todo esto–, lo que me interesa aquí es a qué apuntan estas dos exposiciones como signos del devenir del museo de arte moderno y contemporáneo en la era neoliberal.

Lo que muestran ambas exposiciones es que las estrategias de crecimiento financiero y marketing han entrado de lleno en el museo. Si hubo por un breve lapso de tiempo la posibilidad de transformar el museo en un laboratorio en el que reinventar la esfera pública democrática, ese proyecto está siendo desmantelado con un único argumento: superar la dependencia de la financiación estatal en un tiempo de «crisis» y hacer del museo un negocio rentable.

Este nuevo museo, se nos dice, debe transformarse en una semiocorporación con buena perspectiva de crédito: una industria de producción y venta de significados consumibles.

145

Estos son los criterios con los que se nos pide a los infotrabajadores del museo de arte moderno y contemporáneo que programemos: para las exposiciones monográficas estamos bajo el régimen del *big name,* debemos exponer grandes nombres inmediatamente reconocibles puesto que el museo se dirige sobre todo al turista. Esta es una de las características del museo neoliberal: transformar incluso al visitante local en turista de la historia del capitalismo globalizado. Por otra parte, en las exposiciones colectivas o de colección nos debemos plegar al criterio *the best well-known of each,* lo más conocido de cada uno. Expongamos las obras más conocidas de los artistas más conocidos.

Esto explica la arquitectura expositiva del MoMA: un espacio fluido en el que el vídeo de Björk «Big Time Sensuality» filmado en 1993 en Times Square es visible casi desde cada sala, mientras entramos en un laberinto en el que la noche estrellada de Van Gogh se codea con las señoritas de Aviñón de Picasso, con la bandera de Estados Unidos de Jasper Johns y las latas de Campbell de Warhol. El visitante no verá nada que no conozca o que no pueda encontrar en los cien mejores artistas de Taschen. Como máquina semiótica este nuevo museo barroco-financiero produce un significado sin historia, un único producto sensorial, continuo y liso, en el que Björk, Picasso y Times Square son intercambiables.

Un buen director de museo es hoy un director de ventas y desarrollo de servicios globales rentables. Un director de programas públicos debe ser un especialista en análisis de mercado cultural, programación «multicanal», búsqueda de nuevos clientes, gestión de *big data* y *dynamic pricing* (recordemos que la entrada completa al MoMA cuesta el «dinámico» precio de 25 dólares). Los curadores y los diseñadores (que poco a poco suplantan a los artistas) son los nuevos héroes de este proceso de espectacularización. Por último, las exposiciones, convertidas en el *core-business* de este negocio semiótico, son productos, y la «historia del arte», una simple acumulación cognitivo-financiera. El museo se convierte así en un espacio abstracto y privatizado, un enorme gusano mediático-mercantil MOMAPOMPIDOUTATEGUGGENHEIMABU-DABI... Es imposible saber dónde se está, por dónde se entra y dónde se sale.

Esta proliferación de obras de arte como signos identificables es parte del proceso general de abstracción y desmaterialización del valor en el capitalismo contemporáneo. En la esfera del museo barroco-financiero las obras no son consideradas por su capacidad para cuestionar los modos habituales de percibir y conocer, sino más bien por su intercambiabilidad sin fin. El arte se intercambia por signos y dinero no por experiencia o subjetividad. Aquí el signo consumible, su valor económico y mediático, se emancipa de la obra de arte, la posee, la vacía, la devora y, por decirlo con Benjamin, la destruye. Este es un museo en el que el arte como significante disidente, el espacio público y el público como agente crítico han muerto. Dejemos de llamarlo museo y llamémoslo necromuseo. Un archivo de la destrucción de nuestra historia global.

Si queremos salvar el museo quizás tengamos que, paradójicamente, elegir la ruina pública frente a la rentabilidad privada. Y si no es posible, entonces quizás haya llegado el momento de ocupar colectivamente el museo, vaciarlo de deuda y hacer barricadas de sentido. Apagar las luces para que, sin posibilidad alguna de espectáculo, el museo pueda empezar a funcionar como un parlamento de otra sensibilidad.

Nueva York, 14 de marzo de 2015

NE(©R)OLIBERALISMO

Necroeconomía, necroverdad, necroinformación, necro-
diagnóstico, necroontología, necroheterosexualidad, necro-
homosexualidad, necroafecto, necroimagen, necroamor, ne-
crotelevisión, necrohospital, necrohumanismo, necroestado,
necrourbanismo, necroprogreso, necroliteratura, necropater-
nidad, necroviaje, necroeuropa, necroindividuo, necroarqui-
tectura, necrofrancia, necropaís, necrodivertimento, necropaz,
necrodiversidad, necropolítica, necroterritorio, necrofronte-
ra, necrociencia, necromasculinidad, necrofeminidad, necro-
pareja, necrocreencia, necrolenguaje, necrovoto, necroescuela,
necrofamilia, necropornografía, necroparlamento, necrome-
dicina, necrobelleza, necrocultura, necrohogar, necroarte,
necroautoridad, necrorrespuesta, necroexposición, necroin-
vestigación, necroperiodismo, necrocine, necrodiseño, ne-
croturismo, necrohistoria, necropaisaje, necroinformática,
necroemoción, necrosangre, necrococina, necroimagen, ne-
cropragmatismo, necrosalud, necroagricultura, necrodeseo,
necromoda, necrorrazón, necrorrobótica, necroley, necroes-
timulación, necropedagogía, necrocomunicación, necrogene-
ración, necrorrelato, necrotest, necroacción, necrosexualidad,
necrovalor, necropublicidad, necroidentidad, necrohospitali-
dad, necroinmunidad, necroindustria, necrocomunidad, ne-

croorgasmo, necrolibertad, necromuseo, necroescucha, necro-trabajo, necrofraternidad, necroamérica, necrofeto, necrosatis-facción, necroigualdad, necroconsumo, necrovisión, necroagua, necroalma, necroamistad, necromaternidad, necroempatía, necrovelocidad, necroplasticidad, necroconciencia, necroescri-tura, necrogozo, necrotransporte, necroteatro, necroocio, ne-crotrabajo, necrodólar, necrofinanza, necrocomida, necro-cristianismo, necroislamismo, necrojudaísmo, necrocivilización, necroadolescencia, necrodeuda, necroperdón, necrocrédito, necrocuerpo, necrocomplicidad, necroleche, necroerótica, necropetróleo, necroazúcar, necroesperma, necromitología, ne-crovejez, necroalteridad, necrodiscurso, necrofelicidad, necro-terapia, necrozoo, necromoral, necroperseverancia, necrocir-culación, necrorraza, necroprivado, necronet, necropúblico, necrosubjetivo, necrosoberano, necroadicción, necroacumu-lación, necrogobierno, necrodanza, necrocontrato, necroor-gullo, necrodirección, necromemoria, necrolibro, necromedi-terráneo, necroinfancia, necroéxito, necrosexo, necropasado, necrosueño, necroaprendizaje, necroutopía, necroideología, necrohéroe, necropoder, necronacimiento, necrosaber, ne-croexcitación, necroaire, necroministerio, necrohonor, necro-rrespiración, necrofuturo, necrodomesticidad, necrodisney, necrorritual, necrosinceridad, necrocarrera, necropuesto, ne-croelección, necrosociedad, necrofilosofía, necrobebida, necro-rreproducción, necrovoluntad, necroinseminación, necro-tiempo, necrocuidado, necromúsica, necrojusticia, necrocrisis, necrorrepresentación, necroáfrica, necrorresistencia, necro-dignidad, necromatrimonio, necroautoestima, necrotopía, necrojuego, necroerección, necroelección, necrohambre, ne-crointeligencia, necroseguridad, necroderecho, necrocosmos, necrodeterminación, necrobanco, necrodemocracia, necroat-lántico, necropsicología, necroarchivo, necromonsanto, ne-croestética, necrosoftware, necrohardware, necrorrealidad, necrorrentabilidad, necroamazon, necromarketing, necrone-

149

gociación, necrodespertar, necroflexibilidad, necroglobalización, necrosport, necrovida, necroestupidez, necrodiálogo, necrosed, necrodisciplina, necrolampedusa, necrocrecimiento, necrofidelidad, necrohigiene, necrocirugía, necrorrepública, necrofacebook, necrofotografía, necroprecisión, necrocomercio, necrorrespeto, necrocompartir, necrocomún, necropatria, necrocambio, necrometrópolis, necropaciencia, necroerudición, necroayuda, necrojuez, necrodrama, necrobondad, necrofiesta, necroexperiencia, necroplaneta, necropropiedad, necrogoogle, necrovigilancia, necroestabilidad, necroconmemoración, necrocrónica, necroapetito, necrofervor, necromejora, necroyo, necrotú, necronosotros...

¿Acaso puede el capitalismo financiero producir alguna otra cosa? ¿Estamos todavía vivos? ¿Deseamos todavía actuar?

Nueva York, 11 de abril de 2015

LLAMANDO A LOS AJAYUS

Hace unos días, María Galindo, artista y chamanactivista boliviana, pasó por Barcelona y fue a llamar a mi «ajayu» frente a la puerta del MACBA.[1] María me explica que el ajayu es para los aimaras como el alma, pero no el alma religiosa, sino el alma ecopolítica: la estructura subjetiva que hace de cada uno de nosotros una singularidad viva entrelazada en el cosmos. Dicen que en el lugar en el que uno es herido, allí donde a uno se le rompe un sueño, queda el ajayu deambulando. Y el mío, asegura, debe de andar por allí. Lo llama y lo espera con cuidado porque el ajayu, dice, es más frágil que el cristal, más delicado que la porcelana. Si lo pierdes es como si estuvieras muerto.

Mientras tanto, yo camino sin mi ajayu por las calles de Nueva York, inmerso en el ruido zigzagueante de los heli-

1. El día 23 de marzo de 2015, una comisión que incluía tanto a la Fundación MACBA como a los delegados del gobierno del Ayuntamiento de Barcelona, la Generalitat y el Ministerio de Cultura destituyó a Paul B. Preciado de su puesto de director de Programas Públicos y del Programa de Estudios Independientes y a Valentín Roma de su puesto de director de exposiciones del Museo de Arte Contemporáneo de Barcelona por haber mostrado la escultura *Not dressed for conquering* de Ines Doujak en el marco de la exposición *La bestia y el soberano*.

cópteros que observan cómo un escuadrón de más de mil policías dispersa a los manifestantes que protestan por el asesinato de Freddie Gray en Baltimore. Un dron, quién sabe si buscando el ajayu de Gray, pasa por encima de mi cabeza. Solo sus luces intermitentes, rojas y verdes, son visibles en la noche. Estos son los tiempos del dron, pienso. Abro mi teléfono y la entrevista en la que Bruce Jenner, mundialmente conocido por su pasado deportivo, habla de su cambio de sexo con Diane Sawyer es *trending topic*. Hubo el tiempo del halcón y de la paloma, pero ahora ya estamos en el tiempo del dron y del tuit. El tiempo de la vigilancia estelar y de la autovigilancia mediática. Y no sé si soy *Charlie Hebdo* o no, pero seguro que, vagabundo y sin mi ajayu, medio muerto y medio vivo, soy una mezcla improbable de Freddie Gray y Bruce Jenner.

Los paparazzi esperaban ya desde hace días que Bruce Jenner saliera a la puerta de su casa de Malibú con vestido y maquillaje. Le esperaban como la policía espera a que un cuerpo no-blanco mueva una mano para empezar a disparar. Querían verificar si se había extirpado la nuez, si le han crecido los pechos. La mayor democracia neoliberal del planeta distribuye las oportunidades de vivir, de ser considerado ciudadano político, de acuerdo con epistemologías visuales binarias: diferencias sexuales, raciales y de género. Twitter se incendiaba como si un vestido de rayas verdes fuera un Colt 45; en realidad, en treinta y dos estados de la Unión Bruce podría llevar un Colt 45, pero no un vestido. Y luego llega la entrevista en televisión y Bruce dice: «Soy una mujer.» Intenta desesperadamente encontrar reconocimiento en la esfera pública dominante a través de un ejercicio atlético de autonominación. Pero no tarda en disculparse: le pueden seguir llamando «él», no quiere herir a nadie, lo más importante son sus hijos, es un buen patriota. No hay reconocimiento sin normalización. Los aimaras dirían que se ha dejado robar el ajayu. Y de repente, ese estudio de televisión, el salón de cualquier casa conectado al canal ABC, cualquier ordenador, este teléfono móvil se convierte en un quirófano multimedia en el que se lleva a cabo una operación de reasignación sexual. La globalmente íntima conversación con Diane Sawyer toma ahora el lugar que en otro momento tenían el *freakshow*, la clínica o el juzgado. La entrevista condensa todas esas retóricas: la confesión, el diagnóstico y la evaluación médica, el castigo público, la sumisión al sistema. Cualquier tentativa de poner en cuestión la metafísica de la presencia se estrella contra la pantalla. No hay una relación linear entre la mejora de las condiciones de vida de las personas trans y el aumento de su visibilidad en los medios de comunicación. El salto de Jenner a la primera línea de Google es solo un paradójico desplazamiento político: es al mismo tiempo un movimiento estratégico por el reconocimiento de otras formas de vida, pero también se trata de un proceso de control y vigilancia de género a través de los medios de comunicación. Es en ese estrecho espacio de convenciones y normas donde nuestro género es constantemente fabricado, pero también donde puede ponerse en cuestión. El género solo existe como efecto de esos procesos sociales y políticos, fallidos o naturalizados, de representación: el ajayu no tiene género. Pero ¿dónde estará entonces el ajayu de Bruce Jenner? Desde aquí lo llamo.

Nueva York, 9 de mayo de 2015

CONDONES QUÍMICOS

Si no eres un hombre que practica el sexo con otros hombres, seguramente la palabra «Truvada» no te diga nada. Por el contrario, si esta palabra te suena es porque está modificando tu ecología sexual: el dónde, el cómo, el cuándo, el con quién. Truvada es un fármaco antirretroviral producido por la compañía de San Francisco Gilead Sciences y comercializado como PrEP, es decir, profilaxis preexpositiva para prevenir la transmisión del virus del sida. Inventado primero como tratamiento para personas seropositivas, desde 2013 la Agencia Estadounidense del Medicamento (FDA) aconseja administrar esta molécula entre las personas seronegativas pertenecientes a grupos de riesgo, lo que en la cartografía epidemiológica dominante equivale aún en gran medida a ser lo que todavía denominan un hombre gay «pasivo», es decir, un receptor anal de penetración y eyaculación. En Europa, los ensayos clínicos comenzaron en 2012 y podrían concluir con una recomendación positiva para su comercialización en 2016. Solo en el primer año Truvada (cuyo coste mensual es de 1.200 dólares donde no hay genérico) ha producido beneficios de 3.000 millones de dólares. Se calcula que un millón de norteamericanos podrían convertirse en consumidores de Truvada para evitar... convertirse en consumidores de los fármacos antirretrovirales para seropositivos.

Truvada está produciendo en la sexualidad gay una transformación semejante a la que la píldora anticonceptiva produjo en la sociabilidad heterosexual en los años setenta. Tanto Truvada como la píldora funcionan del mismo modo: son condones químicos pensados para «prevenir» riesgos derivados de una relación sexual, ya sean estos el contagio del virus VIH o el embarazo indeseado. La transversal píldora anticonceptiva-Truvada nos fuerza a pensar las tecnologías de control de la sexualidad fuera de las lógicas de identidad inventadas por el discurso médico-jurídico en el siglo XIX. Tanto la píldora como Truvada son la prueba de la transición desde mediados del siglo pasado de una sexualidad controlada por aparatos disciplinarios «duros» y externos (arquitecturas segregadas y de encierro, cinturones de castidad, condones, etc.) a una sexualidad mediada por dispositivos farmacopornográficos: nuevas tecnologías «blandas», biomoleculares y digitales. La sexualidad contemporánea está construida por moléculas comercializadas por la industria farmacológica y por un conjunto de representaciones inmateriales que circulan en las redes sociales y los medios de comunicación.

He aquí algunos de los desplazamientos cruciales que tienen lugar en el paso desde el condón de látex a los condones químicos. Lo primero que cambia es el cuerpo sobre el que se aplica la técnica. La profilaxis química, a diferencia del condón de látex, ya no afecta al cuerpo hegemónico (el cuerpo masculino «activo», es decir penetrante y eyaculante, cuya posición es idéntica en el agenciamiento heterosexual y en el gay) sino a los cuerpos sexualmente subalternos, los cuerpos con vaginas o anos penetrados y potenciales receptores de esperma, expuestos tanto al «riesgo» del embarazo como al de la transmisión viral. Además, en el caso de estos condones químicos, la decisión de uso ya no se toma en el acto sexual mismo, sino con antelación, de modo que el usuario que ingiere la molécula construye su subjetividad en una relación temporal de futuridad: tanto su tiempo vital y la totalidad de su cuerpo como la representación de sí mismo y la percepción de las posibilidades de acción e interacción sexual sufren una transformación debido al consumo del fármaco. Truvada no es ni un simple medicamento ni tampoco una vacuna, sino que, al igual que la píldora, funciona como una máquina social: un dispositivo bioquímico que, aunque aplicado en apariencia a un cuerpo individual, opera sobre el cuerpo social en su conjunto y produce nuevas formas de relación, deseo y afectividad. Lo más importante y lo que quizás explique el éxito no solo farmacológico sino también político de la píldora a partir de los años setenta y del Truvada hoy es que los condones químicos, suplementados además por la molécula de sildenafilo (Viagra), permiten construir la fantasía de una sexualidad masculina «natural» totalmente soberana cuyo ejercicio (entendido como erección, penetración y circulación ilimitada de esperma) no se ve restringido por barreras físicas.

Si el *barebacking* (el sexo sin condón entre gays seropositivos) se pensó en los años noventa como una suerte de terrorismo sexual (recordemos la polémica que oponía al escritor Guillaume Dustan y a los activistas de Act Up en torno a la profilaxis en Francia), ahora el sexo seguro y responsable es el *barebacking* con Truvada. Farmacológicamente higiénico, sexualmente viril. El poder del fármaco reside en su capacidad para producir una sensación de autonomía y libertad sexual. Sin mediación visible, sin condón de látex, el cuerpo masculino penetrante obtiene la sensación de plena soberanía sexual, cuando en realidad cada una de sus gotas de esperma está mediada por complejas tecnologías farmacopornográficas. Su libre eyaculación solo es posible gracias a la píldora, a Truvada, a Viagra, a la imagen pornográfica...

Truvada, como la píldora, quizás no tenga como objetivo mejorar la vida de sus consumidores, sino optimizar la explotación dócil de los mismos, asegurar su servidumbre molecular, manteniendo una ficción de libertad y emancipación al mismo tiempo que refuerza las posiciones sexo-políticas de dominación de la masculinidad normativa. La relación con el fármaco es una relación libre, pero el fármaco entra a formar parte de una estructura más compleja de sujeción social. Follemos libremente: follemos con el fármaco. Con respecto a esta servidumbre molecular, parece no haber diferencias entre la heterosexualidad y la sexualidad gay. En los últimos veinte años, la sexualidad gay ha pasado de ser una subcultura marginal a convertirse en uno de los espacios más codificados, reglamentados y capturados por los lenguajes del capitalismo neoliberal. Quizás sea hora de dejar de hablar de heterosexualidad y homosexualidad y empezar a pensar más bien la tensión entre usos normativos o disidentes de las técnicas de producción de la sexualidad que hoy parecen afectarnos ya a todos.

Nueva York, 12 de junio de 2015

ORLANDO *ON THE ROAD*

Cuando viajo necesito llevar un libro para leer antes de dormir. El libro es una cama lingüística en la que siempre encuentro el sueño. Jabès y Semprún decían del lenguaje que era su patria. Yo soy también un extranjero, con un pequeño libro bajo el brazo. El libro es la pirámide portátil, añadía Derrida hablando de cómo el pueblo judío al huir de Egipto había transformado la arquitectura en papiro para poder llevarla siempre con ellos. Es así como la obra de Virginia Woolf se ha convertido en este viaje en mi habitación de papel. Dada mi ambivalente relación con ella (la adoro, aunque unas veces sea homófoba y otras clasista, en ocasiones pedante y siempre impertinente), Virginia Woolf es un inhóspito hogar. Leo el diario que Virginia Woolf escribió entre 1927 y 1928 mientras trabajaba en la redacción de *Orlando*. Entender cómo construye narrativamente a Orlando me ayuda a pensar en la fabricación de Paul. ¿Qué ocurre con el relato de una vida cuando es posible modificar el sexo del personaje principal? Virginia califica de «éxtasis» el afecto generado por esa escritura. No oculto que me asalta a veces una emoción semejante. Lo curioso es que Virginia se atreva a calificar a *Orlando* de biografía. Una biografía inhumana y prepersonal, fragmentada en el espacio y en el tiempo: un viaje.

Leyendo su diario, descubro con sorpresa una Virginia más preocupada por el fieltro de los sombreros y el encaje de los vestidos que por las huelgas de mineros que azotan Inglaterra, más pendiente de las ventas de *La señora Dalloway* (doscientos cincuenta ejemplares eran en aquella época un bestseller) que de la violencia con la que la policía londinense dispersa a los trabajadores ferroviarios, sumida en la depresión porque Vita Sackville-West le ha dicho que no estaba guapa, obsesionada con su propia muerte pero absolutamente incapaz de imaginar primero la guerra económica y luego política que arrasará Occidente tan solo unos años después. Su alma es más aguda mirando a los bisontes encerrados en el zoo de Londres que a Nelly, su ama de llaves, a la que trata como a una esclava. ¿Por qué es tan difícil estar presente frente a lo que sucede? «La soledad es mi novia», escribe. El viaje es mi amante, respondo. Reconozco el viaje como un antídoto a la soledad woolfiana, a la ensoñación doméstica que en cada momento podría alejarme de lo que sucede. Rodeado de muertos como Virginia y Vita me doy cuenta de lo difícil que resulta estar vivo. Yo también podría equivocarme y prestar más atención a mis dosis de testosterona que a la transformación política de todas mis relaciones, a las traducciones de mis libros que al devenir necropolítico del planeta.

Aterrizo en Palermo con *Orlando* y los diarios de Virginia bajo el brazo. Voy desde el aeropuerto a la universidad por la autopista en la que la mafia siciliana mató al juez Falcone en 1992 haciendo estallar seiscientos kilos de explosivos enterrados bajo el asfalto cuando su coche pasaba por el mismo camino por el que yo paso ahora. Los restos del coche destruido y expuesto en su memorial son una imagen condensada de las instituciones democráticas europeas. Intuiré más tarde, en el centro mismo de Palermo, entre los palacios en ruina y las pescaderías ambulantes en las que un enorme atún es despedazado bajo el sol, la existencia de una ciudad escondida bajo el mapa oficial: una cartografía que, como afirma Roberto Saviano, la mafia ha trazado con sangre, semen, cocaína y dinero negro.

Pocos días después, en Buenos Aires, en Argentina, en el barrio de la Boca pero también en Corrientes, me cuesta pensar que ese territorio está enmarcado dentro de las formas de producción de lo que antes reconocíamos como capitalismo. Un dólar puede valer 8 pesos al cambio en el banco, 12 en las calles del *microcentro* y quién sabe si 18 y una cabeza de vaca o de hombre en la Boca. El mercado es tan legal como la ruleta rusa. El capital ya ni siquiera es el referente abstracto de la equivalencia entre trabajo y bienes, es una simple función de riesgo y criminalidad, de desposesión y violencia. Viajo después desde Argentina a Atenas pasando por Barcelona, donde de forma casi inesperada las fuerzas emergentes de los movimientos vecinales y del 15-M han conseguido, de la mano de Ada Colau, izarse a través de las urnas hasta los espacios institucionales de gestión urbana. Después, en Exarchia, el barrio anarquista de Atenas, un grupo de vecinos se reúnen para intercambiar información sobre la deuda. La calle se ha transformado en universidad pública. Una semana después construirán la posibilidad del NO y, con ella, un nuevo paradigma ético y estético de la revuelta, una micropolítica de la cooperación somática y cognitiva.

En las calles de Palermo, como en Barcelona, Atenas o Buenos Aires, al mismo tiempo que los Estados-nación heredados de la geopolítica de la Guerra Fría se derrumban y que prolifera una nueva gobernabilidad supraestática tecnopatriarcal gestionada por las mafias financieras globales, emergen poco a poco nuevas prácticas experimentales de colectivización de saber y de producción. Es así como, en medio de una guerra sin nombre, se están inventando los fundamentos sociales y políticos de la vida poscapitalista que viene.

Buenos Aires, 10 de julio de 2015

EUROPA O SIVRIADA

Le veo por primera vez subiendo las cuestas del barrio de Beyoğlu en Estambul. Tiene el pelo sucio y oscuro y está herido en el cuello. Le sigo, pero me esquiva, camina sin pararse, sin mirar a nada o a nadie. Sube por Firuzağa. Un vendedor ha extendido allí sus alfombras cubriendo completamente la carretera. Parece no importarle que los transeúntes e incluso los coches circulen sobre ellas. La calle es un salón a cielo abierto. Si los pasajes parisinos eran para Benjamin un espacio exterior que se curvaba sobre sí mismo para devenir interioridad burguesa, aquí sucede lo contrario. La alfombra es un hogar bidimensional, un apartamento textil que se despliega sobre el asfalto instalando una hospitalidad tan intensa como precaria. Pero ¿para quién? ¿Quién es recibido y quién es expulsado? ¿Cuál es el pueblo que tiene derecho al hogar? ¿Cómo redefinir el *demos* más allá del *domos?*

Con el cansancio de la subida, dormito caminando y sueño que aquellas alfombras son mi casa y que ese extraño que avanza herido es mi perro. Nos acostaríamos juntos y yo pasaría la tarde acariciándolo. Pero él no se detiene. Lleva un crotal de plástico amarillo sobre la oreja: número 05801. Un signo de trazabilidad que señala que ha sido reconocido como animal vagabundo y esterilizado. Lo sigo del otro lado de la plaza Taksim, hacia Tarlabaşi y Mete. En tan solo cien metros hemos pasado de las calles en las que las mujeres visten chador a otras en las que las trabajadoras transexuales semidesnudas ejercen la prostitución. Aunque esos dos estatutos de la feminidad parezcan opuestos, no son sino dos modalidades (resistencia mimética y subordinación subversiva) de la supervivencia en el capitalismo neoliberal: aquí entran en alianza inesperada la definición teológica de la soberanía masculina y la producción farmacopornográfica del deseo y la sexualidad. La artista y activista Nilbar Güreş me contará que cada mes asesinan al menos a una mujer transexual sin que la policía lleve a cabo la menor investigación.

Entre la gente y los coches de Taksim pierdo de vista al vagabundo y continúo solo el recorrido de museos y galerías previsto por la Bienal de Arte de Estambul. Arter, el colegio Griego, el Italiano, The House Hotel Galatasaray o el Museo de Arte Moderno de Estambul. La organización de la bienal nos lleva en barco desde el puerto de Kabataş hasta Büyükada, una de las islas Príncipe, antiguos enclaves griegos, hoy convertidos en destino veraniego para las clases turcas acomodadas. Navegando sobre el Bósforo tengo la impresión de entrar por la arteria aorta en el corazón del mundo. El latido de la urbe es la sístole y la diástole del planeta. El calor húmedo se convierte en bruma y desdibuja los contornos de la costa interminable de una ciudad de 16 millones de habitantes. La guía de la Bienal de Estambul, que este año dirige Carolyn Christov-Bakargiev, anuncia un compromiso activo con las políticas feministas y ecologistas. Sin embargo, al llegar a la isla lo que sorprende es el estado famélico de los cientos de caballos uncidos a carros retrokitsch que suben a los turistas hasta el monasterio y los miradores. Adnan Yildiz, curador y activista turco, me explica que cada verano los caballos son sacrificados o mueren de hambre en los establos vacíos de la isla, pues no resulta rentable alimentarlos fuera de temporada. Una bienal ecologista-feminista en Estambul es esto: un montón de sandalias y zapatos Prada pisando boñigas calientes de caballos que morirán en invierno. Y mis propios zapatos también están ahí. En el recorrido de la isla, la bienal ha incluido la casa en ruinas en la que Trotski vivió durante su exilio entre 1932 y 1933 y en la que escribió parte de su biografía. Bajando por un huerto salvaje se llega hasta la instalación de Adrián Villar Rojas, que anuncian como el clímax estético de la bienal. Una serie de dramáticas y pretenciosas esculturas de animales recubiertas de pintura plástica blanca sobre las que se han colocado otras formas orgánicas hechas de sacos y textiles, flotan sobre el mar. ¿Serán estos los animales de los que se ocupa la bienal? Los coleccionistas, sandalias Prada ya muy sucias y vestido Miyake desplegado, se extasían y compran. Una bienal de arte puede ser esto: lo contrario del arte. ¿Qué sentido tiene hacer una bienal de arte sin tener en cuenta las políticas locales? ¿Cuál puede ser la función de una bienal de arte en un contexto de represión política de las minorías sexuales, religiosas, animales, étnicas... y de migrantes?

Más tarde, otro barco nos lleva junto con un pequeño grupo de coleccionistas y patronos desde Büyükada a Sivriada, la pequeña isla en la que Pierre Huyghe expone su instalación. Allí están los ancestros de nuestro perro vagabundo. En 1910, en el proceso de modernización de Estambul, más de cincuenta mil perros fueron capturados y abandonados en la isla. Sin agua ni comida, los perros fueron condenados a comerse unos a otros, antes de morir. Dicen que los aullidos se oyeron durante semanas. Lo que me sorprende no es que fueran deportados (la exclusión es una de las técnicas necropolíticas más ancestrales), sino que al escuchar sus lamentos nadie fuera capaz de volver para salvarlos.

Inesperadamente, al salir de un taxi colectivo que me deja en la plaza Taksim vuelvo a ver al mismo perro herido, 05801.

Lo sigo de nuevo. Esta vez me lleva hasta el parque Gezi, donde se reúne con otros perros marcados como él. El pueblo de los vagabundos esterilizados. Cada uno de ellos es el final de una larga historia de supervivencia. El final. Más tarde, la artista Banu Cennetoğlu me explicará que cada noche el parque se llena de miles de refugiados humanos que, como los perros, van a dormir allí. Hay alrededor de un millón y medio de refugiados cruzando Estambul hacia Europa. Erdogan aspiró primero a captar a algunos como mano de obra pauperizada y a transformarlos en rehenes electorales a los que se les daba asilo a cambio de voto. Pero la presión demográfica se considera excesiva y ahora Turquía quiere ser simplemente un enorme pero rápido puente ubicado en el Bósforo, un gran pasillo en el que el refugiado pierde toda condición de ciudadano político mientras transita desde Asia hasta Europa convertido en perro vagabundo.

La intensidad y la violencia de los movimientos migratorios planetarios exige hoy y con urgencia el paso a una nueva ciudadanía-cuerpo-alfombra que se oponga y transgreda las leyes de los Estados-nación en los que rige la ciudadanía-capital-tierra. Este cambio de estatuto nada tiene que ver con la forma o la cuantía de la ayuda humanitaria. Si el neoliberalismo ha abatido las fronteras económicas, ahora es necesario derribar las políticas. Si no somos capaces de esta transformación, la Comunidad Económica Europea será para los refugiados una isla Sivriada donde, sin reconocimiento político y sin soporte material, estén destinados a comerse a sí mismos antes de morir.

Estambul, 26 de septiembre de 2015

EN BRAZOS DE LA RODINA-MAT

Vuelo desde Estambul a Kiev. En el avión, embarcan una docena de Kate Moss, y un puñado de Daniel Craigs (quién sabe si agentes de espionaje o simples mafiosos), pero sobre todo cuerpos con la cabeza baja que no hablan ni ucraniano ni ruso ni turco... ¿De dónde vienen, adónde van? Ellos deben de preguntarse lo mismo al verme leyendo en francés, escribiendo en español, hablando en inglés. La imagen de los migrantes cruzando fronteras es el significante universal que nos recodifica a todos. ¿Quién soy y qué hago aquí? ¿De qué guerra estoy huyendo? ¿Con qué trafico? ¿Cuál es mi refugio? Si hubiera una tirada del tarot para nuestros tiempos en ella estarían el Colgado, el Loco y el Ermitaño. Desposesión, desplazamiento, aprendizaje profundo. La resultante es el Mundo. No tenemos opción: cambiaremos de forma de producir la realidad o dejaremos de existir como especie. El avión vuela bajo, atravesamos el mar Negro esquivando la parte este del país todavía en guerra, subimos hacia Odesa y desde ahí hasta Kiev. Ahora, por primera vez, siento que Ucrania es, como España, Francia, Italia o Turquía, una costa conectada, a través de invaginaciones, al Mediterráneo.

Aterrizamos. Con doscientos cincuenta gramos de testosterona inyectada cada doce días en mi cuerpo, la disidencia de género ha dejado de ser una teoría política para convertirse en una modalidad de encarnación. Pero eso preferiría no tener que explicárselo al agente de aduanas que ahora mira detenidamente mi pasaporte en el que todavía figura la mención «sexo femenino». La frontera ucraniana no me parece el lugar más idóneo para poner en marcha un taller de políticas trans. El militar de aduanas tiene cara de niño y pide los pasaportes con la irritabilidad característica del bebé que llora porque necesita comer. A pesar de todo, seguro que está mejor detrás de ese mostrador que en una trinchera de Donetsk. Dicen que el ejército recluta en cualquier momento y con el pretexto de la formación militar se los envía durante meses a lugares de los que nunca saben si volverán. Como a mí, le está empezando a crecer la barba, y, como a mí, le incomoda el acné. Pero para pasar esa aduana no puedo apoyarme en la complicidad que nos daría sabernos afectados por un aumento súbito de nuestras dosis de testosterona en sangre. La frontera es un teatro inmunológico en el que cada cuerpo es percibido como un enemigo potencial, y él y yo estamos a los dos lados en ese umbral para jugar el juego de la identidad y de la diferencia.

La escena ya ha comenzado: sus manos rurales adoptan bruscamente gestos administrativos, giran mi pasaporte, lo investigan. Él supera la vergüenza del acné con la arrogancia que le aporta el uniforme verde-camuflaje nuevo, mientras que yo intento sonreír. La sonrisa, dicen, es una marca gestual femenina. Mirando mi fotografía de hace más de tres años, me pregunta si ese es mi pasaporte y cómo me llamo. Por el efecto de la testosterona en las cuerdas vocales, en los últimos tres meses mi voz se ha vuelto ronca. Como no sé manejarla bien, parezco un fumador de habanos que padece una neumonía. Sin cuidado, daría la impresión de ser Plácido Domingo acatarrado jugando a cantar como Montserrat Caballé. Pero delante del agente me esfuerzo para hacer un falsete sin gallos. «Beatriz», respondo, acomodándome a la legalidad, y pronuncio un nombre que ahora me resulta extraño. Llevo nueve meses acostumbrándome a decir Paul, a responder cuando alguien dice Paul, a volverme cuando escucho ese nombre. Pero ahora toca olvidarlo. Sudo mientras el soldado pone el pasaporte bajo la lupa. Me dice «*This is not you, this is a woman.*» Le respondo: «*Yes, it is me. I am a woman.*» Recuerdo que hace tan solo unas horas decía «*I am a man*» cuando algunos curadores internacionales que me conocían por mi antiguo nombre se dirigían a mí todavía en femenino. Ambos enunciados aparecen ahora circunstanciales, pragmáticos, en el sentido lingüístico del término: su significado depende del contexto de la enunciación y de las convenciones políticas que lo estructuran. El joven me mira incrédulo. Llama a una mujer militar para que me cachee. Ella me toca con la contundencia de un masajista Rolfing, como si con su mano quisiera separar las fascias de mi cuerpo. Mete el brazo dentro de mis pantalones y empuja hacia arriba entre mis piernas. Luego se dirige al soldado en ucraniano explicándole, imagino, a juzgar por sus gestos, que ha encontrado evidencias anatómicas táctiles que concuerdan con el estatuto legal de mi pasaporte. Me devuelve los documentos, me deja ir, me suelta como se libera a un animal peligroso o a un enfermo del que se teme contagio.

Al salir de la aduana y recoger mi equipaje, un taxista me espera sujetando un cartel que dice Paul. Cambia de nuevo la escena de la enunciación. «Buenas tardes, señor.» Desde el coche en movimiento, la primera impresión de la ciudad es monumentalidad y desproporción de escalas, barriadas de rascacielos *low-cost* en medio de campos de hierba, edificios racionalistas rusos perdidos entre lagos. Pero nada impresiona tanto como la estatua gargantuesca de una mujer que se alza sobre las colinas del Lavra. Amenazante, en una mano sujeta una espada, en la otra, un escudo. La artista

Anna Daučiková me explicará después que se trata de la Rodina-Mat, la Madre Patria: una Medea soviética de acero inoxidable, de sesenta y dos metros de altura y quinientas veinte toneladas, que corta el horizonte de forma más dramática que cualquier rascacielos en el paisaje de Nueva York. Porque no es un edificio, sino un cuerpo. El cuerpo (hoy fragmentado y frágil) de la nación rusa. Después de la ansiedad de la aduana, la imagen de la Rodina-Mat adquiere un carácter onírico. Se levanta frente a mí como la encarnación de la ley de género anunciando el imperativo de la diferencia sexual como condición de posibilidad de la identidad nacional. Es la inscripción en el paisaje urbano de la norma administrativa que exige una M o una F en mi pasaporte. La nación es una fábrica orgánica en la que la feminidad debe gestar el cuerpo masculino al que se enviará a la guerra. Veo entonces a la Rodina-Mat, quizás alucino, sujetando en cada mano uno de mis nombres, Beatriz-Escudo o Paul-Espada, diciéndome: ven, ven a mis brazos.

Kiev, 9 de octubre de 2015

CAMBIAR DE VOZ

Estoy acostumbrándome a mi nueva voz. La administración de testosterona hace que las cuerdas vocales crezcan y se engrosen, produciendo un timbre más grave. Esta voz surge como una máscara de aire que viene de dentro. Siento una vibración que se propaga en mi garganta como si fuera una grabación que sale a través de mi boca y la transforma en un megáfono de lo extraño. Yo no me reconozco. Pero ¿qué quiere decir «yo» en esta frase? «¿Puede el subalterno hablar?»: la pregunta que Gayatri C. Spivak hacía pensando en las complejas condiciones de enunciación de los pueblos colonizados cobra ahora un sentido distinto. ¿Y si el subalterno fuera también una posibilidad siempre ya contenida en nuestro propio proceso de subjetivación? ¿Cómo dejar que nuestro subalterno trans hable? ¿Y con qué voz? ¿Y si perder la propia voz, como índice ontoteológico de la soberanía del sujeto, fuera la primera condición para dejar hablar al subalterno?

Los otros, claro está, tampoco reconocen esta voz que la testosterona induce. El teléfono ha dejado de ser un fiel emisario para convertirse en un traidor. Llamo a mi madre y ella contesta: «¿Quién está ahí? ¿Quién es?» La ruptura del reconocimiento hace ahora explícita una distancia que siempre existió. Yo hablaba y ellos no me reconocían. La necesidad de verificación pone a prueba la filiación. ¿Soy realmente su hijo? ¿Fui alguna vez realmente su hijo? A veces cuelgo porque temo no ser capaz de explicar lo que ocurre. Otras digo: «Soy yo», e inmediatamente después añado: «Estoy bien», como para evitar que la duda o la alerta se antepongan a la aceptación.

Una voz que no era hasta ahora la mía busca refugio en mi cuerpo y se lo voy a dar. Viajo ahora constantemente, estoy una semana en Estambul, otra en Kiev, o en Barcelona, Atenas, Berlín, Kassel, Frankfurt, Helsinki, Turín, Stuttgart... El viaje traduce el proceso de mutación, como si la deriva exterior intentara relatar el nomadismo interno. Nunca me despierto dos veces en la misma cama... ni en el mismo cuerpo. Por todas partes se oye el rumor de la batalla entre la permanencia y el cambio, entre la identidad y la diferencia, entre la frontera y el oleaje, entre los que se quedan y los que están obligados a partir, entre la muerte y el deseo.

Esta voz aparentemente masculina recodifica mi cuerpo y lo libera de verificación anatómica. La violencia epistémica del binarismo sexual y de género reduce la radical heterogeneidad de esa nueva voz a la masculinidad. La voz es el amo de la verdad. Recuerdo entonces la posible raíz común de las palabras latinas «testigo» y «testículo». Solo el que tiene testículos puede hablar frente a la ley. Del mismo modo que la píldora indujo una separación técnica entre heterosexualidad y reproducción, el ciclopentilpropionato, la testosterona que ahora me inyecto por vía intramuscular, independiza la producción hormonal de los testículos. O, por decirlo de otro modo, «mis» testículos –si por ello entendemos el órgano productor de testosterona– son inorgánicos, externos, colectivos y dependen en parte de la industria farmacéutica y en parte de las instituciones legales y sanitarias que me dan acceso a la molécula. «Mis» testículos son una pequeña botella con doscientos cincuenta miligramos de testosterona que viaja en mi mochila. No se trata de que «mis» testículos estén fuera de mi cuerpo, sino más bien que «mi» cuerpo está más allá de «mi» piel, en un lugar que no puede ser pensado simplemente como mío. El cuerpo no es propiedad, sino relación. La identidad (sexual, de género, nacional o racial) no es esencia, sino relación.

Mis testículos son un órgano político que hemos inventado colectivamente y que nos permite producir de forma intencional una variedad de masculinidad social: un conjunto de modalidades de encarnación que por convención cultural reconocemos como masculinas. Al llegar a mi sangre, esa testosterona sintética estimula la hipófisis anterior y el hipotálamo, y los ovarios dejan de producir óvulos. No hay, sin embargo, producción de esperma, porque mi cuerpo no posee células de Sertoli ni tubos seminíferos. Imagino que probablemente no esté tan lejano el día en el que estos puedan ser diseñados por una impresora 3D a partir de mi propio ADN. Pero de momento, dentro de nuestra *episteme* capitalo-petrolífero-lingüística, mi identidad trans tendrá que hacerse con un bricolaje mucho más *low-tech*. Si hubiéramos dedicado tanta investigación a comunicar con los árboles como hemos dedicado a la extracción y el uso del petróleo, quizás podríamos iluminar una ciudad a través de la fotosíntesis, o podríamos sentir cómo la savia vegetal corre por nuestras venas, pero nuestra civilización occidental se ha especializado en el capital y la dominación, en la taxonomía y la identificación, no en la cooperación y la mutación. En otra *episteme*, mi nueva voz sería la voz de la ballena o el sonido del trueno, aquí es simplemente una voz masculina.

Cada mañana, el tono de la primera palabra pronunciada es un enigma. La voz que habla a través de mi cuerpo no se acuerda de sí misma. Tampoco el rostro mutante puede servir como un lugar estable para que la voz busque un territorio de identificación. Esa voz cambiante no es ni simplemente una ni simplemente masculina. Por el contrario, declina la subjetividad en plural: no dice yo, dice somos el viaje. Quizás sea eso lo que quede del yo occidental y de su absurda pretensión de autonomía individual: ser el lugar en el que se deshace y rehace la voz, el sitio, habría dicho Derrida, desde el que se opera la deconstrucción del fono-logo-falo-centrismo. Desposeído de la voz como verdad del sujeto y sabiendo que los testículos son siempre un aparato social prostético, me siento un cómico caso de estudio derridiano y me río de mí mismo. Y al reírme noto que esta voz nueva salta en mi garganta.

Atenas, 24 de octubre de 2015

ME PONE TU SILLA

Estarán de acuerdo conmigo que la vida sexual de un ciudadano de Occidente consiste (independientemente de su orientación sexual) en un 90 % de material discursivo (imágenes o relatos, ya tengan estos entidad física o simplemente mental) y (con suerte) un 10 % de eventos (dejando al margen la calidad de estos). Además, como el nada feminista Guy Debord anticipó, en la sociedad del espectáculo este material discursivo crece de manera exponencial y desplaza de forma progresiva al cada vez más huidizo evento. Luchar por la «liberación sexual» implica, por tanto, un doble trabajo no solo de emancipación práctica sino también discursiva. Una revolución sexual es siempre una transformación del imaginario, de las imágenes y de los relatos que movilizan el deseo.

De ahí que las batallas sexo-políticas del último siglo se hayan librado sobre todo en el ámbito de redefinición de nuestra cacharrería (o, si prefieren, del *dispositivo,* en la jerga posestructuralista) sexo-discursiva. Los cambios de lenguaje, de la representación y de la pornografía han transformado nuestros modos de desear y amar. Aunque el feminismo y los movimientos de minorías sexuales han cuestionado el imaginario sexual moderno dominante, su representación de

173

un cuerpo blanco, sano, válido, delgado, activo, autónomo y reproductivo ha contribuido también a eclipsar otras formas de opresión sexual.

Así, por ejemplo, sexo y discapacidad continúan siendo conceptos antagónicos en las narraciones médicas y mediáticas. El cuerpo con diversidad funcional ha sido representado como asexual y no deseable, y cualquier expresión de su sexualidad, patologizada o reprimida. En los últimos años, sin embargo, ha surgido un movimiento tullido *queer* que hibrida los recursos críticos de las políticas de emancipación de minorías y las estrategias de producción de placer y visibilidad de los movimientos *queer* y posporno.

Surgida de este nuevo activismo, la película *Yes, we fuck!*,[1] dirigida por Antonio Centeno y Raúl de la Morena, acaba de ganar el premio al mejor documental en el X Porn Film Festival de Berlín 2015. *Yes, we fuck!* narra el encuentro y el trabajo conjunto de Post-Op, un grupo de artistas posporno (formado por Urko y Majo) y de los activistas de la Asociación de Vida Independiente en Barcelona en 2013. El paisaje de la sexualidad diversa-funcional está hecho de cuerpos que se excitan con las prótesis, se corren sin erección, y en los que toda la piel, sin jerarquías genitales, es una superficie erótica.

Como los movimientos feministas, pero también de minorías sexuales y raciales, el movimiento de Vida Independiente emerge en los años sesenta a través de un proceso similar de ruptura epistemológica y politización del cuerpo. Aquí la figura política central es el enfermo-investigador-activista que, desplazando los saberes hegemónicos del médico, del sociólogo y del asistente social, reclama producir y colectivizar conocimiento a partir de su experiencia compartida del diagnóstico y el tratamiento como discapacitado. En *The Body Silent*, publicado en 1978, Robert F. Murphy politiza

1. https://vimeo.com/yeswefuck.

174

su experiencia como cuerpo con un tumor en la columna vertebral que le paraliza. «Mi tumor es mi Amazonas», escribe Murphy. El objetivo de Murphy no es simplemente narrar la enfermedad desde el punto de vista del enfermo, sino elaborar un saber crítico sobre la diferencia corporal que resista a los procesos de exclusión, discriminación y silenciamiento impuestos al cuerpo considerado como discapacitado. Al mismo tiempo se crean en distintos lugares de Europa y Estados Unidos los «centros de vida autónoma» que luchan por la desmedicalización, despatologización y desinstitucionalización de los sujetos considerados como discapacitados.

Del mismo modo que el movimiento *queer* rechaza la definición de la homosexualidad y la transexualidad como enfermedades mentales, el movimiento de vida independiente rechaza la patologización de las diferencias corporales o neurológicas. Allí donde el movimiento *queer* o *black* analiza y deconstruye los procesos sociales y culturales que producen y estabilizan las relaciones de opresión sexuales, de género y raciales, el movimiento por la diversidad funcional muestra que la discapacidad no es una condición natural, sino el efecto de un proceso social y político de discapacitación. El mundo sonoro no es mejor que la sordera. La vida bípeda, vertical y móvil no es una vida mejor sin la arquitectura que la posibilita. Estos movimientos critican los procesos de normalización del cuerpo y de la sexualidad que tienen lugar en la modernidad industrial, con sus imperativos de producción y reproducción de la especie. No se trata de hacer una mejor taxonomía de la deficiencia, ni de demandar una mejor integración funcional del cuerpo discapacitado, sino de analizar y criticar los procesos de construcción de la norma corporal que discapacitan a algunos cuerpos frente a otros. No necesitamos mejores industrias de la discapacidad, sino arquitecturas sin barreras y estructuras colectivas de capacitación.

En su más reciente trabajo *Yo me masturbo,* el colectivo

175

de Vida Independiente reclama, para las personas con diversidad funcional motora, el derecho a la asistencia sexual como condición de posibilidad de acceso a su propio cuerpo para masturbarse o para tener relaciones sexuales con otros cuerpos. «Nos han exiliado de nuestro propio cuerpo, tenemos que recuperarlo. Reivindicarlo para el placer es lo más subversivo y transformador que podemos hacer», señala Antonio Centeno. *Yes, we fuck!* y *Yo me masturbo* son ejemplos de la creación de una red de alianzas de disidencia somatopolítica transversal que ya no funciona de acuerdo con la lógica de identidad, sino con lo que podríamos llamar, con Deleuze y Guattari, la lógica del *assemblage*, del ensamblaje o de la conexión de singularidades. Una alianza de cuerpos vivos y rebeldes contra la norma.

Atenas, 7 de noviembre de 2015

BEIRUT *MON AMOUR*

Viajo a Beirut desde Atenas el jueves 12 de noviembre. Los dedos del Peloponeso se abren y parecen tocar la costa del Líbano. Un vuelo de menos de dos horas me hace tomar conciencia de la proximidad entre el límite de Europa y la franja de Gaza. Siria está ahí, detrás de la cordillera del Antilíbano. Si el agua en lugar de la tierra fuera la unidad geográfica, el Mediterráneo sería un nuevo territorio líquido capaz de deshacer los límites políticos y lingüísticos de Europa, Asia y África. El mar Blanco, como lo denominan los turcos por oposición al mar Negro y al mar Rojo, conecta Alejandría, Trípoli, Orán, Marsella, Barcelona, Rijeka, Lesbos, Palermo, Atenas, Beirut... Lo que fue representado como lejano está cerca. Vengo a Beirut para asistir a la inauguración de Home Work 7, un foro de diez días de prácticas culturales organizado por el Beirut Art Center y Ashkal Alwan que reúne a artistas, activistas y críticos venidos de toda la región. La investigación para organizar documenta 14 me ha llevado a visitar últimamente un buen número de bienales y encuentros artísticos de todo el mundo. Pero puedo afirmar que ninguno me ha parecido hasta ahora tan genuinamente creativo y rigurosamente organizado como los encuentros de la fotografía de Bamako y ahora

177

Home Works en Beirut. Dos pequeños edificios resisten en medio de caminos que la guerra no ha dejado que se conviertan en calles y de zanjas abiertas a la especulación inmobiliaria. Sobre el tejado de uno de los edificios, Marwan Rechmaoui ha tejido una red con banderas de los barrios de Beirut que recuerdan que antes de las divisiones políticas y religiosas los barrios tuvieron nombres de flores, animales o plantas. Solo desde el tejado es posible observar las montañas de basura acumuladas detrás de cualquier carretera, pudriéndose bajo un sol tan dulce como implacable. Un olor nauseabundo hace que por momentos sea imposible respirar. Los activistas, me explica la artista Natascha Sadr Haghighian, preparan una campaña para criticar la corrupción del gobierno y sus lazos con las mafias locales: «Apestas». El olor de la basura (intenso, difuso, incontrolable, corporal) opera como el arte: hace perceptible lo que de otro modo permanecería oculto. En torno a la exposición, se dan cita cada día en seminarios, talleres, conferencias o performances más de trescientas personas, entre ellos Rasha Salti, Joana Hadjithomas, Khalil Joreige, Walid Raad, Natascha Sadr Haghighian, Bassann El Baroni, Lawrence Abu Hamdan, Ahmed Badry, Walid Sadek, Christine Tohmé, Marwan Hamdan, Akram Zaatari, Ahmad Ghossein, Leen Hashem, Haytham El-Wardany, Ayman Nahle, Arjuna Neuman, Rabih Mroué, Manal Khader, Lina Majdalani, Marwa Arsanios, Bouchra Ouizguen, Nahla Chahal... El renacimiento artístico de Oriente Medio. La masa crítica de un solo encuentro haría que cualquier exposición neoyorquina pareciera una cita de principiantes. Mientras celebramos la inauguración llegan las noticias del estallido de dos bombas en el barrio chií de Burj el-Barajneh, en Dahie, la periferia de Beirut. El ISIS golpea un distrito conocido por sus alianzas con Hezbolá. Y esto no es un concierto de rock, sino la salida de una mezquita. Se habla de al menos cuarenta muertos y un centenar de heridos. Los artistas explican que hace como mínimo dos años que no ocurría algo así en Beirut. La desolación, no el miedo, puede leerse en sus rostros. Pero todo sigue adelante. La música y los abrazos construyen un refugio en el que es posible seguir viviendo. Joana Hadjithomas me explica que la noticia de la bomba tiene sobre ellos un impacto somático. «Estalla en la ciudad y es como si estallase en tu cuerpo, un lugar de tu memoria estalla.» Rasha Salti dice que después de haber creído que las cosas podrían cambiar, ahora solo queda la certeza de haber perdido todo, todo excepto la tristeza, «una tristeza que se ha convertido en nuestra piel», dice. Mientras cenamos el viernes en un restaurante del barrio cristiano llegan las noticias de París. Muchos de nosotros, nosotros los árabes y nosotros los europeos, tenemos familia o amigos en París. Conocemos y amamos esas calles, el Bataclan. ¿Cómo se oye en París una bomba que estalla en Beirut? ¿Cómo suenan los disparos de París desde Beirut? Aquí nadie habla de religión, sino de petróleo. El ISIS, dicen, no es islam, es un aparato global, capitalista, de inspiración occidental, sus referencias son quizás coránicas, pero sus modos de acción son hollywoodienses, ni siquiera, dicen, hablan o leen árabe. La batalla es esta: ExxonMobil, Chevron, BP o Shell. Se trata del control de los yacimientos, de los territorios de paso de los oleoductos, de la seguridad del suministro. Esta es la política que convierte el petróleo en sangre. Viajo de vuelta a Atenas: el olor de Beirut me impide comer, siento vértigo. El mundo al revés. Cuando llego al apartamento de la colina de Filopapo en el que me alojo, Monika ha dejado para mí una copia del catálogo de la artista de Belgrado Ika Knežević. El título es un dicho serbocroata: *Hope is the greatest whore*. La esperanza es la más grande de las putas. Quiero entonces que esa puta pase la noche conmigo.

Quiero acariciarla y dormir con ella. Quiero meterme en la cama con esa puta. Quiero sentarme junto a ella y lavarle los pies. Porque esa puta, cualquier puta, es lo mejor y lo único que nos queda.

Beirut, 21 de noviembre de 2015

AGORAFILIA

He experimentado en mi vida cuatro tipos de pasión amorosa. La que suscita un humano, la provocada por un animal, la generada por una fabricación histórica espiritual (libro, obra de arte, música e incluso institución) y la que desata una ciudad. Me he enamorado de un puñado de humanos, de cinco animales, de un centenar de libros y obras de arte, de un museo y de tres ciudades. La relación entre felicidad y enamoramiento en el caso de las ciudades, como en el de los humanos, animales o incluso dispositivos espirituales, no es directamente proporcional. Es posible ser feliz en una ciudad, como es posible entablar una relación por lo demás satisfactoria con alguien (animal o humano), o establecer un vínculo instrumental o pedagógico con una obra, de la que no se está enamorado. No es el origen, ni el tiempo transcurrido, ni la residencia lo que determina la posibilidad de un enamoramiento urbano.

La ciudad amada no coincide ni con la herencia, ni con la sangre, ni con la tierra, ni con el éxito, ni con el beneficio. La ciudad en la que nací, por ejemplo, me suscita sentimientos múltiples, pero ninguno de ellos cristaliza en forma de deseo. Por otra parte, Nueva York, donde pasé ocho de los años más importantes de mi vida, ha sido para mí una ciudad constitutiva; sin embargo, nunca me he enamorado de ella. Fuimos conocidos un tiempo, amigos a veces, enemigos otras, pero nunca amantes pasionales.

El estadio del mapa es el primer nivel del amor urbano: ocurre cuando sientes que la cartografía de la ciudad amada se superpone a cualquier otra. Enamorarse de una ciudad es sentir al pasear por ella que los límites materiales entre tu cuerpo y sus calles se desdibujan, que el mapa se vuelve anatomía. El segundo nivel es el estadio de la escritura. La ciudad prolifera en todas las formas posibles del signo, se vuelve primero prosa, luego poesía y, por último, evangelio.

Recuerdo cuando me enamoré de París en el primer invierno del nuevo milenio. Me había mudado desde Nueva York con el objetivo de participar en los seminarios de Jacques Derrida en la École des Hautes Études en Sciences Sociales (EHESS) al mismo tiempo que completaba una investigación sobre las relaciones entre el feminismo, la teoría *queer* y la filosofía posestructural francesa. Pasé primero por el Festival New York Fin de Siècle de Nantes en que participaban muchos de mis amigos neoyorquinos de la escena literaria. Después de aprender el francés leyendo a Rousseau, Foucault y Derrida, y sin haberlo practicado nunca, mantener una conversación me resultaba entonces tan difícil en francés como en latín. En esa nebulosa lingüística que produce en el cerebro, la primera recepción de una lengua todavía incomprensible, intercambié con el dibujante Bruno Richard algunas impresiones. No sé cómo fue sintáctica o semánticamente posible, pero acabamos hablando de dildos y sexos prostéticos. En un acuerdo hecho sobre todo de *ouis* y *mercis*, acepté en Nantes las llaves del apartamento de Bruno Richard de París para pasar mi primera semana en la ciudad: él no estaría, creí entender.

La llegada a su apartamento podría haber sido una escena de una película de Dario Argento: al abrir la puerta descubrí un estudio lleno de cuerpos desmembrados y ensangrentados. Me hicieron falta cinco largos e inquietantes minutos para darme cuenta de que se trababa de maniquís y de que la sangre era, evidentemente, pintura roja. Bruno Richard me había gastado una broma poniendo a prueba la ontología de la prótesis de la que habíamos hablado, entre lenguas, en Nantes. Por supuesto, no pude quedarme en el apartamento. Pero ese momento inaugural marcó para siempre mi relación con la ciudad: París es una ciudad-prótesis, al mismo tiempo órgano vivo y teatro. París se convertiría después en la prótesis del hogar que nunca tuve.

Salí del apartamento-teatro de Bruno Richard y llamé a la única persona que conocía: Alenka Zupančič, una filósofa eslovena miembro de la escuela de Slavoj Žižek y Mladen Dolar con la que había coincidido en la New School de Nueva York. Acabé viviendo en su casa, un lugar en que se hablaba esloveno y serbocroata, se citaba a Nietzsche en alemán, a Lacan en francés y a Plejánov en ruso, y se bebía vodka en el desayuno para curar la resaca. Allí me enamoré de París. Un París-Lengua inventado por nómadas y traductores multilingües.

Algunos años después me enamoré de Barcelona. Lo hice a escondidas, como quien cae poco a poco en una infidelidad. Culturalmente desierta, transformada en ciudad-mercancía para el consumo turístico, dividida por las tensiones entre el nacionalismo catalán y el españolismo, entre la historia anarquista y su herencia pequeñoburguesa, entre el dinamismo de los movimientos sociales y la persistencia de la corrupción como única arquitectura institucional, Barcelona no fue un amor a primera vista. París era mi esposa, pero Barcelona se fue convirtiendo poco a poco en mi amante.

La vida me alejó de las dos y me llevó hacia decenas de otras ciudades. Ahora, sin haberlo previsto, me estoy enamorando de Atenas. Noto una nueva pulsación en el pecho cuando, desde Beirut o Dublín, pienso en Atenas. Ahora que ya no tengo ni casa, ni propiedad alguna, ni siquiera perro, reconozco que me es dado el más grande de los privilegios: ser cuerpo y poder enamorarme de nuevo de una ciudad.

Atenas, 5 de diciembre de 2015

¿A QUIÉN CALIENTA LA DEUDA GRIEGA?

El frío ha llegado a Atenas. Se abre paso entre los astilleros abandonados del puerto, sube la avenida Pireos y abraza la plaza Omonia, desciende desde las colinas de Licabito y Filopapo y penetra en las calles de Exarchia. En Atenas, el frío actúa como un catalizador de la pobreza. Sin el sol que como un filtro de Photoshop lo camuflaba todo, la ciudad aparece como un gigantesco y decrépito palimpsesto constituido por una interminable superposición de ruinas: ruinas líticas helenas, romanas, bizantinas y otomanas, fragmentos del imperialismo inglés y alemán, ruinas modernistas, restos de la Revolución Industrial, residuos de la era eléctrica, desechos de la diáspora capitalista global, restos de coches carbonizados que dejan las bacanales de fuego a las que se libran los anarquistas... Sobre todos estos estratos se imponen las nuevas ruinas neoliberales que va dejando el derrumbe europeo. Frente a los edificios del Parlamento y de la Biblioteca Nacional, los perros vagabundos, como si fueran el alma helada de la ciudadanía, yacen inmóviles, enroscados sobre sí mismos. ¿A quién calienta la deuda griega?

En las casas, la caída de la temperatura se convierte en un signo de la precariedad de sus habitantes. La mayoría de los edificios con calefacción central apagan las calderas para

185

recortar gastos. Y encender las estufas eléctricas no es una opción. Como resultado de la decisión política de aplicar un impuesto a la propiedad a través de la factura eléctrica, el coste de la electricidad ha aumentado en Grecia un 30 % en los últimos años, lo que la ha situado por encima del de las facturas de Alemania o Francia. Los salones de los hogares atenienses se vuelven estepas y los pasillos desfiladeros gélidos por los que solo es posible aventurarse con abrigo. Tan solo la más pequeña de las habitaciones de la casa, como un refugio en un paisaje polar, se mantiene caliente con ayuda de una pequeña estufa. Las camas dejan de ser lugares sexuales para transformarse en castos sofás en los que dos o más personas conversan bajo mantas. ¿A quién calienta la deuda griega?

En casa de Marina Fokidis, el contraste entre la habitación caliente y el resto de la casa ha atraído a las cucarachas. Llamamos a una compañía de fumigación. La vendedora afirma: «Son las merkelitas, las cucarachas rubias que están atacando las casas griegas. Mañana mismo le enviamos un servicio de exterminación. Serán cincuenta euros, veneno incluido.» Esa misma noche, después del paso del exterminador, el suelo se cubrirá de docenas de merkelitas muertas. ¿A quién calienta la deuda griega?

En los edificios públicos se reproduce también el choque de temperaturas. Las salas vacías, silenciosas y gélidas; los despachos, ambientados por el soplo monótono de pequeños calentadores eléctricos, son ruidosos y sofocantes. En uno de esos despachos alguien habla del desplazamiento de cuarenta mil refugiados desde un estadio deportivo hasta el antiguo aeropuerto situado en las afueras de Atenas, en Ellinikón. «No pueden seguir en los parques con este frío. Además, Alemania ofrece mejorar las condiciones de reestructuración de la deuda si los mantenemos dentro de nuestras fronteras.» Y añade: «Se les ofrecerá comida y techo, pero tendrán que trabajar gratuitamente a cambio.» ¿A quién calienta la deuda griega?

Los museos y las instituciones públicas de Atenas están fríos: no pueden apenas programar nuevos contenidos porque los fondos que reciben están enteramente dedicados a pagar los salarios y las facturas atrasadas, a cubrir las deudas contraídas. Hablando de fondos públicos y privados, del frío y del calor, un conocido gestor cultural griego no duda en elaborar una hipótesis apoyada en lo que para él parece ser una evidencia político-sexual: «Nadie quiere dirigir un museo en Grecia. Que te pidan dirigir un museo aquí es como que te ofrezcan que te cases con una mujer a la que ya han violado dos veces.» Esa es la nueva política tecno-financiero-patriarcal: un presupuesto, un director, un violador, un marido. ¿A quién calienta la deuda griega?

Vuelve a mi memoria la imagen del edificio modernista ateniense que se levanta y anda, elaborada por el arquitecto griego Andreas Angelidakis. Inspirado por las narraciones de la mitología nórdica, Angelidakis imagina que el edificio Chara (Alegría), construido por los arquitectos Spanos y Papailiopoulos en 1960, se convierte en un gigantesco troll que corta sus raíces de hormigón para separarse del suelo y alejarse de una ciudad que se ha vuelto tóxica. Angelidakis sueña con ruinas que cobran vida y escapan del contexto político y económico que las oprime. Deseo entonces, con Angelidakis, un levantamiento total de ruinas, una sublevación de ruinas-museos-violadas, que ya no buscan ni gestor, ni presupuesto, ni padre, ni marido, ni director, y que huyen de la ciudad neoliberal.

Atenas, 19 de diciembre de 2015

UN COLEGIO PARA ALAN

El pasado día de Nochebuena moría en Barcelona Alan, un chico trans de diecisiete años. Había sido uno de los primeros menores trans que había obtenido un cambio de nombre en el documento nacional de identidad en el Estado español. Pero el certificado no pudo contra el prejuicio. La legalidad del nombre no pudo contra la fuerza de los que se negaron a usarlo. La ley no pudo contra la norma. Los episodios constantes de acoso e intimidación que sufría desde hacía tres años en los dos centros escolares en los que se había matriculado acabaron por hacerle perder confianza en su posibilidad de vivir y lo condujeron al suicidio.

La muerte de Alan podría considerarse como un accidente dramático y excepcional. Sin embargo, no hubo accidente: más de la mitad de los adolescentes trans y homosexuales dicen ser objeto de agresiones físicas y psíquicas en el colegio. No hubo excepción: las cifras más altas de suicidio se registran entre los adolescentes trans y homosexuales.

Pero ¿cómo es posible que el colegio no fuera capaz de proteger a Alan de la violencia? Digámoslo rápidamente: el colegio es la primera escuela de violencia de género y sexual. El colegio no solo no pudo proteger a Alan, sino que además facilitó las condiciones de su asesinato social.

El colegio es un campo de batalla al que los niñxs son enviados con su cuerpo blando y su futuro en blanco como únicos armamentos, un teatro de operaciones en el que se libra una guerra entre el pasado y la esperanza. El colegio es una fábrica de machitos y de maricas, de guapas y de gordas, de listos y de tarados. El colegio es el primer frente de la guerra civil: el lugar en el que se aprende a decir «nosotros no somos como ellas». El lugar en el que se marca a los vencedores y a los vencidos con un signo que se acaba pareciendo a un rostro. El colegio es un *ring* en el que la sangre se confunde con la tinta y en el que se recompensa al que sabe hacerlas correr. Qué importa los idiomas que se enseñen allí si la única lengua que se habla es la violencia secreta y sorda de la norma. Algunos como Alan, sin duda los mejores, no sobreviven. No pueden unirse a esa guerra.

La escuela no es simplemente un lugar de aprendizaje de contenidos. La escuela es una fábrica de subjetivación: una institución disciplinar cuyo objetivo es la normalización de género y sexual. El aprendizaje más crucial que se exige del niñx en la escuela, sobre el que se asienta y del que depende cualquier otro adiestramiento, es el del género. Eso es lo primero (¿y quizás lo único?) que allí vamos a aprender. Fuera del ámbito doméstico, el colegio es la primera institución política en la que el niñx es sometido a la taxonomía binaria del género a través de la exigencia constante de nombramiento e identificación normativos. Cada niñx debe expresar un único y definitivo género: aquel que le ha sido asignado en su partida de nacimiento. Aquel que corresponde a su anatomía. El colegio potencia y valora la teatralización convencional de los códigos de la soberanía masculina en el niño y de la sumisión femenina en la niña, al mismo tiempo que vigila el cuerpo y el gesto, castiga y patologiza toda forma de disidencia. Precisamente porque es una fábrica de producción de identidad de género y sexual, el colegio entra en cri-

189

sis cuando se la confronta con los procesos de transexualidad. Los compañeros de Alan le exigían que se subiera la camiseta para que probara que no tenía pecho. Lo insultaban llamándolo marimacho o negándose a llamarlo Alan. No hubo accidente, sino planificación y concierto social al administrar el castigo al disidente. No hubo excepción, sino regularidad en la tarea llevada a cabo por las instituciones y por sus usuarios para marcar a aquel que pone su epistemología en cuestión.

La escuela moderna, como estructura de autoridad y de reproducción jerárquica del saber, sigue dependiendo de una definición patriarcal de la soberanía masculina. Al fin y al cabo, las mujeres, las minorías sexuales y de género, los sujetos no-blancos y con diversidad funcional han integrado la institución colegio no hace tanto: cien años si pensamos en las mujeres, cincuenta o incluso veinte si hablamos de la segregación racial, apenas una decena si se trata de diversidad funcional. A la primera tarea de fabricar virilidad nacional se le añaden después las tareas de modelar la sexualidad femenina, de integrar y normalizar la diferencia racial, de clase, religiosa, funcional o social.

Junto con la epistemología de la diferencia de género (que tiene en nuestros entornos institucionales el mismo valor que tenía el dogma de la divinidad de Cristo en la Edad Media), el colegio funciona con una antropología esencialista. El tonto es tonto, y el marica, marica. El colegio es un espacio de control y dominio, de escrutinio, diagnóstico y sanción, que presupone un sujeto unitario y monolítico, que debe aprender, pero que no puede ni debe cambiar.

Al mismo tiempo, el colegio es la más brutal y fantoche de las escuelas de heterosexualidad. Aunque aparentemente asexual, el colegio potencia y fomenta el deseo heterosexual y la teatralización corporal y lingüística de los códigos de la heterosexualidad normativa. Estos podrían ser los nombres de algunas de las asignaturas troncales de todo colegio: Principios del machismo, Introducción a la violación, Taller práctico de homofobia y transfobia. Un estudio reciente realizado en Francia mostraba que el insulto más común y más vejatorio utilizado entre los alumnxs en las escuelas era «maricón» *(pédé)* para los chicos y «puta» *(salope)* para las chicas. No hubo accidente en la muerte de Alan, sino premeditación de la violencia, continuidad del silencio. No hubo excepción, sino repetición impune del crimen.

Sabemos, desde la revolución de esclavos de Haití y de las posteriores revoluciones afroamericanas, feministas o *queer,* que existen al menos cuatro vías de lucha frente a las instituciones violentas. La primera es su destrucción. Lo que exige un cambio radical de los sistemas de interpretación y producción de la realidad. Y por tanto, lleva tiempo. La segunda, la modificación de sus estatutos legales. La tercera, la transformación que se opera a través de sus usos disidentes. Aunque aparentemente modesta, esa es una de las más potentes vías de destrucción de la violencia institucional. Y la cuarta, la fuga, que, como insistían Deleuze y Guattari, no es huida, sino creación de una exterioridad crítica: línea de fuga a través de la que la subjetividad y el deseo pueden volver a fluir.

Para acabar con el colegio asesino es necesario establecer nuevos protocolos de prevención de la exclusión y de la violencia de género y sexual en todos los colegios e institutos. Todos: públicos y privados. Todos: metropolitanos y rurales. Todos: católicos y laicos. Todos. No estoy hablando aquí de la fantasía humanista de la escuela inclusiva (y su consigna «toleremos al diferente, integremos al enfermo para que se adapte»). Al contrario, se trata de desjerarquizar y desnormalizar la escuela, de introducir heterogeneidad y creatividad en sus procesos institucionales. El problema no es la transexualidad, sino la relación constitutiva entre pedagogía, violencia y normalidad. No era Alan quien estaba enfermo. Es la institución, el colegio, la que está enferma y a la que hay que curar sometiéndola a un proceso que, con Francesc Tosquelles y Félix Guattari, podríamos denominar de «terapia institucional». Salvar a Alan habría exigido una pedagogía *queer* capaz de trabajar con la incertidumbre, con la heterogeneidad, capaz de aceptar la subjetividad sexual y de género como procesos abiertos y no como identidades cerradas.

Frente al colegio asesino es necesario crear una red de colegios-en-fuga, una trama de escuelas trans-feministas-*queer* que acojan a los menores que se encuentren en situación de exclusión y acoso en sus respectivos colegios, pero también a todos aquellos que prefieren la experimentación que la norma. Estos espacios, aunque siempre insuficientes, serían islas reparadoras, que pueden proteger a los niñxs y adolescentes de la violencia institucional evitando que la historia de Alan se repita. Una escuela trans-feminista-*queer* funcionaría como una heterotopía compensatoria capaz de proporcionar el cuidado necesario para permitir la reconstrucción subjetiva y social de los disidentes político-sexuales y de género. Por ejemplo, en la ciudad de Nueva York funciona desde 2002 el instituto Harvey Milk (en recuerdo del activista gay asesinado en 1978 en San Francisco) que acoge a ciento diez estudiantes *queer* y trans que sufrían acoso y exclusión en sus respectivos centros de formación.

Quiero imaginar una institución educativa más atenta a la singularidad del alumno que a preservar la norma. Una escuela microrrevolucionaria donde sea posible potenciar una multiplicidad de procesos de subjetivación singular. Quiero imaginar una escuela donde Alan habría podido seguir viviendo.

Kassel, 23 de enero de 2016

TEATRO DEL MUNDO

A veces imagino el mundo como una compañía de teatro con algo más de 7.300 millones de actores humanos. Una compañía en la que todos, absolutamente todos, actuamos en una misma y única pieza.

Miro hipnotizado el World Population Clock, el reloj de la población mundial. 7.399.348.781. El tiempo que tardo en escribir esta cifra basta para que el número del mundómetro ya haya cambiado. Ese tiempo es también el tiempo de mi vida: el tiempo en el que se escribe y se borra mi propia partitura. Dos nuevos actores entran en escena cada segundo, mientras otro sale de escena cada cinco segundos. Hoy se incorporarán a la pieza 272.000 nuevos actores. Y dejarán el escenario 113.900. En esta singular obra de teatro, el escenario ha sido dividido con fronteras infranqueables de modo que los actores que vienen del otro lado no son reconocidos como parte de la misma compañía. Un actor migrante intenta cruzar una frontera de la escena del mundo cada veintisiete segundos. Y uno de cada ocho actores pierde la vida al intentarlo.

Me pregunto cómo hemos decidido embarcarnos ciegamente en la realización de ese delirante guión. Cómo y por qué razones hemos llegado a someternos al rol que cada uno tenemos. Algunos denominan fe o aprobación del plan divino a la aceptación de la puesta en escena que nos fue asignada, otros determinismo social o naturaleza humana, el neoliberalismo habla de la ley del libre mercado como si fuera un índice meteorológico y la psicología del yo hace de la identidad un objeto cuantificable que llevaría a cada actor a afirmar como verdadero, auténtico e irreemplazable su rol dentro de la escenografía. Peor aún, ¿por qué llamar ciudadano al actor si no tiene acceso a la definición de los términos de su entrada en escena ni a la reescritura de su rol?

No es fácil reconocer este teatro porque el escenario es tan grande como el mundo, el tiempo de la actuación coincide con el tiempo de la vida y los actores se confunden en todo momento con el público. Por si esto fuera poco, se trata de una puesta en escena sin director. Dios, la naturaleza humana, el mercado o la identidad son ficciones que cobran realidad en la escena gracias a un ejercicio constante de teatralización colectiva. Pero ¿quién saca partido de la estabilidad de los papeles adjudicados? ¿Cómo se distribuyen los roles? ¿Por qué se repiten siempre las mismas líneas del mismo texto? ¿Por qué faltan párrafos enteros de la historia? ¿Cómo es posible que no se puedan añadir actos ni modificar escenografías?

Spinoza primero y Nietzsche después avistaron el problema: nos negamos a reconocer que somos nosotros mismos los que estamos escribiendo (y repitiendo) el guión. Preferimos ser sumisos que hacernos responsables de esta desastrosa puesta en escena.

El primer acto de emancipación cognitiva consiste en darse cuenta de que en esta faraónica y naturalizada obra de teatro cualquiera podría actuar en el lugar de cualquier otro. Un actor es cualquier actor. Mira cómo se mueven los números del mundómetro y no te hagas el especial. Un cuerpo es cualquier cuerpo. Un alma es cualquier alma. Nacionalidad, sexo, género, orientación sexual, raza, religión o etnia son solo avatares del guión. Un actor que hace de soldado y esclavo sexual en el Ejército de Resistencia del Señor en Uganda podría también hacer de ama de casa heterosexual de clase media en un hogar de las afueras de Milán: cambiaría el machete por la plancha y aprendería a hacer panettones midiendo con precisión las proporciones de harina, levadura, huevos, mantequilla y azúcar. Algunos días, tomando un trocito de panettone con un vaso de *asti spumante,* le volverían a la cabeza algunas imágenes de su antiguo rol: recordaría escenas de la masacre del campo de refugiados sudaneses de Achol-pii. Recordaría sus propias palabras en una lengua que ya no entiende y las imágenes de los caminantes nocturnos, los grupos de actores-niños que caminaban por las noches para huir del campo de refugiados hasta la ciudad de Gulu. Recuerda, con escepticismo, haber violado. Y recuerda también cuando ella misma, entonces con sexo aparentemente masculino, fue violado. Ahora plenamente instalado en su rol de milanesa, iría hasta su botiquín, se tomaría un gramo de ibuprofeno con un relajante muscular y, acostándose en el sofá del salón, dejaría que los recuerdos se desdibujaran como si fueran sueños. Otro actor que encarna a la perfección la espera en el pasillo de la muerte en una prisión de Montana podría dejar su rol y ocupar la posición vehemente de Alain Finkielkraut en un debate en France Culture sobre la identidad nacional francesa. Otro actor que trata de esquivar los controles del paso de la frontera de Melilla podría convertirse en un lector de periódico con pasaporte europeo un sábado cualquiera en un aeropuerto cualquiera.

No hay secreto. El otro no puede cambiar su papel porque tú te niegas a cambiar el tuyo. Pero cada segundo, mientras un nuevo actor sube a escena, sería posible cambiar el guión, negarse a repetir el rol que se nos asignó, modificar el texto, saltar un acto. La revolución no empieza con una marcha cara al sol, sino con un hiato, con una pausa, con un mínimo desplazamiento, con una desviación en el juego de aparentes improvisaciones.

Embarcado en las páginas de relojes digitales de internet, me dirijo al death-clock.org, un dispositivo que calcula el día de muerte en función de la fecha y lugar de nacimiento, el peso y la altura. Elijo también mi humor entre optimista, pesimista, neutro o suicida. A pesar de este teatro, indudablemente optimista. Me confronto después con la inevitable exigencia del guión. ¿Sexo masculino o femenino? Hago uno de cada. Como mujer, el reloj de la muerte me augura una vida de 92 años, 8 meses y 13 días, con una previsión de la fecha en la que abandonaré la escena teatral: domingo, 22 de julio de 2063. Como hombre, 86 años, 2 meses y 11 días. Fecha prevista de muerte: sábado, 20 de enero de 2057. Supongo que no había en esta obra teatral plazas para actores trans. Pero la reescritura del guión ya ha comenzado.

Berlín, 6 de febrero de 2016

ETIMOLOGÍAS

La vida en Atenas y mis primeras lecciones de griego moderno me han hecho más sensible a la etimología. O por decirlo de forma nietzscheana, a la historicidad del lenguaje y al modo en el que un sonido, una grafía, encierra una sucesión de gestos, contiene una serie de rituales sociales. Una letra es el movimiento de una mano dibujando sobre el aire, una marca en la arena, un tacto. Una palabra no es una *representación* de una cosa. Es un trozo de historia: una cadena interminable de usos y de citaciones. Una palabra fue un día una práctica, el efecto de una constatación, de un asombro, o el resultado de una lucha, el sello de una victoria, que solo después se convirtió en signo. El aprendizaje del habla en la infancia induce un proceso de naturalización del lenguaje que hace que nos resulte imposible escuchar el sonido de la historia tintineando en nuestra propia lengua. Ni siquiera podemos ya percibir el alfabeto cirílico como una serie de marcas arbitrarias. Paradójicamente, en términos pragmáticos, devenir hablante de una lengua significa dejar de oír de manera progresiva la historia que suena en ella para poder enunciarla y escucharla aquí y ahora. De este modo, usar las palabras es repetir la historicidad que hay en ellas a condición de ignorar los procesos de dominación política y repetición social que forjaron su significado.

La infancia, el arte, el activismo político, el chamanismo o la locura podrían considerarse como modalidades de intensidad de percepción y de intervención en el lenguaje. Si percibiéramos el alfabeto como incisión no podríamos leer. Si oyéramos la historia del lenguaje en cada palabra todo el tiempo no podríamos hablar: el afecto sería, como para Artaud, un rayo atravesando millones de cadenas de hablantes, cruzando el cuerpo y saliendo por la boca. Sin embargo, toda revolución, subjetiva o social, requiere un extrañamiento de la voz, una suspensión del gesto, una ruptura de la enunciación, la reconexión con líneas etimológicas que quedaron cerradas o el corte directo en el lenguaje vivo para introducir una diferencia *(différance),* un espaciamiento, un *diferimiento,* por decirlo con Derrida, una «anarquía improvisadora».

Durante estos meses en Atenas, me sitúo frente al griego en el mismo lugar en el que me sitúo frente al género, en un umbral que suscita un máximo de conciencia histórica, aunque mi capacidad de movimiento es todavía restringida. Miro todo con extrañamiento. Mi antigua lengua y la nueva. Por primera vez oigo la historia del lenguaje, siento como ajenos los trazos del alfabeto. Oigo cómo luchan las etimologías como autos de choque. Se abre un espacio para el tránsito entre el género femenino que me había sido asignado y este nuevo género que aparece tenuemente en mí y que indudablemente no se puede reducir a lo masculino. El cuerpo de antes y el que se fabrica ahora cada día. Y atravesándolo todo, la novedad de la voz.

Mi cuerpo está cambiando. Mirando mi última analítica sanguínea, la doctora me explica que, como era de esperar, mi hematocrito ha aumentado tras varios meses inyectándome testosterona. «En definitiva», dice, «tienes medio litro más de sangre que antes.» Pienso desde entonces en ese medio litro que corre ahora por mis venas, lo siento bombeándome el pecho con una intensidad musical amenazante. Esta transición que por convención social y regulación médica denominan «hacia la masculinidad», se acerca más a un proceso de devenir animal, devenir caballo, intuyo a veces. Mientras tomo un café en la plaza Exarchia veo pasar camiones de mudanza cuyas inscripciones en alfabeto griego adquieren sentido por primera vez ante mí: «Metáfores» (μεταφορές). Transporte. La metáfora es el transporte de un significado de un lugar a otro, como ahora ese camión traslada los restos materiales de una vida en tránsito a un nuevo destino. Esta semana lucho con sentimientos opacos: con el miedo a no ser reconocido, con pánico a ser abandonado una vez más. En un proceso de transición de género, desear el cambio no implica estar preparado para asumir la transformación cuando esta se produce. El cambio nunca es el cambio que esperábamos. El cambio, dice el diablo con una risa sarcástica, es el C-A-M-B-I-O. Todo es metáfora. ¿Qué voy a hacer con ese medio litro de sangre más?

Atenas, 20 de febrero de 2016

HOMENAJE A LA NODRIZA DESCONOCIDA

Itziar va a Madrid a encontrarse con Esther, la mujer que la cuidó cuando era tan solo un bebé y a la que no ha visto desde entonces. Está nerviosa. Quiere filmarlo todo, registrarlo todo. Es como una niña que pretende recoger con una pequeña pala hasta el último grano de arena de la playa. Yo viajo desde Atenas para acompañarla en la retaguardia. Me convierto en un cubo en el que ella puede poner la arena que no cabe en sus bolsillos.

Ha buscado a Esther durante años sin encontrarla: la buscó por el nombre que tenía cuando cuidaba de ella con tan solo veinte años, la buscó en el pueblo de Galicia donde vivía entonces. Pero una persona es como un río que corre y cambia y en el que nadie puede bañarse dos veces. En casi cincuenta años, aquella joven se ha convertido en una mujer mayor, ha cambiado de nombre, de casa, de ciudad. Se casó, se divorció y se mudó a una urbanización prefabricada que la fiebre del ladrillo levantó en un desierto de Murcia. Esther explicará después que la urbanización parece muerta, que no hay nada en varios kilómetros alrededor, pero que ella es feliz allí porque un pájaro viene a verla a su ventana cada mañana. Se han dado cita en un hotel de la avenida de América. Las dos se han vestido de blanco, como si estuvieran

200

celebrando un nacimiento. Cuando se encuentran, el suelo del hotel parece deformarse con su abrazo y todo lo que no son ellas dos queda fuera. «Mi niña, eras mi niña, mi muñeca, yo te lavaba, te vestía, te daba de comer, te dormía. Menos parirte», dice Esther, haciendo un gesto con la mano que va desde su vientre hasta sus piernas, «hice todo lo demás.» Los hijos biológicos de Esther y yo observamos el encuentro del otro lado del círculo imantado. Ese abrazo tiene la fuerza de un manifiesto: afirma que otros vínculos que no son ni social ni legalmente reconocidos existen. Ese abrazo es un monumento vivo a la niñera desconocida.

La invención de la figura social de la madre biológica-doméstica a partir del siglo XIX y la definición del vínculo materno como el único legítimamente constitutivo nos ha obligado a borrar la importancia de otras relaciones. A la madre se la ata a la casa naturalizando y sacralizando el vínculo materno-filial. Pero la madre moderna es tan solo una máscara detrás de la que se ocultan otras madres a las que se les ha negado el reconocimiento del vínculo. Acechada constantemente por la culpa de desatender el hogar, la madre biológica tiene al mismo tiempo la obligación de velar por el cuidado de los hijos cuando ella no está, buscando una figura de sustitución, y de suprimir, afectiva y políticamente, la presencia de su sustituta.

En «El Edipo Negro: colonialidad y forclusión de género y raza», la antropóloga argentina Rita Laura Segato estudia las relaciones políticas y psicológicas que se establecen no solo entre la niñera y la madre, sino también entre la niñera y el bebé al que esta cuida, así como entre el hijo que ha crecido con la niñera y la madre biológica. En América durante la época colonial, pero también hoy en nuestras sociedades neocoloniales, el vínculo con la niñera está marcado por las relaciones de opresión racial y de clase que separan a las madres de las niñeras. El bebé está situado en un espacio ambivalente entre cuidado y lucha de clase y de raza en el que afecto y violencia se confunden. Aunque representada como pasiva y amante, la madre biológica, para convertirse en única madre, despliega una violencia racial y de clase que al mismo tiempo la lleva a disciplinar y someter a la niñera y a cortar el vínculo que esta establece con su bebé.

Una familia de intelectuales de izquierda de la pequeña burguesía catalana se instala en Galicia pocos años antes de la muerte de Franco y busca una joven que pueda cuidar de los niños. La madre biológica escribe una tesis doctoral en ciencia política sobre el comportamiento electoral en los núcleos rurales y se convertirá después en la primera mujer rectora de una universidad pública del Estado español. La niñera no ha recibido una educación universitaria y nunca ha salido de su aldea. Cuando la familia se vuelve a Barcelona, la niñera, entendida como simple mano de obra, máquina cuidadora con la que no se debe establecer una relación afectivo-política, habría debido quedar atrás y ser olvidada para siempre. En este caso, la madre biológica reclamó la existencia de Esther y animó a Itziar a buscarla. Encontrarla llevó más de cuarenta años.

Es mentira que solo tengamos una madre. El cuerpo social nos acoge siempre con muchos brazos, sino no podríamos sobrevivir. Cada hijo burgués tiene otra madre proletaria invisible, cada niño de la burguesía catalana tiene otra madre gallega, andaluza, filipina o senegalesa oculta, como cada niño blanco crecía en Estados Unidos durante la época de la segregación con otra madre negra en la sombra. La ficción de la estabilidad de la identidad racial o nacional solo puede construirse a condición de eliminar esa filiación bastarda y mestiza. Nos toca ahora descolonizar a nuestras madres, honrando los vínculos múltiples y heterogéneos que nos han constituido y que nos mantienen vivos. Esther e Itziar ya han empezado la tarea de descolonización.

Madrid, 5 de marzo de 2016

UNA CAMA EN LA OTRA BABILONIA

Los despertares de los últimos meses son instantes de Gregor Samsa. La vuelta a la conciencia suscita la duda sobre las relaciones estables entre el adentro y el afuera. ¿Dónde? ¿Con qué cuerpo? Ambas preguntas son kafkianas porque vienen acompañadas de la certeza de que el dónde no es simplemente un contexto exterior, del mismo modo que el cuerpo no puede ser reducido al espacio que la piel recubre. La cama, como aquella que diseñó el arquitecto y fotógrafo Carlo Mollino para su estudio secreto de Turín en forma de barco que transporta las almas para cruzar el Hades, se convierte entonces en una plataforma metafísica en la que el paso de la vigilia al sueño activa un proceso de viaje del que el durmiente resurge potencialmente transformado.

Calculo, revisando mis cuadernos, que durante los seis últimos meses no he dormido más de diez días seguidos en la misma cama. He viajado, si creemos en la hipótesis de Mollino, en no menos de treinta y tres plataformas mutacionales. Ha habido camas urbanas y rurales, camas de hospital con colchones recubiertos de plástico y motores eléctricos que levantan los pies o la cabeza, camas de hotel impecablemente hechas y camas de Airbnb con almohadas blandas y sábanas de flores, ha habido estrechos asientos de avión y duros bancos de estación que se han hecho pasar por camas, camas plegables y sofás cama, camas con mosquitera y camas con doble edredón, camas continentales e insulares, camas del norte y del sur, camas altas y colchones a ras del suelo, camas del este y del oeste, camas neoliberales y poscomunistas, camas de la crisis y camas del plusvalía. Y después, cada cierto tiempo, la cama masái.

Encuentro junto a una cama del barrio sudoeste de Dublín la biografía de Gandhi, un especialista en transformar el suelo en cama. Gandhi habla de utilizar su modesta vida como un campo de experimentación para transformar lo humano: experimenta con la comida y la educación, la lectura y la escritura, el sueño y la vigilia, la marcha y el baile, la desnudez y el vestido, el silencio y la conversación, la oscuridad y la luz, el miedo y el coraje. Entiendo mi propio proceso trans y el viaje como experimentos con la subjetividad. Nada de lo que me ocurre es, sin embargo, excepcional, sino parte de una metamorfosis planetaria. Es preciso reinventarlo todo. Somos, a escala global, la civilización Gregor Samsa. El desplazamiento y la mutación, voluntarios o forzados, resultan hoy condiciones universales de la especie.

Un par de días después, en la plaza Victoria, en el centro de Atenas, observo cómo más de dos centenares de refugiados improvisan camas hechas con cartones y mantas sobre un jardín sin hierba. Estamos produciendo una nueva forma de nomadismo necropolítico que combina gigantescas implantaciones urbanas y un flujo cada vez mayor de cuerpos y mercancías. Más de sesenta millones de personas provenientes de Azerbaiyán, Cachemira, Costa de Marfil, Siria, Afganistán o Palestina han sido obligadas a dejar sus camas huyendo del hambre o de conflictos armados. He aquí uno de los efectos de la guerra capitalista que afecta a la totalidad del planeta.

Paso después de la cama ateniense a una anónima cama de hotel en la que sueño de nuevo con las imágenes que he visto en la exposición del Museo Reina Sofía de Madrid sobre el trabajo del arquitecto y artista holandés Constant. Inspirado por el modo de vida de las comunidades gitanas en Europa, Constant crea el proyecto imaginario Nueva Babilonia entre 1956 y 1974. Para Constant, la arquitectura de la Nueva Babilonia debe responder al devenir nómada de la sociedad de la posguerra, haciendo que el movimiento físico acentúe las posibilidades de transformación subjetiva y política. Por eso, afirma Constant, en la Nueva Babilonia no hay «edificios», en el sentido tradicional del término, sino un enorme y único techo común que ampara una multiplicidad de formas de vida arropándolas bajo un gran caparazón mutante que al mismo tiempo permite libertad de movimiento e interconexión. Constant inventa una arquitectura Gregor Samsa hecha para una civilización postraumática que tiene que inventar nuevas formas de vida con y después de la guerra.

En 1958, Constant creía aún en la automatización del trabajo y en la generalización del juego como fuerzas de transformación social. A mediados de los años setenta, con el repliegue de los movimientos feministas, de la revolución sexual y obrera y con el eclipse de la utopía comunista, Constant abandona la esperanza de realizar su proyecto y lo deja durmiendo en un museo, dice, «a la espera de tiempos más propicios en los que vuelva a despertar el interés de los urbanistas». Después vendrán el auge del neoliberalismo, la expansión de las técnicas de extracción y producción ecodestructivas, la guerra generalizada...

Ya ha llegado la hora de sacar a Constant del museo y de inventar Otra Babilonia. Al volver a Grecia, sueño que los refugiados de la plaza Victoria crean una sociedad bajo un techo mutante, siento la difusión de calor, el sonido, los ecos de miles de conversaciones. Me despierto con una pregunta: ¿cómo serán las camas en la Otra Babilonia?

Hidra, 19 de marzo de 2016

OCUPAR LAS NOCHES

Vosotros pasáis la noche de pie en la plaza de la República de París y yo paso la noche con vosotros despierto en las calles de Atenas. Anochece una hora antes aquí y el cielo rojo se curva detrás del Partenón con el brillo digital de un salvapantallas.

La revolución (la vuestra, la nuestra) exige siempre despertar en medio de la noche: activar la conciencia justo cuando esta debería apagarse. La revolución (la nuestra, la vuestra) es siempre un devenir-trans: movilizar un estado de cosas existente hacia otro que solo el deseo conoce.

Vosotros pasáis la noche de pie en la plaza de la República de París mientras un grupo de refugiados se reúnen en una casa ocupada de Exarchia para iniciar la Silent University en Atenas. En la sala hay casi tantas lenguas como personas. Una cadena de traducción explica el funcionamiento de esta universidad creada en Londres en 2012 por el artista Ahmet Ögüt y que sigue operando desde entonces, entre otros lugares, en Estocolmo, Hamburgo y Amán. La frase «todo el mundo tiene derecho a enseñar» resuena una docena de veces en urdu, farsi, árabe, francés, kurdo, inglés, español, griego... Pensada como una plataforma autónoma de intercambio de conocimiento entre los migrantes, esta universidad permite que aquellos que saben algo puedan encontrarse con aquellos que quieren aprenderlo, con independencia de la validación académica y del reconocimiento institucional de los títulos, de la lengua hablada y de los procesos de adquisición de la residencia o la nacionalidad. Alguien dice: «Desde que espero a obtener asilo no tengo nada. Lo único que tengo es tiempo y en ese tiempo puedo aprender y puedo enseñar.» Es en ese tiempo aparentemente muerto de la espera administrativa en el que el artista iraquí exiliado Hiwa K aprendió a tocar la guitarra clásica de la mano de Paco Peña en Inglaterra. La respuesta del gobierno inglés para acceder a la nacionalidad nunca llegó, pero Hiwa K toca flamenco como si él también fuera de Córdoba. He aquí algunos de los títulos de los cursos impartidos hoy en la Silent University: Historia iraquí, Literatura kurda, Heródoto y la civilización meda, Fundamentos del asilo político según la convención de 1951, Cómo empezar tu propio negocio, Historia de la comida a través de las artes visuales, Caligrafía árabe... Si la experiencia del exilio reduce al migrante a la pasividad y al «silencio» expropiando su estatuto de ciudadano político, la Silent University busca hacer proliferar los procesos de enunciación que pueden activar una nueva ciudanía mundial.

Vosotros pasáis la noche de pie en la plaza de la República de París y el colectivo de cineastas anónimos sirios Abounaddara, emite cada viernes, desde el principio de la revolución siria, un vídeo en el que narra, a través del documental o desde la ficción, la vida del pueblo sirio más allá de las representaciones mediáticas tanto del Occidente cristiano como del mundo musulmán. ¿Cómo se produce y se distribuye la imagen? ¿Por qué nadie vio a las víctimas del 11-S y sin embargo los cuerpos destrozados en Alepo están en la primera página de todos los periódicos? ¿Se puede fotografiar a un migrante que llega a las costas de Leros después de una travesía con su hijo muerto en brazos? Frente a la captura mediática y administrativa de la imagen, Abounaddara propone añadir una enmienda a la Declaración Universal de los Derechos Humanos que reconozca el derecho a la imagen como un derecho fundamental.

Vosotros pasáis la noche en la plaza de la República de París mientras que otros cuerpos se despiertan también en Amán, en Damasco o en Atenas. Vendrán el experto y su diagnóstico, vendrán el historiador y su memoria, vendrá el profesor y su título, vendrán los políticos y sus partidos. Os dirán que estáis locos o que sois ingenuos. Os dirán que no es posible que los que no saben enseñen. Os dirán que todo periodista tiene derecho a hacer su trabajo de información. Os dirán que esto ya ha sucedido y que no sirvió de nada. Os dirán que lo importante es traducir la fuerza de las plazas en las urnas. Pero la revolución no tiene una finalidad fuera del proceso mismo de transformación que esta propicia. Se trata, como apunta Franco Berardi, *Bifo,* de erotizar la vida cotidiana, desplazando el deseo que ha sido capturado por el capital, la nación o la guerra, para volver a distribuirlo en el tiempo y en el espacio, hacia todo y hacia todos. Os dirán que no es posible. Pero vosotros, nosotros, ya estamos ahí.

Despertemos durante el día como si el día entero fuera la noche. Aprendamos de aquellos a los que no les está permitido enseñar. Ocupemos la ciudad entera como si la ciudad entera fuera la plaza de la República.

Atenas, 16 de abril de 2016

LA NUEVA CATÁSTROFE DE ASIA MENOR

Mucho se ha dicho sobre las similitudes entre la actual gestión de la crisis bancaria y el periodo inmediatamente anterior a la Segunda Guerra Mundial. Es probable que en 2008 los relojes del tiempo global se reajustaran insólitamente con los de 1929. Lo curioso es que desde entonces no avanzamos hacia los años treinta, sino que retrocedemos poco a poco hacia principios del siglo XX, como si Europa quisiera, en un último y melancólico delirio, revivir su pasado colonial volviendo al periodo anterior a la Conferencia de Bandung, a los procesos de independencia y al fin de los protectorados. Nuestro error habitual al mirar la crisis político-económica es hacerlo desde el espacio-tiempo de los actuales Estados-nación dentro de lo que consideramos como «Europa», en su relación con Estados Unidos, dejando fuera de perspectiva el espacio-tiempo que excede el aquí y ahora de la ficción «Europa», hacia el sur y hacia el este, en relación con su historia y su presente «criptocolonial», por seguir la terminología de Michael Herzfeld.

Solo volviendo a la historia de la invención de los Estados-nación europeos y su pasado colonial es posible entender la actual gestión de la crisis de los refugiados en Grecia. Como es sabido, el pasado 18 de marzo, la Unión Europea y

Turquía firmaban un acuerdo para la deportación masiva de refugiados. Este acuerdo establece relaciones de intercambio político entre dos entidades asimétricas (la Unión Europea y Turquía) con tres variables radicalmente heterogéneas: cuerpos humanos (vivos, en el mejor de los casos), territorio y dinero. Por una parte, el acuerdo estipula que a partir de esta fecha «todos los inmigrantes y refugiados que lleguen de forma clandestina a Grecia deben ser expulsados inmediatamente a Turquía, que se compromete a aceptarlos a cambio de dinero». Por otra, «los europeos asumen la instalación en su territorio de refugiados sirios ahora en Turquía, hasta un máximo de 72.000». Basta con hablar unos minutos con algunos de los refugiados que se encuentran ahora en Grecia para entender que no se irán a Turquía si no es por la fuerza.

De manera inevitable, el operador que funciona como condición de posibilidad de la puesta en marcha de un tal proceso masivo de deportación e intercambio de poblaciones es la violencia. Una violencia institucional que en el marco de las relaciones entre entidades estatales y supraestatales supuestamente democráticas adquiere el nombre de «fuerza de seguridad». El acuerdo costará 300 millones de euros en los próximos seis meses y precisará de la intervención de cuatro mil funcionarios de los Estados miembros y de las agencias de seguridad europeas Frontex y Easo, incluyendo el envío de fuerzas militares y de inteligencia desde Alemania y Francia hasta Grecia, así como la presencia de oficiales griegos en Turquía y oficiales turcos en Grecia. Este violento despliegue policial se presenta como «una asistencia técnica a Grecia», una ayuda necesaria con los denominados «procedimientos de retorno». El único marco político que permite entender como legal un tal procedimiento de marcaje de poblaciones, reclusión, criminalización y expulsión es la guerra. Pero ¿contra quién están Europa y Turquía en guerra?

Aunque este acuerdo parece, tanto por los elementos del

intercambio (cuerpos humanos vivos) como por su escala (al menos dos millones de personas), más propio de *Juego de tronos* que de un pacto entre Estados democráticos, existe un precedente histórico que muchas familias griegas (y algunas turcas) conocen de primera mano. Este precedente es la llamada «catástrofe de Asia Menor» que tuvo lugar durante y después de la guerra greco-turca en 1922 y 1923.

Todavía en 1830, después de cuatrocientos años de dominación otomana y tras una guerra fallida de independencia, el territorio que hoy conocemos como griego seguía estando en parte bajo el vasallaje turco, mientras que tan solo una pequeña parte era reconocida como Estado griego por Francia, Inglaterra y Rusia, un reconocimiento estratégico en la oposición de los imperios europeos frente a Turquía. El desmoronamiento del Imperio otomano tras la Primera Guerra Mundial impulsó el sueño nacionalista griego (la llamada *Megali idea,* la «gran idea») de una reunificación de todos los territorios «bizantinos». El proyecto de expansión griego fracasó con la victoria turca en la guerra entre 1919 y 1922.

Para poder construir las nuevas ficciones de los Estados-nación tanto griego como turco fue preciso no solo separar los territorios, sino y sobre todo recodificar como nacionales los cuerpos cuyas vidas y memorias estaban hechas de historias y lenguas híbridas. En 1923 se firmó en Lausana la «convención de intercambio de la población greco-turca». El tratado afectó a dos millones de personas: un millón y medio de «griegos» que vivían en los territorios de Anatolia y medio millón de «turcos» que vivían hasta entonces en territorios griegos. La supuesta «nacionalidad» quedó entonces reducida a la religión: en general, a los cristianos ortodoxos los enviaron a Grecia, y a los musulmanes, a Turquía. Muchos de los «refugiados» fueron exterminados, y a otros los instalaron por la fuerza en campos, donde permanecieron durante décadas con un estatuto de ciudadanía precario.

Casi cien años después, esos mismos Estados-nación, cuyo agenciamiento económico es más frágil que nunca debido a la reorganización global del capitalismo financiero, parecen orquestar un nuevo proceso de construcción nacionalista, reactivando (una vez más, contra los civiles) los protocolos de guerra, reconocimiento y exclusión de población que les constituyeron en el pasado. Europa y Turquía declaran hoy la guerra a las poblaciones migrantes que puedan cruzar sus fronteras. Esa es la sensación que uno tiene al caminar por las calles de Atenas, entre los edificios ocupados por los refugiados y los cientos de personas que duermen en algunas de las plazas: una guerra civil contra aquellos que, después de escapar de otra guerra, intentan sobrevivir.

Lesbos, 14 de mayo de 2016

CIUDADANÍA EN TRANSICIÓN

Una persona se presenta ante una puerta de embarque en un aeropuerto, o en una frontera o en la recepción de un hotel, o en una oficina de alquiler de coches. Muestra su pasaporte, y la azafata, el vendedor, el recepcionista, el administrador o el agente de aduanas mira ese documento, mira el cuerpo que tiene delante y dice: «¡Este no es usted!» Se produce entonces un fallo sistémico de todas las convenciones legales y administrativas que construyen ficciones políticas vivas. A cámara lenta, el aparato social de producción de identidad colapsa y sus técnicas (fotografías, documentos, enunciados...) caen una a una como en una pantalla de videojuego que deja paso a un deslumbrante *game over*. Reina por un segundo un escalofriante silencio wittgensteiniano. La sensación de estar fuera del juego del lenguaje: el terror de haber sobrepasado los límites de la inteligibilidad social; la fascinación de observar desde fuera, o mejor desde el umbral, aunque solo sea por un instante, el aparato que nos construye como sujetos.

Esta podría ser la escena onírica de una pesadilla o el momento álgido de una ficción patafísica. Es, sin embargo, un acontecimiento habitual en la vida cotidiana de una persona trans a la espera de cambio legal de identidad. A la interpelación «¡Este no es usted!», se me ocurre a veces la siguiente respuesta: «¡Por supuesto que este no soy yo! Saque su pasaporte y dígame si ese es usted o no. ¿A que no?» Ahí estamos clavados el agente y yo, reviviendo la escena central de Hegel de «Independencia y sujeción de la autoconciencia: señorío y servidumbre». Pero no me hago el listo. Sé que en esta escena me toca el papel del siervo y no el del amo. Corro hacia el redil del reconocimiento: las fronteras del juego del lenguaje están llenas de instituciones de reclusión y castigo. Niego lo que la deconstrucción *queer* me ha enseñado y reafirmo el aparato de producción social de género: digo, apoyándome en una carta de mi abogada, que se me asignó por error sexo femenino en el nacimiento y que mi solicitud de reconocimiento de la identidad masculina está siendo objeto de trámite en un juzgado del Estado español. Estoy en transición. Estoy en la sala de espera entre dos sistemas de representación excluyentes.

Transición es el nombre que se da al proceso que supuestamente lleva desde la feminidad a la masculinidad (o viceversa) a través de un protocolo médico y legal de reasignación de identidad de género. A menudo se enuncia «estoy haciendo mi transición». En inglés, el mismo verbo se conjuga en gerundio: *«I am transitioning.»* Ambas expresiones parecen indicar un tránsito de un estado a otro, a la vez que acentúan el carácter temporal y por tanto pasajero del proceso. Sin embargo, el proceso de transición no se lleva a cabo desde la feminidad a la masculinidad (puesto que ambos géneros no tienen entidad ontológica sino biopolítica), sino más bien desde un aparato de producción de verdad a otro.

A la persona trans se la representa como una suerte de exiliado que ha dejado atrás el género que le fue asignado en el nacimiento (como quien abandona su nación) y busca ahora ser reconocido como ciudadano potencial de otro género. El estatuto de la persona trans es en términos político-

214

legales semejante al del migrante, al del exiliado y al del refugiado. Todos ellos se encuentran en un proceso temporal de suspensión de su condición política.

Tanto en el caso de las personas trans como en el de los cuerpos migrantes, lo que se demanda es refugio biopolítico: ser literalmente sujetado en un sistema de ensamblaje semiótico que da sentido a la vida. La falta de reconocimiento legal y de soporte biocultural niega soberanía a los cuerpos trans y migrantes y los sitúa en una posición de alta vulnerabilidad social. Dicho de otro modo, la densidad ontológico-política de un cuerpo trans o de un cuerpo migrante es menor que la de un ciudadano cuyo género y nacionalidad son reconocidos por las convenciones administrativas de los Estados-nación que habita. En términos de Althusser, podríamos decir que trans y migrantes se encuentran en la paradójica situación de pedir que se los interpele como sujetos por los mismos aparatos ideológicos del Estado que los excluyen. Pediríamos ser reconocidos (y, por tanto, sometidos) para poder desde ahí inventar formas de sujeción social libre.

Lo que trans y migrantes solicitan al pedir cambio de género o asilo son las prótesis administrativas (nombres, derechos de residencia, documentos, pasaportes...) y bioculturales (alimentos, fármacos o compuestos bioquímicos, refugio, lenguaje, autorrepresentación...) necesarias para construirse como ficciones políticas vivas. La así llamada «crisis» de los refugiados o el supuesto «problema» de las personas trans no puede resolverse con la construcción de campos de refugiados o de clínicas de reasignación sexual. Son los sistemas de producción de verdad, de ciudadanía política, y las tecnologías de gobierno del Estado-nación, así como la epistemología del sexo-género binario los que están en crisis. Y es el espacio político en su conjunto el que debe entrar en transición.

Kassel, 28 de mayo de 2016

MI CUERPO NO EXISTE

Al mismo tiempo que las mutaciones precipitadas por la administración continuada de testosterona se hacen cada vez más evidentes, inicio el proceso legal de reasignación sexual que me llevará, si el juez acepta la solicitud, a cambiar de nombre en el documento nacional de identidad. Los dos procesos, el biomorfológico y el político-administrativo, no son, sin embargo, convergentes. Aunque el juez evalúa los cambios físicos (apoyados por un indispensable diagnóstico psiquiátrico) como condición de la reasignación de nombre y de sexo a mi persona legal, esos cambios no pueden reducirse de ningún modo a la representación dominante del cuerpo masculino según la epistemología de la diferencia sexual. A medida que me acerco a la adquisición del nuevo documento me doy cuenta con pavor de que mi cuerpo trans no existe ni existirá ante la ley. Llevando a cabo un acto de idealismo político-científico, médicos y jueces niegan la realidad de mi cuerpo trans para poder seguir afirmando la verdad del régimen sexual binario. Existe entonces la nación. Existe el juzgado. Existe el archivo. Existe el mapa. Existe el documento. Existe la familia. Existe la ley. Existe el libro. Existe el centro de internamiento. Existe la psiquiatría. Existe la frontera. Existe la ciencia. Existe incluso dios. Pero mi cuerpo trans no existe.

Mi cuerpo trans no existe en los protocolos administrativos que garantizan el estatuto de ciudadanía. No existe como encarnación de la soberanía masculina eyaculante en la representación pornográfica, ni como objetivo de ventas de las campañas comerciales de la industria textil, ni como referente de las segmentaciones arquitectónicas de la ciudad.

Mi cuerpo trans no existe como variante posible y vital de lo humano en los libros de anatomía, ni en las representaciones del aparato reproductivo sano de los manuales de biología de la ESO. Discursos y técnicas de representación afirman únicamente la existencia de mi cuerpo trans como espécimen en una taxonomía de la desviación que debe corregirse. Afirman que existe únicamente como correlato de una etnografía de la perversión. Afirman que mis órganos sexuales no existen sino como déficit o prótesis. Fuera del diagrama de la patología, no existe una representación adecuada de mi pecho, ni de mi piel, ni de mi voz. Mi sexo no es ni un macroclítoris ni un micropene. Pero si mi sexo no existe, ¿son mis órganos todavía humanos? El crecimiento del vello no sigue las consignas de una rectificación de mi subjetividad en dirección de lo masculino: en el rostro, el vello crece en lugares sin significado aparente o deja de crecer allí donde su presencia indicaría la forma «correcta» de una barba. El cambio de distribución de la masa corporal y del músculo no me hace inmediatamente más viril. Tan solo más trans, sin que esa denominación encuentre una traducción inmediata en términos del binario hombre-mujer. La temporalidad de mi cuerpo trans es el ahora: no se define por lo que era antes, ni por lo que se supone que tendrá que ser.

Mi cuerpo trans es una institución insurgente sin constitución. Una paradoja epistemológica y administrativa. Devenir sin teleología ni referente, su existencia inexistente es la destitución al mismo tiempo de la diferencia sexual y de la oposición homosexual/heterosexual. Mi cuerpo trans se vuelve contra la lengua de aquellos que lo nombran para negarlo. Mi cuerpo trans existe, como realidad material, como entramado de deseos y prácticas, y su inexistente existencia pone todo en jaque: la nación, el juzgado, el archivo, el mapa, el documento, la familia, la ley, el libro, el centro de internamiento, la psiquiatría, la frontera, la ciencia, dios. Mi cuerpo trans existe.

Atenas, 25 de junio de 2016

VIAJE A LESBOS

Las ciudades son máquinas socioarquitectónicas capaces de producir identidad. Sin duda, las más poderosas son aquellas que se han construido históricamente como enclaves religiosos, pero están también las ciudades que condensan el espíritu de una era o las nuevas mecas de la industria cultural. En el siglo XII, la peregrinación a Santiago de Compostela construía al católico, del mismo modo que el Ámsterdam del siglo XVII transformaba a un viajero en burgués, que el París del XVIII esculpía al libertino o al revolucionario, que Buenos Aires hacía al colono del XIX, o que el Nueva York de los años setenta o el Berlín posterior a la caída del Muro producían la identidad del artista contemporáneo.

Durante los años noventa, cuando aún construía mi subjetividad como lesbiana, pasar los veranos en Lesbos formaba parte de un proceso de iniciación político-sexual. La isla se había convertido en los años ochenta en un destino turístico para las lesbianas. La mitología y el capitalismo habían acordado Mikonos a los gays y a las lesbianas les había tocado Lesbos: la isla de Safo. Siguiendo una ley histórica de jerarquización sexual del valor, los gays se bronceaban en hamacas de hilo y colchones de agua, y bebían mojitos en una isla azul y blanca de las Cícladas. Mientras tanto, las lesbianas iban a la isla más próxima de la costa turca, conocida por su base militar más que por sus playas. Mikonos y Lesbos representaban dos modos opuestos de espacialización política de la sexualidad. Mikonos era homosexual, privatizante, consumista, un banco del dólar rosa, mientras que Lesbos era *queer,* radical, precaria, vegetariana, colectivista.

Para una lesbiana radical, el viaje a Lesbos era una peregrinación constitutiva. Viajábamos desde Nueva York a París, y luego desde allí a Atenas. Íbamos siempre directamente desde el aeropuerto hasta El Pireo. (Yo apenas miraba Atenas, no sabía entenderla, ni imaginaba que un día acabaría amando esa ciudad. Pero eso vendría solo mucho más tarde.) Entonces pasábamos la noche en un barco que nos llevaba hasta el puerto de Mitilene, en Lesbos. Allí cogíamos taxis conducidos por hombres que llevaban el volante con una mano y con la otra sacudían un *komboloi.* En dos horas de curvas y de barrancos de grava cruzábamos la isla de noroeste a sudeste hasta llegar a Skala Eressos. La primera imagen de la playa de Eressos sigue aún intacta en mi mente como un himno a la utopía, como una llamada a la revolución. Era lo imposible hecho realidad: un kilómetro de arena y mar habitado por quinientas lesbianas desnudas.

Nos alojábamos en el camping, o en una pequeña pensión con una biblioteca en la que la viajera podía leer a Annemarie Schwarzenbach, Ursula K. Le Guin o Monique Wittig. Por las tardes, a la caída del sol, formábamos dos equipos para jugar al voleibol: las *butch* contra las *femmes.* En un lado, las danesas, alemanas e inglesas, con el pelo rapado, los hombros cuadrados por la natación y tatuados con *labris;* en el otro, las italianas, las griegas y las francesas, con el pelo largo y los brazos dorados y ágiles. El norte contra el sur. Y a menudo ganaban las *femmes.*

Vuelvo a Lesbos más de veinte años después. La isla ha cambiado. Yo he cambiado. Lesbos es, junto con Leros y

220

Quíos, el primer lugar de recepción de migrantes en Grecia. Yo he dejado de construir mi identidad como lesbiana y ahora me fabrico, con otras técnicas (hormonales, legales, lingüísticas...) como trans. Estos son los años del cruce. De la transición. De la frontera. El barco militar *Border Front* ocupa ahora la primera línea del puerto.

Ya no vengo a las playas de Eressos sino al coloquio internacional *Crossing Borders*, «Cruzando fronteras». Activistas y críticos hablan del establecimiento de la «Fortaleza Europa» definida por la criminalización de la inmigración y el internamiento forzoso de los migrantes en centros de detención. Lesbos se ha convertido en la Tijuana de Europa. Mitilene tiene la vibración y la violencia de una frontera militarizada. Máxima vigilancia de Estado, máxima precariedad del cuerpo migrante: el contexto perfecto para mafias y populismos. La imagen de los campos de refugiados, los de Lesbos, pero también los de Atenas, me golpea el pecho con la misma intensidad, pero con afecto opuesto, al que años antes me producía la playa de Eressos. La frontera es un espacio de destrucción y producción de identidad. Si la playa de Eressos era un lugar de empoderamiento y resignificación del estigma lesbiano, el campo es hoy un espacio de alterización, exclusión y muerte. No sé cómo dar testimonio, ni cómo alertar. Es como si a alguien lo dejaran entrar en Buchenwald en 1938 y después le preguntaran: «¿Qué tal? ¿Qué le ha parecido el campo?»

Nada más. Felices vacaciones.

Lesbos, 27 de julio de 2016

EXPEDIENTE 34/2016

Espero desde hace meses a que un magistrado del Estado español (por el momento, una democracia monárquica) decida si puedo cambiar en mis documentos oficiales de identidad el nombre femenino que me fue asignado en el nacimiento por un nuevo nombre masculino. Esta espera condiciona mi capacidad de viajar libremente, de alquilar un coche o un apartamento, de utilizar una tarjeta de crédito o de alojarme en un hotel. Técnicamente se trata de un «expediente de rectificación de la mención del sexo en la partida de nacimiento». Realizo el procedimiento en catalán (una lengua que entiendo pero que no escribo) en la magistratura del registro civil de Barcelona porque, dicen, los jueces son más laxos en Cataluña que en Castilla. Es un proceso administrativamente complejo, en apariencia riguroso, pero en realidad plagado de contradicciones. Un proceso más cercano a una intervención de arte conceptual que a un acto jurídico.

Para poder presentar el expediente es preciso obtener y adjuntar un certificado médico que atestigüe lo que el Estado denomina «disforia de género», según el término acuñado en 1973 por el psiquiatra infantil John Money: «Un malestar clínicamente significativo asociado a la condición de género.»

De acuerdo con la epistemología de la diferencia sexual, la medicina occidental define la disforia de género como la discordancia entre el género asignado en el nacimiento y el género con el que la persona se identifica. La institución pone como condición de posibilidad para reconocer mi nombre masculino que yo me reconozca a mí mismo previamente como disfórico. Nadie da aquí nada sin pedir algo a cambio. El Estado dice: si quieres un nombre, dame antes tu uso de razón, tu conciencia, tu salud mental. Tú creerás que te llaman por tu nombre, pero el Estado se dirigirá a ti como disfórico. Nunca pensé que lo aceptaría. Pero lo acepto. He renunciado a nociones como la de razón, conciencia, salud mental. Me construyo ahora con otras tecnologías del espíritu.

La cláusula 4 del expediente afirma que debo también «aportar pruebas que acrediten que he estado recibiendo tratamiento médico con el objetivo de acomodar mis características físicas a las que corresponden al sexo masculino». Adjunto la firma de mi doctora, el sello del ambulatorio, el nombre del tratamiento médico, Testex Prolongatum 250 mg solución inyectable. Mi imaginación asocia ese nombre, Testex Prolongatum (en realidad, un compuesto de testosterona sintética), con un test prolongado: veo un tribunal de jueces-médicos que escriben con jeringas y una serie interminable de exámenes de masculinidad que debo ir superando. Este es uno de ellos.

En la petición, mi abogada añade una cláusula especial que solicita que mi nombre femenino no sea simplemente reemplazado por uno masculino, sino que junto al nuevo nombre masculino se mantenga en segundo lugar mi antiguo nombre femenino. Pido que el Estado español reconozca que mi nombre es Paul Beatriz. Para apoyar esta petición, mi abogada adjunta una serie de ejemplos que atestiguan que es el primer nombre y no el segundo el que indica el sexo de la persona. No tiene nada de extraño llamarse José María.

223

El secretario administrativo que recoge el expediente pregunta: «¿Por qué Paul Beatriz? Pero ¿no quería cambiar de sexo?» Llama a otro secretario para asegurarse de que puede aceptar el expediente con ese nombre. Y luego añade: «El Paul se lo darán, pero el Beatriz... no se lo aseguro. Es posible que no se lo den para evitar ambigüedad sexual.» Me encuentro frente a la absurda paradoja de que el Estado español no me «dé» ahora el nombre que ya me había otorgado en el nacimiento. Pienso (en silencio) que tengo derecho a mis ideas aunque sean estúpidas. Tengo derecho a mi nombre, aunque al Estado español le parezca sexualmente ambiguo. Tengo derecho a un nombre heterogéneo, a un nombre utópico.

El agente administrativo me advierte también de que, para llevar a cabo el procedimiento, se dará en el registro civil de Barcelona la orden de destruir mi partida de nacimiento con fecha 11 de septiembre de 1970 en el registro civil de Burgos. Solo después de su destrucción efectiva se volverá a dar la orden de habilitar una nueva partida de nacimiento con un nuevo nombre, haciendo valer la fecha señalada de 1970 como antedatada. Pasarán días, incluso semanas, entre ambos momentos, durante los cuales no tendré partida de nacimiento. La idea de que mi nacimiento pueda no haber existido o no existir por un tiempo me hace temblar. ¿Quién soy yo frente a la tecnología de ficción de la ley? ¿Quién soy cuando mi partida de nacimiento es destruida?

Me subo a un autobús que me lleva de Atenas hasta Delfos para consultar el oráculo el día de mi cumpleaños. Quizás, mientras tanto, en el otro extremo del Mediterráneo un magistrado-Apolo esté destruyendo mi certificado de nacimiento, o quizás dictando uno nuevo.

Delfos, 10 de septiembre de 2016

CASA VACÍA

Vivo en Atenas en una casa que puedo llamar mía por primera vez en más de dos años. No la poseo. No es necesario. Simplemente la uso. La experimento. La celebro. Después de haber pasado por tres casas en calles y barrios diferentes (Filopapo, Neapoli, Exarchia) y por una docena de hoteles (de los que recuerdo sobre todo los pájaros cantando por la mañana en el Orion, en la colina de Steffi), me decido, no sin dificultad, a firmar un contrato de alquiler.

Al principio y durante más de un mes habito en una casa vacía. Desprovista de todo mueble, una casa es únicamente una puerta, un techo y un suelo. Por un retraso en el envío de la cama (algo habitual en Grecia), me veo obligado a dormir durante algo más de dos semanas en un apartamento totalmente vacío. Las caderas se clavan en la madera por la noche y me despierto entumecido. Sin embargo, la experiencia es inaugural, estética: un cuerpo, un espacio. A veces me desvelo a las tres de la mañana y dudo, tumbado sobre el suelo, de si soy humano o animal, de este siglo o de cualquier otro, si existo o si solo tengo materialidad en la ficción. La casa vacía es el museo terrícola del siglo XXI y mi cuerpo –desnudo, sin nombre, mutante y desposeído– es la obra.

En una casa vacía se pone de manifiesto que un espacio doméstico es una escena expositiva en la que la subjetividad es presentada como obra. Paradójicamente, cada uno es exhibido dentro de una escena privada. «Detesto las audiencias», decía el pianista Glenn Gould. En 1964, a los treinta y dos años, en el culmen de su carrera, dejó los auditorios y se retiró para siempre a un estudio de grabación para hacer música. Una casa vacía es algo así: un estudio donde se graba la vida. Con la única salvedad de que nuestra subjetividad es al mismo tiempo la música, el instrumento que la produce y la máquina de grabación.

Al principio pienso que el apartamento sigue vacío debido a una confluencia de circunstancias: el exceso de trabajo, la falta de tiempo y la falta también de propiedades que puedan acumularse en ese espacio. Solo tengo la ropa (vaqueros A.P.C., camisas blancas o azules, chaquetas de fieltro, zapatos negros), la indispensable maleta, algunos libros y tres docenas de cuadernos, que por sí solos constituyen una escultura independiente en el espacio, que indica la traza de un culto o quizás de una patología.

Tardo en darme cuenta de que la razón por la que me obstino en mantener ese espacio vacío no es fortuita: he establecido una relación de equivalencia entre mi proceso de transición de género y mis modos de habitar el espacio. Durante el primer año de la transición, mientras los cambios hormonales esculpían mi cuerpo como un cincel microscópico que trabaja desde dentro, solo pude vivir en el nomadismo. Cruzar fronteras con un pasaporte que apenas me representa era entonces una forma de intensificar el tránsito, de certificar la mudanza. Ahora, por primera vez, puedo parar. A condición de que la casa esté vacía: de suspender las convenciones tecnoburguesas de la mesa, el sofá, la cama, el ordenador, la silla. El cuerpo y el espacio se encuentran sin mediaciones. Así, frente a frente, el espacio y el cuerpo no son objetos, sino relaciones sociales.

Mi nuevo cuerpo trans es una casa vacía. Disfruto del potencial político de esta analogía. Mi cuerpo trans es un apartamento de alquiler sin mueble alguno, un lugar que no me pertenece, un espacio sin nombre. (Espero aún el derecho a ser llamado por el Estado, espero y temo la violencia de ser nombrado.) Habitar una casa completamente vacía devuelve a cada gesto su carácter inaugural, detiene el tiempo de la repetición, suspende la fuerza interpelativa de la norma. Me descubro corriendo alrededor de la casa, o caminando de puntillas mientras como, tumbado en el suelo con los pies apoyados en la pared para leer o reclinado sobre el alféizar de la ventana escribiendo. La deshabituación se extiende a cualquier otro cuerpo que entra en ese espacio: cuando Itziar viene a verme apenas podemos hacer algo que no sea mirarnos, estar de pie cogidos de la mano, tumbarnos o hacer el amor.

La belleza de esa singular experiencia que podríamos llamar de «desmueblamiento» me hace preguntarme por qué nos apresuramos a amueblar las casas, por qué es necesario saber de qué genero somos, qué sexo nos gusta. Ikea es al arte de habitar lo que la heterosexualidad normativa es al cuerpo deseante. Una mesa y una silla son una pareja complementaria que no admite preguntas. Un armario es un primer certificado de propiedad privada. Una lámpara junto a una cama es ya un matrimonio de conveniencia. Un sofá frente a un televisor es una penetración vaginal. Una cortina sobre una ventana es la censura antipornográfica que se alza a la caída del sol.

El otro día, mientras hacíamos el amor en esa casa vacía, ella me llamó por mi nuevo nombre y añadió: «Nuestro problema es la mente. Nuestras mentes luchan, pero nuestros espíritus y nuestros cuerpos están en perfecta armonía.» Minutos después, mientras mi pecho se abría para respirar algunos átomos más de oxígeno y mi córtex cerebral adquiría la consistencia del algodón, sentí que mi cuerpo se disolvía en el espacio vacío y que mi mente, autoritaria y normativa, casi muerta, se rendía frente a mi espíritu.

Atenas, 8 de octubre de 2016

EL MÉTODO MARX

En un tiempo en el que la psicología del éxito personal parece presentarse como el último grial del neoliberalismo frente al sombrío festival de violencias políticas, económicas y ecológicas en el que estamos implicados, la biografía del bisabuelo Karl Marx, escrita por el polémico periodista británico Francis Wheen, puede leerse como un antídoto contra planes de *coaching* para el éxito individual y programas de desarrollo personal. Siguiendo los alegres infortunios de Marx es posible destilar una suerte de antipsicología del yo para usuarios de un mundo en descomposición.

Podríamos concluir siguiendo la tumultuosa y difícil vida de Marx que, contrariamente a lo que la psicología del yo y de la superación personal nos augura, la felicidad no depende del éxito en la carrera profesional, ni de la acumulación de propiedades o riquezas económicas. La felicidad entendida como éxito personal no es sino la extensión de la lógica del capital a la producción de la subjetividad. La felicidad no se consigue a través del *management* emocional, ni reside en el equilibrio psicológico entendido como gestión de recursos personales y control de afectos. Más difícil aún de creer, y por tanto probablemente cierto, la felicidad no depende de la salud, ni de la belleza. Ni coincide tampoco con la bondad.

Marx vivió la mayor parte de su vida entre la persecución política, la enfermedad, el hambre y la miseria. La carrera como escritor de Marx comienza con la censura y acaba con un fracaso editorial. Su primer ensayo periodístico, escrito con veintiséis años, fue una crítica de las leyes de censura promulgadas por el rey Federico Guillermo IV. Como el propio autor habría podido intuir (pero sé por experiencia que al crítico se le olvida a menudo que él también está bajo las leyes que critica), el artículo fue censurado de inmediato, y el periódico *Deutsche Jahrbücher,* cerrado por el Parlamento federal alemán. Lo mismo sucederá con su primer artículo para la *Rheinische Zeitung,* considerado como una «irreverente e irrespetuosa crítica de las instituciones gubernamentales». La censura será la gran editora de las obras de Marx, lo perseguirá de lengua en lengua y de país en país.

La mayor y más extensa de sus obras fue recibida con indiferencia por la crítica y el lectorado. La publicación del primer volumen de *El capital,* al que dedicó más de cinco años de estudio solitario en la sala de lectura del Museo Británico de Londres, pasó casi completamente desapercibida y vendió, durante la vida del autor, unos pocos centenares de ejemplares. Demasiado lento en la escritura y enfermo, Marx no llegará a ver la publicación de los otros dos volúmenes de *El capital.*

Si Marx no encontró fortuna en la escritura, tampoco podemos decir que sus condiciones de vida fueran confortables. A partir de 1845 y durante más de veinte años, Marx vivió como refugiado político, en tres países diferentes, Francia, Bélgica y sobre todo Reino Unido, con su mujer Jenny y sus hijos. Durante su periplo como exiliado, Marx, que decía de sí mismo no tener condiciones físicas o psíquicas adecuadas para ejercer otro trabajo que el intelectual, se vio obligado a empeñar la totalidad de sus escasas pertenencias, incluidos los muebles o los abrigos. Dos de sus hijos murieron por enfermedades relacionadas con el hambre, la humedad y el frío. Él mismo sufría frecuentes cólicos de hígado, reumatismo, dolores de muelas y migrañas. Escribió buena parte de sus libros de pie porque el dolor que le producían las crisis de forúnculos infectados en las nalgas no le permitían sentarse. Marx fue un hombre feo, y no podríamos calificarlo de *totalmente* bueno. Compartía la mayoría de los prejuicios raciales y sexuales de su época, y, aunque era de origen judío, no dudaba en prodigar insultos antisemitas a sus contrincantes.

Wheen dibuja un Marx autoritario y fanfarrón, incapaz de aceptar ningún tipo de crítica, constantemente implicado en disputas con amigos, enemigos y adversarios a los que no duda en enviar cartas llenas de insultos y a los que dedica artículos satíricos en la prensa. En 1852, por ejemplo, consagra todo un año a redactar el voluminoso tratado *Los grandes hombres del exilio,* una sátira destinada a los «más notables borricos» de la diáspora socialista. El libro no fue solo un fracaso, sino que además lo condujo a juicios, cuando no a bufos retos a duelo con innumerables rivales.

Marx no tuvo ni éxito económico, ni popularidad, y si hubiera vivido en la época de Facebook habría tenido más detractores que amigos. Sin embargo, puede decirse, contra toda expectativa, que Marx fue un hombre intensamente feliz.

Los entrenadores del éxito personal podrían replicar que la clave de su felicidad se encontraba en su inmoderado optimismo. Cierto. Pero esa pasión nada tiene que ver con la estúpida invitación al *feel good* neoliberal. El de Marx era un optimismo dialéctico, revolucionario, casi apocalíptico. Un pesimismo optimista. Marx no aspira a que todo vaya mejor, sino a que las cosas empeoren para que puedan ser percibidas por la conciencia colectiva y sean sometidas a cambios. Es así como sueña, en sus incesantes conversaciones con Engels, con la subida de los precios y el colapso económico total, que, según sus equivocadas predicciones, llevarían de inmediato a una revolución obrera.

Cuando con tan solo veintisiete años se le retira el pasaporte prusiano por acusaciones de deslealtad política, Marx acoge su estatuto de apátrida con una declaración que se opone a toda forma de victimismo: «El gobierno me ha devuelto la libertad.» No pide ser reconocido como ciudadano, sino usar de manera exponencial la libertad que el exilio le ofrece. En las reuniones de refugiados de todos los países madurará la idea de la Internacional como una fuerza transversal proletaria capaz de desafiar la organización Estado-nación y los imperios.

La felicidad de Marx reside en su incorruptible sentido del humor («Creo que nadie ha escrito tanto sobre el dinero cuando anda tan escaso de él», decía), en su pasión por leer cada tarde a Shakespeare a sus hijos (cómo no ser feliz si cada uno de nosotros sintiera la historia de la literatura como una plaza pública), en las conversaciones (no siempre cordiales, pero siempre apasionadas) con Engels y en su infatigable deseo de entender la complejidad del mundo que lo rodea.

Esto es lo que la vida adversa y luminosa de Marx nos enseña. La felicidad es una forma de emancipación política: la potencia de rechazar las convenciones morales de una época y con ellas el éxito, la propiedad, la belleza, la fama o el decoro como únicos principios organizadores de la existencia. La felicidad reside en la capacidad de sentir la totalidad de las cosas como parte de nosotros mismos, propiedad de todos y de nadie. La felicidad reside en la convicción de que estar vivo significa ser testigo de una época, y, por tanto, en sentirse responsable, vital y apasionadamente responsable, del destino colectivo del planeta.

Barcelona, 22 de octubre de 2016

EL LUGAR QUE TE ACOGE

Es el Mediterráneo. Es el lugar al que llegas. Es Grecia. Es el lugar que te acoge. Es el suelo que podría estar bajo tus pies. Es el mar en el que te hundes. Es Europa. Es el cielo que parece igual para todos pero no lo es. Es el mundo. Es el *cash flow*. Es la tierra que pisas. Es la calle que dejas atrás. Es la ciudad a la que llegas. Es el Parlamento vacío. Es la plaza llena. Es Calais. Es el mundo. Es París. Es la casa en la que fuiste feliz y a la que ya no volverás nunca. Es el Mediterráneo. Es la costa. Es Londres. Es el fondo del mar. Es el *stop loss*. Es el ruido que oyes en la oscuridad y que confundes con una voz. Es la lengua que hablas. Es Mitilene. Es el Ibex 35. Es el lugar al que llegas. Es la lengua que no hablas. Es el ouzo cambiando de color cuando se mezcla con el agua. Es Esmirna. Es el movimiento. Es la laca que usa Madame Merkel para mantener el pelo sobre su cabeza como si fuera una peluca. Es el olor a gasóleo que te recuerda que estás vivo. Es la quietud. Es el debate sobre la identidad nacional. Son las ondas. Es tu cerebro. Es la información en tiempo real. Es el sonido. Es la electricidad. «Si no sientes miedo en el momento de comprar, es que estás comprando mal» (consejo de bróker). *12.563 friends like this*. Es el Mediterráneo. Es el capital que se mueve y arrastra todo a su paso. Son los números 95 a 118 de la tabla periódica de los elementos. Es todo lo bueno y todo lo malo mezclado en proporciones exactamente idénticas. Es Casablanca. Es el Dow Jones industrial. Es el aire que parece igual para todos, pero no lo es. Es la piel. Es la tasa variable de la deuda. Es la mano que se toca a sí misma. Es el amor. Es el viento que sopla desde Chernóbil. Es el acceso Premium a la vida. Es el pájaro que mete sus alas en barro. Es un as de oros bajo la manga. Es Damasco. Es el desamor. Es la mano que se toca a sí misma. Es el pelo de Merkel ardiendo como si fuera una mecha. Es El Cairo. Es lo que piensas mientras hablas sobre otra cosa. Es la simultaneidad. Ese espacio exacto de tu mente donde algo crece sin que puedas pararlo (¿Qué existencia tiene eso que piensas? ¿Es más o menos importante que la vida que vives?) Es Kassel. *Milate ellinika signomi?* Es la imposibilidad de borrar de su memoria lo que un día dijiste. Son los tres e-mails por minuto que deberías escribir para aumentar la productividad. Es el color verde de una mantis religiosa que se posa sobre tu libro mientras lees. Es la testosterona. Es la política de prevención de la radicalización musulmana. Es Europa. Es el mundo. Es la menopausia. Es la integración cultural. Es la oscuridad que cubre la ciudad como una capucha de adolescente. Es el Mediterráneo. Es el feminicidio como plan divino. Es la basura pudriéndose en el río de Beirut. Es el lugar al que llegas. Es el zapato que vuela y golpea la cabeza de Bush. Es la tortura. Es la sensación de que debajo de tu camisa no hay cuerpo. Es el tiempo que parece igual para todos pero no lo es. Es la costa. Es el fondo del mar. Es el lugar que te acoge. Es la desforestación de tu imaginario. Son los tres miligramos de Lorazepam. Enseñar la teoría de género en la escuela es una guerra global contra el matrimonio, dice el papa Francisco. *666fxck likes this.* Es el coleteo de la langosta al entrar en el agua hirviendo. Es la censura. Es la tarifa plana de la conciencia. Es Luanda. Es el suicidio de Foster Wallace. Es el cuerpo que imaginas pero no tienes. Es el alma de un perro. Es la tasa de supervivencia de los seropositivos que anuncia con orgullo el Ministerio de Sanidad. Es Kiev. Es el aumento del cáncer, el descenso de la calidad respiratoria, la destrucción de la barrera inmunológica. Es Johannesburgo. Es ayer. Es mañana. Es el 4 % de territorio de Estados Unidos dedicado a las reservas indias. Es el estado de agregación de la materia. Es la selección de los cien mejores libros: de nuevo, todos menos dos escritos por hombres. Es la democracia representativa como cobertura de la corrupción. Es la resistencia de los mapas a cambiar. Es el Nasdaq Composite. Es el Mediterráneo. Es Europa. Es el lugar al que llegas.

Beirut, 5 de noviembre de 2016

LA DESTRUCCIÓN FUE MI BEATRIZ

El 16 de noviembre de 2016, mi nuevo nombre, Paul Beatriz Preciado, se publica en el Boletín Nacional de Nacimientos y en el periódico local de la ciudad de Burgos. Hacía meses que estábamos a la espera de una resolución legal. Pero ni el juez ni la administración se dignaron a comunicarnos que la decisión se anunciaría a través de una publicación simultánea en el Boletín Oficial del Estado y en la prensa local. La primera en saberlo, antes que mi abogada, es mi madre. Como cada mañana, lee el periódico y encuentra ese nombre en la lista de nacimientos. Enloquece. Me envía por teléfono una foto de la página impresa como quien envía un jeroglífico a un instituto especializado en descodificación. Me llama: «¿Qué es esto?» Mi madre asiste de nuevo a mi nacimiento, de algún modo vuelve a parirme, esta vez como lectora. Da a luz a un hijo suyo que nace fuera de su cuerpo como texto escrito.

Mi nombre, ese nombre que no era mío y que ahora lo es, está entre los nombres de los recién nacidos. «Nacimientos: Paul Beatriz Preciado Ruiz, Lara Vázquez Mena, Esperanza Rojo Soares, India García Casado, Ariadna Rey Mojardín, Marco Méndez Tobar, Bruno Boneke Esteban, Dylan Boneke Esteban, Juan Moreno Miguel, Ariadna Antolín Díaz, Johan Sánchez Alves, Paula Casado Macho, Izan García Caballero, Íker Ojeda Dos Santos, Nerea Fuente Porras, Abigail Barriuso López.» Y junto a ellos, las defunciones: Iluminada Sanz Sanz, 87; Miguel Collado Serrano, 81, y Tomás Arija Prieto, 84. Mi antiguo nombre no está entre los muertos, pero podría estarlo, puesto que para certificar mi cambio de sexo legal ha sido necesario destruir la partida de nacimiento hecha por mi padre, escrita y firmada el 11 de septiembre de 1970. Fue necesario destruir la ficción legal «Beatriz Preciado» para inventar la ficción legal «Paul Beatriz Preciado». Nazco ahora por segunda vez, más allá de la configuración padre-madre, en la configuración administración-prensa. Mis propios padres dejan de ser progenitores para convertirse en genito-lectores. La secretaria Blanca Esther del Hoyo Moreno acuerda «cancelar la inscripción del Tomo 42-2, página 411 de la Sección 1 del Registro Civil de las 3 horas 30 minutos del 11 de septiembre 1970» en la que junto a la mención «Sexo» aparecía la palabra «mujer». Y concede «a las 2 horas 57 minutos del 15 de noviembre de 2016» la nueva «autorización prevista en el artículo 26 del Reglamento del Registro Civil, en el Tomo 00199, página 263 de la Sección 1 del Registro Civil» con la mención «Varón (3-4-1)» en la entrada «Sexo», junto al nombre masculino Paul Beatriz y, para que conste, lo firma el 16 de noviembre de 2016 junto con la encargada María Luisa Miranda de Miguel. El sistema médico-legal me fuerza a llevar a cabo un suicidio legal para autorizar mi re-nacimiento como «hombre». Asisto así a mi muerte y a mi re-nacimiento legal. Soy al mismo tiempo un cadáver y un recién nacido legal.

Dicen que el viaje astral es una experiencia extracorporal que en situaciones de meditación controlada y sueño lúcido produce la sensación de estar proyectado flotando fuera del propio cuerpo. Se trata de un ejercicio de desdoblamiento; para algunos, solo resultado de una alucinación inducida química o eléctricamente en el cerebro o efecto de una potente autosugestión en el que la conciencia se «separa» del cuerpo físico, se externaliza y lo observa desde fuera. Dicen que esta forma de disociación es también una de las consecuencias cerebrales de la muerte clínica, una experiencia de casi-muerte, descrita por aquellos que han logrado sobrevivir a ese proceso, en la que el paciente observa su propio cuerpo muerto e incluso puede oír la declaración de su propio fallecimiento.

Siento que estoy embarcado ahora en una suerte de viaje astral epistémico o en una forma de casi-muerte semiótico-legal. Salgo de la ficción biopolítica e histórica que encarnaba –la feminidad que el régimen sexo-género binario de finales del siglo XX construyó en una sociedad franquista con la ayuda de un aparato médico-legal en el que la noción de transexualidad no existía– y observo desde fuera su destrucción física y la construcción administrativa y legal de una nueva ficción biopolítica en la que mi cuerpo es negado y al mismo tiempo reconocido como «hombre». Hay aquí coerción y agencia. Sujeción y distorsión de la norma. Yo mismo firmo la autorización de la destrucción de mi propia partida de nacimiento y la demanda de emisión de otra nueva. Como un monstruo que ha aprendido a hablar, me siento en el centro de la barroca máquina administrativa que produce la verdad del sexo y aprieto todas sus teclas hasta que el sistema entra en *black out*. Siento vértigo.

Apenas puedo entender lo que me sucede. Estoy dividido entre un presente que no me pertenece y un futuro que es absolutamente mío. Mi vida es un mensaje en una botella enviada al futuro para que alguien en algún lugar, algún día pueda leerlo. Alguien, me digo, algún día, en algún lugar, se acercará otra vez a la máquina del sexo y escribirá una biografía de mi cuerpo, entenderá mi vida.

Kassel, 26 de noviembre de 2016

ATENAS, *TEEN SPIRIT*

Grecia se para de nuevo. Una huelga general convocada por los sindicatos de funcionarios y de empresas privadas paraliza el jueves pasado la ciudad de Atenas. Síntagma vuelve a ser el escenario de la opresión y de la resistencia, del fallo de las instituciones democráticas para mantener abierto el proceso de emancipación colectiva. El Parlamento griego se ha convertido en un búnker que en lugar de amplificar la voz de los ciudadanos la silencia.

Dos días antes, arden las calles del barrio anarquista de Exarchia. Los coches y las basuras de Zaimi, de Mboboulinas o de Stournari se transforman en gigantescas piras en torno a las que más de dos centenares de policías armados asedian a los manifestantes. Hace ocho años, un 6 de diciembre, que el joven Alexandros Grigoropoulos, de tan solo quince años, murió por un disparo de la policía. Miles de estudiantes salen otra vez a la calle y protestan contra la violencia policial, contra la corrupción de las administraciones públicas, contra la criminalización de los migrantes y su reclusión en centros de retención, contra la explotación de las cooperaciones privadas, contra el expolio turístico y extractivista.

Grecia es el inconsciente reprimido de Europa. Al mismo tiempo basurero y frontera, vellocino de oro e inagotable recurso mítico de la Comunidad Europea, Grecia ha sido construida, por sobrecodificación, a través de una triple discriminación racial, sexual y económica. Por una parte, Grecia es exaltada en el imaginario histórico como el origen de Occidente: el Renacimiento burgués y colonial inventa un *corpus* griego (monumento, archivo, texto y cuerpo) blanco y cristiano que al mismo tiempo glorifica una Grecia que nunca existió (los griegos nunca fueron ni exactamente blancos ni estrictamente cristianos) y denigra la realidad, oriental e híbrida de la Grecia real. Por otra, la Comunidad Europea sitúa a Grecia en el lugar de la trabajadora sexual: al mismo tiempo la ero-turistifica y la injuria, la endeuda y la desea, le prohíbe trabajar y le pide urgentemente que se abra de piernas a la especulación financiera y a la explotación corporativa. Por último, Europa transforma el territorio griego en una gigantesca red de contención de la migración, haciendo de sus islas centros penitenciarios totales a cielo abierto.

Pero las manifestaciones y los fuegos, las huelgas y los parones son en Grecia el signo de la imposibilidad de destruir completamente los procesos de resistencia. Grecia no es la «vida desnuda» de Agamben, sino el cuerpo insurrecto y furioso de una multitud adolescente. Despentes con Nirvana: *Teen Spirit*. Atenas ha convertido la protesta urbana en un festival público de la rabia. Un grupo de jóvenes fuma tranquilamente en la plaza de Exarchia: dos minutos después, se ponen cascos de motos y capuchas, sacan pequeños cócteles molotov caseros de mochilas infantiles EastPak adornadas con pegatinas negras, blancas y rojas y avanzan casi totalmente desarmados frente a un pelotón policial cuyo equipamiento confirma que los ministerios de Interior y Defensa son los únicos que no se han visto afectados por los recortes. La protesta es una performance colectiva callejera en la que se pone de manifiesto que el único rasgo político que

240

queda del Estado en Grecia es, por decirlo con Weber, el uso (supuesta y desafortunadamente) legítimo de la violencia.

Hay entre los manifestantes gente de todas las edades, sin embargo, la energía de la protesta es adolescente. En este fuego arde algo quinceañero y vital. Imaginando un relato que superpone la macropolítica estatal y la micropolítica de género, podríamos decir que históricamente el Estado policial ha ocupado la función patriarcal paterna, mientras que el Estado providencia ha intentado cumplir las funciones que el patriarcado había asignado a la madre. El Estado policial disciplina y castiga; el Estado providencia cuida y previene. Según esta ecuación, sería posible describir Grecia como una familia en la que el Estado policial padre es alcohólico, corrupto, abusivo y violento, y la madre ha abandonado el hogar o solo aparece para pedir dinero.

Exarchia es la hija de esta familia violenta y disfuncional. La única relación del Estado con la ciudadanía es el abuso y la violencia. Aquí ya no hay protección alguna. En esta situación, a la hija adolescente ya solo le queda otra opción que gritar y quemar los muebles: eso es lo que sucede en Exarchia, cada tres o cuatros semanas. O bien irse de la casa familiar y buscarse la vida. Eso es lo que intentan algunos grupos libertarios organizando *squats* que acogen migrantes que construyen, en Notara 36 o en City Plaza, comunidades alternativas para sobrevivir.

Es necesario inventar una forma política que cortocirtuite los modelos patriarcales de poder y gobierno. Es necesario abandonar la casa del padre, dejar de esperar a la madre. Es necesario que Exarchia viva.

Atenas, 10 de diciembre de 2016

No produzcas. Cambia de sexo. Conviértete en el maestro de tu profesor. Tórnate el estudiante de tu alumno. Sé el amo de tu jefe. Sé la mascota de tu perro. Todo lo que camina sobre dos pies es un enemigo. Sé la cuidadora de tu enfermera. Ve a una prisión y repite la escena central de *Rebelión en la granja*. Conviértete en la asistente de tu secretaria. Limpia la casa de tu mujer de la limpieza. Sírvele un cóctel a tu camarero. Cierra la clínica. Llora. Ríe. Abjura de la religión que te fue dada. Baila sobre las tumbas de tu cementerio secreto. Cambia de nombre. Olvida a tus ancestros. No busques agradar. No compres nada que hayas visto previamente en una pantalla o cualquier otro soporte visual transformado en icono. Entierra la escultura de Apolo. No busques complacer. Múdate sin saber a qué dirección. Abandona a tus hijos. Deja de trabajar. Ve a un campo de refugiados y repite la escena central de *Rebelión en la granja*. Prostituye a tu padre. Cruza una frontera. Desentierra el cuerpo de Diógenes. Cierra tu Facebook. No sonrías ante la cámara. Cancela tu cuenta Google. Ve a un museo y repite la escena central de *Rebelión en la granja*. Deja a tu marido por una mujer diez años más joven que tú. Todo lo que camina sobre cuatro patas o tenga alas es amigo. Cierra tu cuenta bancaria. Rápate el pelo. No busques el éxito. Deja a tu marido por un perro. Automatiza un mensaje en tu e-mail: «Durante 2017, y hasta nuevo aviso, diríjanse a mí a través del apartado de correos 0700465.» Regala toda tu ropa y apúntate a un taller de corte y confección. Destruye la carpeta Dropbox de tu ordenador. Prepara una maleta sin nada dentro y vete. Cruza una frontera. No hagas obra nueva. Deja a tu mujer por un caballo. Abre la maleta en cualquier calle y acepta lo que otros te den. Aprende griego. Ve a un matadero y repite la escena central de *Rebelión en la granja*. Ponte una flor en la barba. Regala tus mejores zapatos. Cambia de sexo. Ningún animal usará ropa que no haya sido hecha por él mismo. Túmbate en el suelo de tu oficina y mueve los pies como si bailaras con el techo. Luego sal y no vuelvas. Deja a tu mujer por un álamo. No analices la coyuntura. Conversa solo en lenguas que no hablas y con gente que no conoces. Cruza una frontera. No pagues tu deuda. Quema tu ficha electoral. Ningún animal matará a otro animal. Rompe tu tarjeta de crédito. Valora lo que otros consideren inútil. Admira lo que otros consideren feo. Busca ser imperceptible, no ser representado. Ningún animal dormirá en una cama construida industrialmente. Modifica el objeto de tu libido. Descentra el placer genital. Goza sobre todo de aquello que excede los límites de tu cuerpo. Déjate penetrar por Gaia. Adjura del fármaco. Cambia los ansiolíticos por el paseo. Deja de votar. Teje. No construyas casas. No consumas. No acumules propiedad. No comas otros animales. No impulses el desarrollo humano. No segmentes. No incrementes la ganancia económica. No te mejores. No inviertas. Ve a una institución de enfermos mentales y repite la escena central de *Rebelión en la granja*. No organices la acción. Busca en la basura. No asegures. No hagas historia. No planifiques la jornada laboral. Reduce consciente e intencionalmente tu nivel de rendimiento. Ningún animal beberá alcohol Absolut. No subas vídeos a YouTube. Si no lo has hecho todavía, no te reproduzcas. No te modernices. No consumas cerveza Damm. No uses la comunicación de forma estratégica. No preveas el futuro. Busca hacer lo menos posible en la máxima cantidad de tiempo. No busques mejorar la rentabilidad. Ve a una residencia de la tercera edad y repite la escena de *Rebelión en la granja*. No rindas cuentas. Admira el saber que otros no consideran conocimiento. No digitalices. No dejes traza. Envía a tus competidores una simple misiva: «Me retiro. Feliz año nuevo.» No aumentes la infraestructura logística. Elige la simple vida frente a la extensión médica de la vida. Todos los animales son iguales.

Barcelona, 24 de diciembre de 2016

TECNOCONCIENCIAS

Me pongo a trabajar en una mesa uno de cuyos extremos está en Atenas y el otro en Barcelona. En un extremo de la mesa, Itziar dibuja mapas literarios de la ciudad, transcribe el barrio de El Besòs tomando como pauta la calle en la que vivía el escritor catalán depresivo y masturbador Miquel Bauçà, luego traza los contornos del barrio de Gracia a partir de las deambulaciones que sugiere la escritura del poeta Enric Casasses. Entretanto, en el otro extremo de la mesa, yo imagino las formas que un colectivo puede tomar cuando se reúne para pensar, actuar o gozar. Formas determinadas por el pacto o por el contrato, por la autonomía o por la independencia, por el poder o por la potencia, por la ley o por la regla, por la mostración o por la experimentación, por la improvisación o por la partitura. La mesa, separada por miles de kilómetros físicos, se une gracias a los soportes prostéticos de internet. La música que suena en Atenas se escucha en Barcelona. La voz, el más prostético y fantasmático de todos los órganos del cuerpo (recordemos que nacemos sin voz y que solo después de haber sido socializados la voz nos es «implantada» en el cuerpo, como si se tratara de un software), es el único que llega a cruzar el umbral. El mismo tiempo y dos espacios. O si prestamos atención al segundo que la música o la voz tardan en llegar desde Atenas a Barcelona, en cada nota, entonces diríamos que hay dos tiempos y un solo espacio. Pero son las categorías newtonianas de espacio y tiempo (topología y cronología) las que parecen haber colapsado. Flotamos. Nos miramos y me pregunto dónde está *esa* mirada, cómo es posible mirarse cuando lo que ven los ojos no son otros ojos sino la imagen de los ojos en una pantalla. A veces, la observo mientras mira un mapa en su pantalla. Imposible averiguar el momento en el que sus ojos han dejado de verme y han sustituido mi imagen por otra. Nuestras pantallas se miran. Nuestras pantallas se aman. Cuando esto sucede, no estamos, estrictamente hablando, ni aquí ni allá. La música, los mapas, la escritura, nosotros como entidad relacional, nuestro amor, existen entonces, se constituyen, en ese espacio que Deleuze denominaba *el pliegue,* una de cuyas internas exterioridades está constituida por miles de cables de internet, replegada y desplegada en cientos de miles de pantallas.

Las pantallas son la nueva piel del mundo, pienso mientras muevo su imagen con el dedo para hacerla coincidir con la mía. Son la piel de una nueva entidad colectiva radicalmente descentrada y en proceso de subjetivación. Mientras tanto, los implantes electrónicos acabarán transformando nuestras pieles en pantallas. Atravesamos una transformación semejante a la que vivieron los habitantes del planeta cuando Gutenberg inventó la imprenta. Tras la reproducción mecánica de la Biblia vino la secularización del saber y la automatización de la producción. Hoy la velocidad de la transformación tecnológica supera incluso las predicciones más excéntricas de la ciencia ficción. Cada año asistimos a la obsolescencia de aparatos y aplicaciones que nos parecían eternos y al nacimiento de nuevos que incorporamos en tan solo unas horas. Llegaremos a la desmaterialización absoluta y la automatización total. Nos esforzamos por naturalizarlo todo, pretendemos seguir narrando nuestras pasiones como lo hacían Homero o Shakespeare. Nos obstinamos en seguir ocupándonos de la producción, de la ideología, de la religión o de la nación, pero todo está girando. Queremos seguir afirmando que dios existe, que la nación existe, que el sexo existe, que el trabajo y el paro existen. Pero quizás ya no sea así. No participo de los sueños utópicos del poshumanismo, pero tampoco comparto la idea de aquellos que ven en la tecnología un instrumento neutral que media en nuestra relación con el mundo. Lo que Occidente llama tecnología no es sino una modalidad científico-técnica del chamanismo, y por tanto, una de las formas que toma nuestra conciencia cuando se despliega de manera colectiva: una exteriorización compartida de la conciencia colectiva. Dejemos atrás las visiones patriarcales y coloniales de la tecnología (que oscilan entre delirios de superpotencia y paranoias de total desempoderamiento) y hagámonos cargo de las formas heterogéneas que está tomando nuestra conciencia. Estamos mutando y solo algunos de nosotros (los que llevamos el monstruo dentro, aquellos en los que nuestra propia subjetividad y nuestro propio cuerpo han sido públicamente señalados como campos de experimentación y testigos materiales de la mutación) lo notamos.

Turín, 14 de enero de 2017

IMPRIMIR LA CARNE

No voy a hablar de Donald Trump. Voy a hablar de la posibilidad de imprimir un órgano sexual con una bioimpresora 3D. Lo que quizás sea otra manera de responder a Trump.

Hasta ahora la transformación anatómica de un cuerpo transexual suponía un doble proceso: de destrucción del aparato genital y de esterilización. Este era, y es todavía hoy el caso, en muchas de las operaciones de vaginoplastia y de faloplastia. Las cirugías propuestas en los procesos de transición son la secularización científico-técnica de un sacrificio ritual en el que el cuerpo trans es supliciado, mutilado y discapacitado para cualquier proceso de reproducción sexual. Aquí el objetivo no es la intensificación de la potencia vital del cuerpo (llámesele salud, placer o bienestar) sino la reafirmación de la norma falocrática y de la estética heterosexual penetrante-penetrado.

Pronto existirá, sin embargo, la posibilidad de imprimir nuestros órganos sexuales con una bioimpresora 3D. La biotinta se fabricará a partir de un compuesto de agregados de células madre que provienen del cuerpo al que el órgano está destinado: el órgano podría diseñarse primero por ordenador para ser implantado después en el cuerpo que lo reconocería como propio. El proceso ya se está experimentando para imprimir órganos como el corazón, el riñón o el hígado. Curiosamente, los laboratorios experimentales no hablan de la impresión de órganos sexuales. Dicen que es preciso establecer límites «éticos». Pero ¿de qué ética se trata? ¿Por qué es posible imprimir un corazón y no es posible imprimir un pene, una vagina o un clitopene? ¿No sería acaso posible imaginar una cantidad n+1 de órganos sexuales implantables? ¿Debe considerarse la estética de la diferencia sexual como un límite ético a la transformación del cuerpo humano? Recordemos que cuando Johannes Gutenberg afirmó en 1451 que era capaz de imprimir ciento ochenta copias de la Biblia (supuestamente la palabra de dios) con cuarenta y dos líneas de texto por página en tan solo unas semanas (algo que a mano podía llevar dos años) no solo lo consideraron inmoral, sino también herético. De nuevo, ahora sabemos concebir una bioimpresora 3D, pero no sabemos usarla libremente. Nuestras máquinas son más libres que nosotros.

Pronto dejaremos de imprimir el libro para imprimir la carne. Entraremos así en una nueva era de la bioescritura digital. Si la era Gutenberg se caracterizó por la desacralización de la Biblia, la secularización del saber, la proliferación de lenguas vernáculas frente al latín y la multiplicación de los lenguajes políticamente disidentes, la era bio-Gutenberg 3D supondrá la desacralización de la anatomía moderna como lenguaje vivo dominante.

El régimen de la hegemonía masculina y la diferencia sexual (que aún prevalecen aunque desde 1968 estén en crisis) son en el dominio de la sexualidad equivalentes a lo que el monoteísmo religioso fue en el ámbito teológico. Del mismo modo que resultaba imposible (o sacrílego) para el Occidente medieval poner en tela de juicio la palabra divina, resulta hoy todavía aberrante poner en duda el binarismo sexual. Estas son solo categorías históricas, mapas de la mente, limitaciones políticas a la proliferación indefinida de la subjetividad. La lógica del binarismo sexual y la diferencia entre homosexualidad y heterosexualidad son el efecto del sometimiento de la potencia del cuerpo a un proceso de industrialización de la reproducción sexual. Nuestros cuerpos solo son reconocidos como potenciales productores de óvulos o espermatozoides y conducidos a una cadena familiar-fordista en la que están destinados a reproducirse.

Masculinidad y feminidad, heterosexualidad y homosexualidad no son leyes naturales sino prácticas culturales contingentes. Lenguajes del cuerpo. Estéticas del deseo. La posibilidad de diseñar e imprimir nuestros órganos sexuales nos situará frente a nuevas preguntas. No con qué sexo anatómico nacimos, sino qué sexo queremos tener. Del mismo modo que los cuerpos trans escogemos intencionalmente introducir variaciones hormonales o morfológicas que no pueden ser reconocidas solo como masculinas o femeninas de acuerdo con los códigos binarios de género, en principio sería posible implantar una multiplicidad de órganos sexuales sobre un cuerpo: sería posible tener pene y clítoris o ninguna de las dos cosas, o un tercer brazo en lugar de un pene, un clítoris en el medio del plexo solar o una oreja erotizada destinada al placer auditivo. Llegará el tiempo de la estética contrasexual definida no por leyes de reproducción sexual o de regulación política, sino por principios de complejidad, singularidad, intensidad y afecto.

Berlín, 4 de febrero de 2017

EL CULO DE LA HISTORIA

El 2 de febrero de 2017 Théo Luhaka fue interpelado, insultado y violado con una porra telescópica por tres policías en el barrio de la Rose-des-Vents en Seine-Saint-Denis, cerca de París.

«La historia», decía Andréi Zheliabov, «se mueve muy despacio y hay que empujarla un poco por detrás.» Los viriles héroes políticos (de derecha como de izquierda) feminizan a la historia para después imaginarse a sí mismos aguijoneándola. Como si la historia fuera Théo y la política una porra. Pero ni Théo ni la historia necesitan a nadie que los empuje. Se equivocan: el culo de la historia salta como una liebre, o mejor valdría decir como una partícula. Einstein lo entendió mejor que el amigo de Lenin. El problema deriva de lo que el físico llamó la relatividad del movimiento dependiendo del sistema de referencia del que lo percibe. La historia se mueve, mientras nosotros nos obstinamos en creer, mirando por la ventanilla de nuestros teléfonos móviles, que todo sigue igual: estamos todavía en la Guerra Fría, en los años treinta, en el imperio colonial, en la era del apartheid, en la Inquisición, en las Cruzadas... Nuestra percepción es tan conservadora que nos resulta más fácil sentir el viento del Paleolítico que respirar la nube bioquímica del ahora.

Pero Francia ya es Théo. La historia no para, es nuestra percepción la que no deja de apretar el freno. Obsesionados con las ideas contradictorias pero mutuamente complementarias de naturaleza y de progreso lineal, no sabemos apreciar el movimiento hiphopeante de la historia, lo que nos impide saltar al tren adecuado en el momento preciso. Así creen algunos que el tren que pasa es Trump, el Brexit, Marine Le Pen... Eso son solo reflejos de un viejo tren llamado Patria, Estado nacional, gramática nacional, salud nacional, paraíso nacional, masculinidad nacional, pureza de la raza nacional, violación nacional, campo de concentración nacional... Pero el culo de la historia corre y nos lleva ventaja.

Estamos en un momento de crisis epistemológica. Vivimos un cambio de paradigma en las tecnologías de inscripción, una mutación en las formas colectivas de producir y almacenar conocimiento y verdad. Cualquiera de las máquinas que manejamos a diario cuenta con una capacidad diez mil veces superior a la de la mente humana individual para compilar, gestionar y analizar datos. Hemos secuenciado nuestro propio ADN. Podemos intervenir en la estructura genética del ser vivo. Modificamos de manera intencionada los ciclos hormonales y podemos intervenir en los procesos de reproducción. Utilizamos tecnologías nucleares cuyos residuos radiactivos durarán sobre la tierra un tiempo superior al de nuestra propia especie y cuyo manejo accidental podría conducirnos al apocalipsis. Hemos puesto las máquinas a toda marcha, mientras tanto pretendemos mantener inamovibles las tecnologías de producción de subjetividad y de gobierno colectivo.

En términos evolutivos, la gravedad (la potencialidad y el riesgo) del momento histórico que vivimos podría asemejarse a la del periodo en el que siendo *solo* animales inventamos el lenguaje como tecnología social. Esa transformación vino marcada por una hipertrofia de la función simbólica, por la dedicación de un tiempo «inútil» (en cuanto a la producción) al ritual y a la narración, por una atención literalmente delirante a lo inexistente, a lo invisible. El tempranamente desaparecido etnobotánico y teórico de la cultura rave Terence McKenna afirmaba que somos monos cuyo córtex neuronal se disparó por el consumo accidental del hongo alucinógeno *Psilocybe cubensis*. Si es así, sin duda ha llegado el momento de administrarnos una nueva dosis.

Cada contexto y encrucijada obligan a replantearse de nuevo el cómo y el porqué de la organización y de la acción revolucionaria. Las tecnologías de la subjetividad y de gobierno que la modernidad inventó para legitimar la supremacía sexo-colonial de Occidente sobre el resto del planeta están hoy en crisis: la masculinidad blanca como una encarnación dotada de soberanía política total y con monopolio de las técnicas de la violencia, el sujeto entendido como individuo libre-consumidor, la democracia representativa y el sistema de partidos.

Desde 1999 en Seattle, desde las revueltas de los disturbios de las *banlieues* francesas en 2005, desde las manifestaciones pacíficas de las plazas de Tahrir, de la Puerta del Sol, de Síntagma, los movimientos se han ido espesando. Théo ha crecido. Los trenes de la historia que llegan son las luchas de los diferentes sujetos políticos subalternos que desorganizan la hegemonía blanca masculina, que atacan la figura del libre-consumidor. La potencia transformadora de estas luchas en cooperación no puede ser capturada por la lógica de los partidos, ni reducida a escaños. No nos representan. Transfeminismos, políticas de descolonización, antiproductivismos: la transformación política solo puede venir de un doble proceso de insurrección y de imaginación. De desobediencia civil y de sacudida de la percepción. De destitución y de creación instituyente. Revolución y tecnochamanismo.

En 1849, mientras las sufragistas luchaban por el derecho al voto de las mujeres, la obrera, socialista y feminista Jeanne Deroin subvierte la gramática de la democracia «machista» presentándose ella misma como candidata a las elecciones legislativas. Deroin nos muestra hoy un posible camino de acción revolucionaria. No nos representan. ¿Podría hoy Théo presentarse para ser elegido presidente en Francia? ¿Acaso necesitamos comernos otra vez un hongo alucinógeno para ver la historia?

Atenas, 25 de febrero de 2017

NOTICIAS DESDE EL CLÍTORIS DE AMÉRICA

Conducimos desde Santa Cruz a lo largo de la bahía de San Francisco, al borde del océano Pacífico. Annie Sprinkle al volante y yo de copiloto con su perro Butch. Los árboles milenarios recuerdan que esta fue un día una tierra habitada por pueblos amerindios antes de ser arrebatada por colonos españoles en el siglo XVIII. Cuando Europa vivía las revoluciones de 1848, San Francisco se convertía en estado americano. Nos paramos en las playas, en los restaurantes de la costa. Mientras comemos sopa de almejas y pescado frito, Annie me habla de su vida como actriz porno y activista de los derechos de los trabajadores sexuales, de su transformación en artista, de su obra colaborativa con Beth Stephens. Llegamos a San Francisco: las calles ondulan como espaldas de foca mirando al Pacífico, las señoriales casas modernistas y victorianas se mezclan con otras que recuerdan la arquitectura de garajes, graneros y ranchos. Pasamos por Castro, vemos la casa de Harvey Milk. Esta es la ciudad del Verano del Amor, de la revuelta de Compton's, la ciudad en la que la disidencia de género se convirtió en movimiento político, el lugar, decían antes, con más trabajadores sexuales y activistas de género por metro cuadrado de todo el planeta. Annie Sprinkle dice que San Francisco es «el clítoris de América»,

255

el más pequeño y potente de los órganos del país: ciento veintiún kilómetros cuadrados ultraelectrificados de los que salen las redes de silicio que conectan al mundo. Un día fue la fiebre del oro, hoy es la fiebre cibernética. Sexo y tecnología. Sol y dólares. Activismo y neoliberalismo. Innovación y control. Google, Adobe, Cisco, eBay, Facebook, Facebook, Tesla, Twitter... Ciento veintiún kilómetros cuadrados que concentran un tercio del capital de riesgo de Estados Unidos.

Es 8 de marzo, pero entre derivas y conversaciones no llegamos a tiempo a San Francisco para participar en la manifestación. Los dos llevamos nuestros pañuelos rosas, pero nos confesamos el uno al otro que nunca nos ha gustado especialmente el Día de la Mujer. Nunca hemos sido buenos candidatos de casting. Ella, trabajadora sexual. Yo, primero lesbiana radical, y ahora trans. Además, ¿qué sentido puede tener celebrar un día de la mujer en un régimen binario de opresión de género? Sería algo así como celebrar un día del esclavo en el régimen de la plantación: fardar de grilletes y cadena. Pero este año algo parece haber cambiado: la llamada a una huelga general e internacional de mujeres inicia un proceso de insurrección de género y sexual. No celebración, sino desobediencia. No conmemoración, sino revuelta.

Como buenos punks del feminismo, Annie y yo decidimos celebrar el Día de la Mujer comprando dildos. En la ciudad-clítoris se concentran también los mejores fabricantes de tecnologías sexuales y masturbatorias. Vamos a una de las tiendas históricas de Mission: fundada por la terapeuta y educadora sexual Joani Blank, la compañía fue la primera dedicada en exclusiva al placer femenino y lesbiano. La empresa fue vendida primero a las trabajadoras y después comprada por la hija de un magnate californiano del porno. Aun así, muchas de las activistas y educadoras sexuales históricas de la ciudad, como Carol Queen, siguen trabajando allí.

Frente a la tienda, un pequeño piquete de manifestantes denuncia el asesinato a manos de la policía de San Francisco de Amílcar Pérez, un emigrante guatemalteco de veinte años. Dentro, nos recibe Jukie Sunshine, a la que recuerdo en una foto de Del LaGrace Volcano alzándose sobre la colina de Seven Sisters. Entrar en Good Vibrations con Annie Sprinkle es como entrar con Messi en el Museo del Balón. Todos los *sextoys* parecen vibrar al ver a Annie.

Miramos nuevos modelos de dildos prostéticos realistas en silicona hipoalergénicos y sin ftalatos. Consulto con Annie: prefiere el color «caramelo» al «vainilla», dice: «Será como si hubieras tomado el sol desnudo en California.» Cuando probamos nuevos vibradores su única pregunta es: «¿Y este serviría para masajear el cuello?» Frente a nuestra mirada perpleja Annie añade: «La sexualidad posmenopáusica es también posgenital.» Al final, se decanta por un accesorio ecosexual: un par de orejas de gata que se fijan sobre el pelo como dos orquillas. Al pasar por caja, Jukie nos recuerda que todos los dildos tienen un seguro a todo riesgo y para toda la vida, aunque no incluye, insiste, «daños causados por exnovias y perros». Annie me regala un «succionador de clítoris» en recuerdo, dice, de Silicon Valley.

A la salida de la tienda paseamos por el Clarion Alley, un callejón con decenas de murales, un museo de la protesta a cielo abierto. *«Blacks are Murdered with Impunity.» «Evict Google.» «Put Your Guns Down.»* En uno de los murales, alguien ha reemplazado las estrellas de la bandera estadounidense por calaveras y las rayas rojas y azules por nombres de personas asesinadas por la policía escritos en blanco y negro. Se han producido sesenta y siete asesinatos «legales» de migrantes latinos en lo que va de año. El último nombre es, de nuevo, Amílcar Pérez, pero también están SamuelDuBoseMiriamCareyBrendonGlennAntonioZambranoJessicaHernandez, escritos en mayúsculas y sin puntos ni comas, como si la muerte hubiera transformado todos los nombres en un único nombre. *«Rise in Power Brothers and Sisters.»* A la derecha de la bandera, junto a un RIP en 3D, un oso azul caga un arcoíris.

San Francisco, 25 de marzo de 2017

LA EXPOSICIÓN APÁTRIDA

La primavera no es una buena estación para la austeridad, cantaba la artista griega Lena Platonos en los años ochenta. A pesar de las decisiones de la Troika y del derrumbe de las instituciones democráticas, del resurgimiento de la estética fascista y de la transformación progresiva de los campos de refugiados en campos de concentración, la primavera vuelve a Atenas en 2017 y sigue sin ser una buena estación para la austeridad. El sol no se resigna al recorte del gasto público. Los pájaros no saben nada de la subida de la tasa de interés, del cierre de bibliotecas y de museos públicos, de los cientos de obras guardadas en sótanos que no le mostrarán a ningún público, de la incapacidad de la sanidad pública de proporcionar cuidados mínimos a los enfermos crónicos y seropositivos, del abandono de personas con fragilidades psicológicas o motoras, de la falta de asistencia médica y escolar a los migrantes... De todo eso, ni el sol de abril ni los pájaros del monte Licabeto quieren saber nada. En estas condiciones, ¿qué puede significar hacer en Atenas una exposición como documenta, que hasta ahora siempre se había hecho en Kassel? Obstinarse en seguir creyendo que la primavera no es estación para la austeridad y que el sol brilla para todos. O quizás rendirse a la nueva condición del cambio climático y aceptar que, como decía Jean-François Lyotard, incluso el sol está envejeciendo.

La primera documenta organizada en Kassel en 1955 por Arnold Bode tenía como objetivo volver a dar acceso a la obra de los artistas de vanguardia que habían sido excluidos por el régimen nazi después de la exposición *Arte degenerado* en Múnich en 1937. Bode pretendía reconfigurar la cultura pública europea en un contexto devastado por la guerra. Esta decimocuarta documenta surgió de un mismo sentimiento de urgencia. No estamos en una situación de posguerra, sino de guerra económica y política. Una guerra de las clases dirigentes contra la población mundial, una guerra del capitalismo global contra la vida, una guerra de las naciones y las ideologías contra los cuerpos y las inmensas minorías. La crisis de las hipotecas basura que se inicia en 2007 sirvió para justificar la mayor reestructuración política y moral del capitalismo global desde los años treinta. Grecia, junto con los países más tarde conocidos como PIGS («cerdos» en inglés: Portugal, Italia y España), se convierte en un significante políticamente denso, que sintetiza todas las formas de exclusión que produce la nueva hegemonía financiera: restricción de los derechos democráticos, criminalización de la pobreza, rechazo de la migración y patologización de toda forma de disidencia.

Por ello la investigación que ha dado lugar a la exposición se ha hecho sobre todo desde Atenas: aquí vivimos parte del equipo curatorial y el director; por aquí han pasado durante meses los cientos de artistas, escritores y pensadores que hacen documenta 14. «No puedes poseer nuestro espíritu sin compartir nuestra realidad política», afirma en una sus obras el artista aborigen australiano Gordon Hookey. Por eso también la exposición se inaugura hoy en Atenas, y solo ocho semanas después, el 10 de junio, en Kassel. En el proceso de investigación en Atenas, fue crucial vivir el fracaso democrático que supuso el referéndum del *OXI* (no) el 5 de julio de 2015. Cuando el gobierno griego se negó a aceptar la decisión ciudadana, el Parlamento apareció como una institución en ruinas, vacía, incapaz de representar. Al mismo tiempo, la plaza Síntagma y las calles de Atenas se llenaron durante días de voces y de cuerpos. El parlamento estaba en la calle. De ahí surgió el programa público de documenta 14: el «Parlamento de los Cuerpos». Desde septiembre de 2016 abrimos un espacio de debate en el parque Eleftherios donde artistas, activistas, críticos y escritores, entre otros, se reúnen para repensar la reconstrucción de la esfera pública en un contexto en el que la democracia (y no la economía de mercado) ha entrado en crisis. Una de las dificultades (y bellezas) de hacer posible esta exposición en Atenas ha sido la decisión de su director artístico, Adam Szymczyk, de colaborar solo con instituciones públicas. En condiciones de guerra, el interlocutor institucional de la exposición no puede ser ni el *establishment*, ni las galerías, ni el mercado del arte. Al contrario, la exposición se entiende aquí como un servicio público, como un antídoto contra la austeridad económica, política y moral.

Cuando se trata de una exposición internacional como documenta, todo el mundo pregunta por la lista de artistas y sus nacionalidades, el número proporcional de griegos y de alemanes, de hombres y de mujeres. Pero ¿quién tiene hoy derecho a un nombre? ¿Quién puede afirmar que es ciudadano de una nación? Es el estatuto del «documento» y sus procesos de legitimación los que están en cuestión. Mientras el sol envejece y el mapa geopolítico se quiebra, entramos en un tiempo en el que el nombre y la ciudadanía han dejado de ser condiciones banales para volverse privilegios, en el que sexo y género han dejado der ser designaciones obvias para transformarse en estigmas o en manifiestos. Algunos de los artistas y curadores de esta exposición perdieron un día un nombre o adquirieron otro para modificar sus condiciones de supervivencia. Otros han cambiado varias veces su estatuto de ciudadanía o siguen a la espera de que una petición de asilo les sea acordada. ¿Cómo los nombraremos entonces? ¿Los contaremos como sirios, como afganos, como ugandeses, como canadienses, como alemanes o como simples números en una lista de espera? ¿Cuentan como griegos o como alemanes los cientos de artistas helenos emigrados buscando mejores condiciones de vida en Berlín? ¿Cuentan los samis como finlandeses o noruegos, los gitanos como franceses, rumanos o españoles, los catalanes o vascos como españoles? ¿Cuentan los exiliados de la guerra de Biafra como canadienses o como nigerianos? ¿Cómo se cuentan los artistas exiliados nacidos en tierras que deberían llamarse Palestina, y cuya obra vuelve incesantemente al lugar perdido? Lo mismo ocurre cuando se trata de las estadísticas de igualdad de sexos. ¿Cuentan como hombres o mujeres los artistas trans o intersexuales? In-documentados.

documenta 14 tiene lugar sobre un suelo epistemológico y político que se resquebraja. El sacrificio económico y político al que se ha sometido a Grecia desde 2008 es simplemente el principio de un proceso más amplio de destitución de la democracia que se extiende por Europa. Desde que empezamos a preparar esta documenta en 2014 hemos asistido a esta destrucción progresiva que impregna ahora todas las instituciones culturales: el rechazo a los refugiados, el conflicto militar en Ucrania, el repliegue identitario de los países europeos, el giro ultraconservador de Hungría, Polonia, Turquía, Filipinas, Brasil..., la llegada de Trump al poder, el Brexit... El planeta empieza un proceso de «contrarreforma» que busca instituir de nuevo la supremacía blanca-masculina y deshacer las conquistas democráticas que los movimientos obreros, anticoloniales, indigenistas, feministas y de liberación sexual han luchado por conseguir durante los últimos dos siglos. Una nueva modalidad de neoliberal-nacionalismo traza nuevas fronteras y construye nuevos muros. En estas condiciones, la exposición, con sus formas diversas de construir un espacio público de visibilidad y enunciación, tiene que convertirse en una plataforma de activismo cultural. Un proceso nómada de cooperación colectiva, sin identidad y sin nacionalidad. Kassel travestido en Atenas. Atenas mutando en Kassel. Las condiciones de la vida sin techo y del destierro, de los desplazamientos sucesivos, de las migraciones, de la traducción y la poliglosia, nos obligan a ir más allá del relato etnocéntrico de la historia occidental moderna, abriendo nuevas formas de acción democrática. documenta está en transición. Inspirada por las metodologías de la pedagogía experimental, descoloniales, feministas y *queer* que ponen en cuestiones las condiciones en las que diferentes sujetos políticos se hacen visibles, esta exposición se afirma como apátrida en el doble sentido: cuestionando el vínculo con la «patria», pero también con la genealogía colonial y patriarcal que ha construido el museo de Occidente, y que ahora pretende destruir Europa.

Atenas, 7 de abril de 2017

ME GUSTARÍA VIVIR

Los recuerdos de mi último viaje a California vuelven con la intensidad de una ficción, como extraídos de una novela de Ursula K. Le Guin. Los colores son más radiantes que en la realidad de Kassel. El olor del mar, el brillo de la piel de las focas o los gritos de los manifestantes en las calles lanzan fogonazos en mi mente con la consistencia que solo posee lo que existe en la narración literaria. En esa novela, un tal Donald Trump había ganado las elecciones democráticas de un país llamado Estados Unidos de América. Había prometido construir un muro a lo largo de la frontera con México. Había aumentado en 54.000 millones el presupuesto militar del país. Había afirmado que la tortura era necesaria para extraer la verdad de los putos terroristas. Había dicho en público que lo más importante que una mujer tiene es su bonito culo.

En esa novela, para sentirse unidos frente a lo que estaba ocurriendo, Annie Sprinkle y Beth Stephens organizaban una cena con sus amigos en su casa de San Francisco. La cena era un ritual en el que cada uno de los participantes había sido invitado a dar algo y a tomar algo. El artista mexicano-estadounidense Guillermo Gómez-Peña había compuesto un poema que empezaba así: «Me gustaría vivir como si Donaldo Trompazo no existiera. Me gustaría despertarme como si Donaldo Trompazo no hubiera ganado las elecciones. Como si Donaldo Trompazo no fuera ahora presidente del gobierno.» Nadie pudo emitir una risa, ni hacer un solo comentario. En medio de la noche, el silencio del salón permitía oír el canto de los pájaros como si alguien los hubiera grabado en alta definición y los estuviera reproduciendo ahora con una prótesis implantada directamente en las circunvoluciones transversales de Heschl, en las áreas 41 y 42 del mapa de Brodmann, en la corteza primaria de nuestros cerebros. Los pájaros cantando y la voz de Guillermo se convertían en cinceles tallando una escultura compuesta de aire y vibraciones auditivas. «Me gustaría caminar hacia Tijuana como si Donaldo Trompazo no existiera. No quiero decir su nombre, porque me gustaría vivir como si Donaldo Trompazo no existiera.»

No sé si sueño o si recuerdo. Me asalta la imagen del cuerpo de Guillermo como una aparición virginal. La virgen india de la frontera. Los cantos de los pájaros se confunden con los gritos de los niños en un parque de cemento que se ve desde una de las ventanas del Fridericianum. El ritmo de trabajo que exige el montaje y despliegue de la exposición documenta 14, estar veinticuatro horas dentro del museo montando obras de artistas hace que me cueste cada vez más distinguir la realidad de la ficción. Mi propia vida pasada se deshace como si fuera una historia que leí hace tiempo y que ahora no soy capaz de recordar con precisión. Una historia en la que yo mismo tenía otro rostro, otra voz, otro nombre. Nuestra historia común se deshace. Y aparece otra que alguien quizás pudo escribir en 1933 o en 1854 o en 1804 o en 1497. Hace meses que no he vuelto a París. Todas mis cosas están en la última casa en la que viví. La mujer que sigue viviendo en esa casa me escribe y me dice que hoy ha guardado los últimos objetos que le recordaban a mí en el trastero. Me escribe: «El trastero está helado. He vuelto a ver las cosas entre las que vivimos. Fuimos tan felices.» Le respondo, mintiendo: «Recuerdo cada minuto que vivimos juntos.» Pero ya no lo recuerdo. Ahora lo imagino.

La política es un texto de ficción en la que el libro es nuestro propio cuerpo. La política es un texto de ficción, con la única salvedad de que es escrito, con tanta sangre como tinta, colectivamente. En ese texto de ficción todo es posible: un muro que separe Estados Unidos de México, el cierre total de fronteras para los portadores de documentos de identidad de países árabes, la privatización de la sanidad pública, la criminalización de la homosexualidad y del aborto, la condena a muerte de los portadores del VIH, el encierro institucional de las personas con diferencias físicas o psíquicas... La historia nos enseña que siempre todo, de lo más absurdo a lo más brutal, ha sido políticamente posible: fue posible que la antigua Grecia edificara un sistema democrático (que aún admiramos) que excluía a mujeres, niños, esclavos y extranjeros; fue posible exterminar la población indígena de las islas atlánticas y del continente americano, fue posible construir el sistema económico de la plantación en el que un 15 % de la población blanca esclavizaba a un 85 % de la población que había sido capturada en África; fue posible instalarse en Argelia y llamar idiota a la población que había nacido allí; fue posible expulsar a los palestinos de su propias casas; fue posible decir a las mujeres que si no parían no existían; fue posible construir un muro en medio de Berlín para separar Occidente y Oriente, el bien y el mal; fue posible convencer a la gente de que el sexo era obra del demonio. Recuerdo o imagino otra vez la voz de Guillermo: «Me gustaría vivir como si Marine Elpene y Manuel Macarrón no existieran. Me gustaría despertarme como si Marine Elpene y Manuel Macarrón no hubieran ganado las elecciones.»

Nueva York, 28 de abril de 2017

NUESTROS BISONTES

Durante el siglo XIX se mató en Norteamérica más de cuarenta millones de bisontes. A estos imponentes y hermosos herbívoros no los sacrificaron por su carne, ni siquiera por su piel. Su carne se pudría al sol y sus huesos triturados solo servían como fertilizantes de las nuevas tierras colonizadas. La masacre de bisontes fue alentada por el gobierno federal y perpetrada por el ejército y por miles de colonos anónimos —cualquiera que poseyera un rifle— como un medio para desplazar y matar de hambre a los pueblos indígenas, cuya alimentación y forma de vida dependía por entero de la caza ritual del bisonte. El coronel Sheridan aplicó un viejo arte de guerra, según el cual «destrozar los recursos del enemigo es la manera más eficaz y definitiva de acabar con él». Hacia 1890 solo quedaban setecientos cincuenta ejemplares de bisonte que se refugiaron en el parque de Yellowstone, lo que ha permitido su conservación hasta hoy. En 1890, los pueblos indígenas se habían visto casi exterminados o recluidos en reservas bajo control federal. Sin duda para compensar simbólicamente una culpa genocida y una deuda impagable, el presidente Obama declaró hace no tanto el bisonte como animal emblema de Estados Unidos.

La técnica de guerra indirecta aplicada por Sheridan parece iluminar hoy el funcionamiento de las políticas de gestión de la transexualidad en buena parte de los Estados europeos. Mientras algunos de los Estados, como por ejemplo el español, han declarado leyes que flexibilizan el acceso al cambio de identidad sexual, haciendo de las personas trans el nuevo «animal emblema» de las políticas sociales progresistas, las prácticas concretas de producción de la subjetividad trans desplegadas institucionalmente siguen amenazando nuestras vidas.

Desde hace meses, los usuarios de Testex Prolongatum 250 mg, un compuesto a base de testosterona cipionato elaborado y comercializado por los laboratorios Desma, nos vemos sometidos a una restricción casi total del suministro de este fármaco. Se rumorea que el laboratorio Desma quiere cambiar el nombre o la fórmula de este preparado, lo que le permitiría modificar el precio. Mientras que una dosis por inyección intramuscular de Testex Prolongatum 250 mg (suficiente para cubrir el suplemento de testosterona durante catorce días) cuesta 4,42 euros, de los que el usuario paga 0,5, la alternativa, Testogel 50 mg (treinta dosis, de las cuales una dosis en gel debe ser aplicada cada día), cuesta 52,98 euros, de los cuales la Seguridad Social paga casi 50.

Estamos atrapados en el cruce de dos lógicas en apariencia opuestas, pero en realidad complementarias, de control de la subjetividad sexual disidente. El Estado nos reconoce como «transexuales» a cambio de producirnos como enfermos psicopatológicos a los que debe suministrar una cura. La industria farmacéutica, por su parte, no necesita el diagnóstico psicopatológico como justificación para convertirnos en consumidores rentables. Sin embargo, a ninguno de los dos parece interesarle nuestro acceso libre a la testosterona. El Estado nos prefiere bajo control: patologizados, dependientes, sumisos. A la industria farmacéutica no le resultamos suficientemente rentables como consumidores de Testex 250 mg. Prefiere hacer del mucho más costoso Testogel nuestra única manera de acceder a la testosterona. El Estado nos marca y nos cerca, nos obliga a vivir en el espacio restringido de la «enfermedad». La industria farmacéutica comercia con nuestros bisontes.

Cualquier hombre trans sabe que la interrupción de la administración periódica del fármaco desata cambios hormonales que producen una cascada de efectos secundarios insoportables: cambios de humor, sudoración, temblor de manos, dolor de cabeza y, por último, el retorno del sangrado menstrual. Pregunto en cada farmacia, como un parado buscando trabajo, como un refugiado buscando asilo, pero siempre encuentro la misma pregunta: los laboratorios no distribuyen y la Seguridad Social no se responsabiliza. Y entonces dejo de ser un ciudadano, dejo de ser un profesor y me convierto simplemente en un yonqui a la búsqueda de 250 miligramos de testosterona, en un comprador de oro barato, en un buscador de esmeraldas de rebajas, en un contrabandista de órganos. Al final, viajo a Londres a recoger yo mismo un par de gramos que un amigo me ha conseguido. Fabricar un cuerpo, llevar un nombre, tener una identidad legal y social es un proceso material: supone tener acceso a un conjunto de prótesis sociopolíticas: partidas de nacimiento, protocolos médicos, hormonas, operaciones, contratos matrimoniales, documentos de identidad... Impedir o restringir el acceso a estas prótesis es, de facto, imposibilitar la existencia de una forma social y política de vida.

Se dice que, en tiempo de la colonización de América, cuando buena parte de los indios habían sido recluidos en reservas, Sheridan propuso un último *deal:* el estado federal le daría a cada indio una botella de whisky a cambio de cada lengua de bisonte. Así cayeron los últimos.

Ante las urnas, ante las instituciones y ante el mercado, los ciudadanos somos hoy simples reservas de población cautiva y consumidora. Filas para votar, filas para cobrar un salario y para pagar facturas, filas para nacer y morir en un hospital, filas para obtener asilo, filas para acceder a la dosis... No es posible seguir esta simulación de amistad ni con las instituciones llamadas democráticas (que matan nuestros bisontes) ni con el mercado (que comercia con sus lenguas).

Es necesario inventar formas de vivir soberanas frente a la doble hélice del Estado patriarcal-mercado neoliberal. Es necesario crear cooperativas de usuarios politizados, cooperativas que nos permitan ganar soberanía tanto frente a las instituciones patologizantes, como frente a la industria farmacéutica y sus ambiciones de beneficio genocida. Las cooperativas de usuarios politizados están llamadas a ser lugares en los que no solo se produzcan y distribuyan sustancias, sino también saberes: lugares de autodiagnóstico, de producción autónoma, ecológica y sostenible y de distribución justa.

Abandonemos las listas de espera mortecinas y sumisas. No dejemos caer ni un bisonte más. Saltemos sobre el último caballo que nos queda y salgamos huyendo.

Londres, 17 de mayo de 2017

EL PRECIO DE VUESTRA NORMALIDAD ES NUESTRA MUERTE

La batalla legal de Gaëtan Schmitt para ser declarado de «sexo neutro» y la importante circulación del documental *Ni fille ni garçon* que sigue la trayectoria, entre otros, del activista Vincent Guillot, han acercado al debate público en Francia las demandas de los movimientos intersexuales. Si los años sesenta fueron el momento de la emergencia de los movimientos feminista y homosexuales, podríamos decir que el nuevo milenio se caracteriza por la visibilidad creciente de las luchas trans e intersexuales. Se abre así la posibilidad de configurar una segunda revolución sexual transfeminista, no estructurada en forma de políticas de identidad, sino construida a través de las alianzas de múltiples minorías políticas frente a la norma.

Nuestra historia de la sexualidad es tan increíble como un relato de ciencia ficción. Después de la Segunda Guerra Mundial, la medicina occidental, dotada de nuevas tecnologías que permiten acceder a diferencias del viviente que hasta entonces no eran visibles (diferencias morfológicas, hormonales o cromosómicas), se confronta con una realidad incómoda: existen, desde el nacimiento, cuerpos que no pueden ser caracterizados simplemente como masculinos o femeninos: penes pequeños, testículos no formados, falta de útero,

271

variaciones cromosómicas que exceden XX/XY... Bebés que ponen en jaque la lógica del binarismo. Se produce entonces lo que en la terminología de Thomas Kuhn podríamos llamar una crisis del paradigma epistémico de la diferencia sexual. Hubiera sido posible modificar el marco cognitivo de asignación sexual, abriendo la categoría de lo humano a cualquier forma de existencia genital. Sin embargo, lo que ocurrió fue exactamente lo contrario. Se declara «monstruoso», «inviable» y «discapacitado» al cuerpo genitalmente diferente, sometiéndolo a un conjunto de operaciones quirúrgicas y hormonales que buscan reproducir la morfología genital masculina o femenina dominante.

Los macabros protagonistas de esta historia (John Money, John Hampton y Andrea Prader) no son ni físicos nucleares ni militares. Son pediatras. A partir de los años cincuenta se generaliza el uso de la «escala Prader» (un método visual que permite medir lo que denominan «la virilización anormal de los genitales» en los bebés estudiando la longitud y la forma de los órganos) y el «protocolo Money» (que indica los pasos que hay que seguir para reconducir un bebé intersexual hacia uno de los dos polos del binario, masculino o femenino). Se impone como rutina hospitalaria la mutilación genital de los bebés considerados como intersexuales. Si diversas convicciones religiosas practican rituales de marcado y mutilación genital (clitiderictomía, circuncisión...) que el Occidente supuestamente civilizado declara como bárbaros, ese mismo discurso racional acepta como necesaria la práctica de violentos rituales científicos de mutilación genital. Aquella ciencia ficción porno-gore de los años cincuenta es hoy nuestra arqueología anatómica común.

La diferencia genital masculino-femenino es en realidad una estética (un conjunto de formas juzgadas de acuerdo con una escala de valores) arbitraria e históricamente sobrestimada según la cual solo hay dos posibilidades de lo humano: pene penetrante, vagina penetrada. Somos víctimas de un kitsch porno-científico: la estandarización de la forma del cuerpo humano de acuerdo con criterios de estética genital heterocentrada. Fuera de esta estética binaria, cualquier cuerpo se considera patológico y, por tanto, es sometido a un proceso de normalización terapéutica.

El régimen sexo-género binario es al cuerpo humano lo que el mapa es al territorio: un entramado político que define órganos, funciones y usos. Un marco cognitivo que establece las fronteras entre lo normal y lo patológico. Del mismo modo que los países africanos fueron inventados por los acuerdos coloniales de los imperios decimonónicos, la forma y la función de nuestros órganos así llamados sexuales fueron el resultado de los acuerdos de la comunidad científica estadounidense del periodo de la Guerra Fría y de sus intentos por mantener los privilegios patriarcales y la organización social de la reproducción heterosexual.

El movimiento intersexual contemporáneo denuncia el modo en el que Prader confunde, por ejemplo, las formas genitales poco habituales (¿«poco», realmente? Un bebé cada dos mil nacidos, según Prader, uno cada mil o incluso cada ochocientos según estudios más recientes) con las patológicas, forzando un proceso de normalización quirúrgica u hormonal que viola el derecho de un cuerpo a su integridad morfológica. La mutilación genital debe considerarse un crimen, con independencia de si se lleva a cabo bajo la legitimación de un discurso religioso o científico. Un cuerpo con macroclítoris y con útero tiene derecho a que se lo reconozca como un cuerpo humano viable, sin necesidad de que se lo reconduzca de manera violenta hacia la estética genital binaria. Un cuerpo sin pene y con un orificio no penetrable puede tener existencia genital y sexual fuera de la imposición forzosa de la heterosexualidad normativa. Otras estéticas genitales son posibles y merecen ser políticamente viables. Algunos trans elegimos intencionalmente la estética intersexual (hombre sin pene, mujer con pene, etcétera) como forma preferente de rediseñar nuestros cuerpos.

Es el régimen binario de sexo-género el que debe ser modificado, no los cuerpos llamados intersexuales. El precio de vuestra normalidad sexual es nuestro intersexualicidio. La única cura que necesitamos es un cambio de paradigma. Sin embargo, como nos ha enseñado la historia, puesto que el paradigma de la diferencia sexual y de género es la garantía del mantenimiento de un conjunto de privilegios patriarcales y heterosexuales, este cambio no será posible sin una revolución política.

El transfeminismo podría definirse como aquel movimiento revolucionario, aunque pacífico, que, procedente de la alianza de las luchas históricas antipatriarcales del feminismo, y de las luchas recientes por la desmedicalización y despatologización de los movimientos trans, interesexual y de la discapacidad *(handiqueer)*, entiende la abolición del sistema binario sexo-género, y de sus inscripciones institucionales y administrativas (desde la asignación de sexo *in utero* o en el momento del nacimiento) como condición de posibilidad de una profunda transformación política que conduzca al reconocimiento de la irreductible multiplicidad del viviente y del respeto a su integridad física.

Atenas, 2 de junio de 2017

EL SUR NO EXISTE

Durante trece ediciones consecutivas, Kassel fue el lugar indiscutible en el que la exposición documenta se llevaba a cabo. documenta 14 ha sacudido esta evidencia, inaugurando la exposición primero en la ciudad de Atenas. Pero ¿debe interpretarse este desplazamiento como un movimiento hacia el sur, hacia el sur de Europa o más aún hacia el sur global?

Digámoslo cuanto antes. Como nos enseñan los críticos anticoloniales Aníbal Quijano, Silvia Rivera Cusicanqui o Walter Mignolo, el sur no existe. El sur es una ficción política construida por la razón colonial. El sur es una invención de la cartografía colonial moderna: el efecto al mismo tiempo de la *traite négrière transatlantique* y del despliegue del capitalismo industrial en búsqueda de nuevos espacios en los que llevar a cabo la extracción de recursos. El revés de la invención del sur fue la construcción de una ficción occidental moderna del norte. El norte, por tanto, tampoco existe. Grecia ocupa una posición singular en este juego de ficciones políticas.

A partir del Renacimiento, Grecia, como significante, fue «cortado» de su contexto geográfico e histórico para ser transformado en la fundación mítica del norte occidental. Esta operación requirió el borrado de las conexiones con el

Imperio otomano, pero también de las relaciones históricas culturales de la cultura helénica con el mediterráneo y África. El «blanqueamiento» de la historia griega para que esta pudiera ser el origen de la civilización cristiana aria ocupó un papel crucial en la formación de la identidad moderna alemana en los proyectos de Johann Joachim Winckelmann, Friedrich Schiller, Friedrich August Wolf, Wilhelm von Humboldt o Friedrich Schleiermacher.

A partir del siglo XVIII, las economías imperiales y las narrativas cristianas de supremacía blanca desplazaron los centros de producción de conocimiento y valor desde Asia, Oriente Medio y el mar Mediterráneo hacia el norte de Europa (Países Bajos, Francia, Alemania e Inglaterra), inventando no solo el sur sino también el este. Durante la Guerra Fría, el oeste será dotado de nuevos significados políticos: el mapa será de nuevo fragmentado. Paradójicamente, tras la segunda oleada de descolonizaciones (India, Argelia, Nigeria...), la caída del Muro de Berlín y la extensión global del capitalismo financiero, las distinciones entre norte y sur se han multiplicado en lugar de haber desaparecido. La crisis financiera de 2007 intensificó estas distinciones y construyó un nuevo sur de Europa para los llamados PIGS (Portugal, Italia, Grecia y España).

El sur no es un lugar, sino el efecto de relaciones entre poder, conocimiento y espacio. La modernidad colonial inventa una geografía y una cronología: el sur es primitivo y pasado. El norte es progreso y futuro. El sur es el resultado de un sistema racial y sexual de clasificación social, una epistemología binaria que opone arriba y abajo, la mente y el cuerpo, la cabeza y los pies, la racionalidad y la emoción, la teoría y la práctica. El sur es un mito sexualizado y racializado. En la epistemología occidental, el sur es animal, femenino, infantil, marica, negro. El sur es potencialmente enfermo, débil, estúpido, discapacitado, vago, pobre. El sur se representa siempre como carente de soberanía, carente de conocimiento, de riqueza y, por lo tanto, como intrínsecamente endeudado con respecto al norte. Al mismo tiempo, el sur es el lugar en el que se lleva a cabo la extracción capitalista: el lugar en el que el norte captura energía, significado, *jouissance* y valor añadido. El sur es la piel y el útero. Es aceite y café. Es carne y oro.

En el otro extremo de esta epistemología binaria, el norte aparece como humano, masculino, adulto, heterosexual, blanco. El norte se presenta como cada vez más sano, más fuerte, más inteligente, más limpio, más productivo, más rico. El norte es el alma y el falo. El esperma y la moneda. La máquina y el software. Es el lugar de la recolección y de la ganancia. El norte es el museo, el archivo, el banco.

La división norte-sur sobrescribe cualquier otra forma de espacialización. Cada sociedad designa un sur, un lugar donde se lleva a cabo la extracción y donde se deposita la basura. El sur es la mina y la cloaca. El corazón y el ano. Al mismo tiempo, el sur es el lugar temido por el norte como reserva de potencia revolucionaria, y por eso allí se intensifican el control y la vigilancia. El sur es el campo de guerra y la prisión, el lugar de la bomba y de los residuos nucleares.

Atenas no es el sur. Kassel no es el norte. Todo tiene un sur. El lenguaje tiene un sur. La música tiene un sur. El cuerpo tiene un sur. Tú mismo tienes un sur. Gira la cabeza. Cómete el mapa. Hackea la línea vertical. Devuelve la soberanía a tus pies y baila. Deja que tu sur decida.

Atenas, 23 de junio de 2017

PIOLÍN TIENE UNA CITA CON LA HISTORIA

Resulta claro que estos días, alguno de estos días (quién sabe exactamente cuándo), Cataluña tiene una cita con la Historia. Lo que no resulta tan claro es si la Historia, con hache mayúscula, por favor, vendrá o no a la cita, y cómo lo hará en caso de que se presente. En contra de lo que hubiéramos podido imaginar, la Historia no es el resultado de una racionalidad política articulada con precisión, sino más bien el efecto abrupto del encadenamiento de rocambolescos errores políticos. En su libro *China en diez palabras,* el escritor Yu Hua describe la Revolución china como si se tratara de un drama cómico-gore de serie B: un proceso violento y caótico lleno de ardientes fervores y estúpidas decisiones, de auténticos héroes venidos a menos y de héroes de pacotilla encumbrados como líderes espirituales del siglo, de ridículos eslóganes repetidos hasta la saciedad y de sandeces que adquieren estatuto de institución. Así, por ejemplo, mientras la hambruna se cobraba cientos de millones de vidas, el gobierno no dejaba de clamar la gloria de la nación, presentando informes falsos en los que China aparecía como el mayor productor mundial de arroz, semillas o incluso de boniatos. La revolución, dice Yu Hua, «fue una comedia absurda impregnada de ideales románticos. El falseo, la exageración y la fanfarronada estaban a la orden del día».

Las gestas de la cita de Cataluña con la Historia las habrán podido seguir narradas (con relatos diferentes) por *El País,* por *El Mundo,* por la televisión española o por TV3. La ley del referéndum de autodeterminación se aprueba el 7 de septiembre de 2017 sin el consenso necesario, utilizando una estrategia «por lectura única», por la vía rápida y sin anuncio previo, que los partidos independentistas no pudieron sino aprender de los métodos de abuso de poder del PP. Junts pel Sí y la CUP inventan, contentos y congratulados, la figura de lo «ilegal legal». Por su parte, Mariano Rajoy se alza en salvador de la unidad nacional y criminaliza todos los procesos de la política autonómica catalana, inventando, mientras se frota las manos pensando en las futuras ganancias electorales, la figura de lo «legal ilegal»: se detiene a catorce personas acusadas de implicación en el referéndum, desde cargos políticos de la Generalitat hasta técnicos informáticos; se prohíben los actos públicos en favor del referéndum en todo el Estado español; la Policía Nacional acude a la sede de la CUP e incauta documentos que consideran como propaganda ilegal; la Guardia Civil confisca libros, carteles y documentos que promueven el referéndum. Solo durante el franquismo y en el País Vasco después de la muerte de Franco habíamos asistido a una escalada semejante de restricción de las libertades civiles y políticas en la península. Para acentuar el tono burlesco de esta cita con la Historia, el gobierno alquila el barco *Moby Dada,* adornado con dibujos de Silvestre y Piolín, varado en el puerto de Barcelona, en el que aloja a miles de policías nacionales con la previsión de desplegarlos durante las acciones contra el referéndum el día 1 de octubre. La compañía Warner, dueña de la propaganda que adorna el barco, inquieta por la asociación entre la represión policial y sus figuras de cómic, pide que se recubran los dibujos de Piolín y de Silvestre..., aunque ya es demasiado tarde. Para entonces, la imagen se ha convertido en viral, Piolín en *trending topic* y Piolín.cat en el nombre de la página en la que los «ilegales legales» votantes pueden consultar la dirección de su colegio electoral. Por su parte, Puigdemont, gran defensor del derecho a decidir, no deja de regalarnos pensamientos contradictorios tragicómicos que a Yu Huan le habrían recordado a su propia Historia: durante una entrevista televisada, a la pregunta por el referéndum y por el derecho de autodeterminación kurdo o de los pueblos saharauis, Puigdemont, que dice haber olvidado que votó en contra, no duda en argumentar que está en contra del referéndum kurdo porque no han sido «convocado por un gobierno». Ciertamente, en China nunca crecieron tantos boniatos gigantes como en 1960.

Para el catedrático constitucionalista sevillano Javier Pérez Royo, el centralismo del Tribunal Constitucional ha llevado a Cataluña a un callejón sin salida. La Constitución española elaborada en 1978, después del final del franquismo, se basaba en un pacto territorial según el cual Cataluña se integraba en el Estado español. A cambio, el Estado reconocía el autogobierno de Cataluña, de modo que las decisiones votadas por el Parlamento catalán y refrendadas por los catalanes no se podían recusar. La brecha que condujo a la situación actual se abrió en 2006 cuando el Tribunal Constitucional español recusó el Estatut catalán rompiendo el pacto del 78 y dejando a Cataluña fuera de marco. Se inicia ahí un proceso de deriva que abre la puerta por la que entrarán los fanfarrones de la Historia. Sin embargo, este doble proceso de restricción de derechos y de insurrección abre al mismo tiempo la posibilidad de poner en cuestión la Constitución posfranquista generando por primera vez un contexto propicio a la reescritura de un nuevo pacto social posmonárquico y republicano, federalista o confederalista.

De ahí que mientras la ostentosa Historia se da cita con los políticos de Cataluña y del resto del Estado español, los ciudadanos se reúnen con la microhistoria iniciando un proceso de refundación democrática que podría extenderse a todo el Estado español.

Sorprende estos días en Cataluña la cooperación ciudadana para la organización de un proceso de insurrección pacífica. Frente a palacios de justicia y comisarías se dan cita miles de personas que se reúnen para cantar o discutir. Una oleada de sonidos metálicos recorre la ciudad cada noche a las diez. En todas las ciudades se han organizado caceroladas para protestar contra la detención de los catorce imputados. Asomado a una ventana de un edificio del Barrio Gótico, asisto a una lección de cultura democrática impartida por un vecino a un turista. Cuando los turistas que ocupan la terraza del primero se quejan de que el ruido de las manifestaciones no les dejan dormir, el vecino del tercero responde: «Si no te importan los derechos de los que viven en esta ciudad, ¿qué haces aquí? Saca una cazuela y únete a nosotros.»

Es en los diálogos en el margen de la Historia, en esta cita con la microhistoria, donde reside la esperanza: el referéndum catalán podría transformarse en un referéndum de todo el territorio español que pensara la reescritura de la Constitución y la fundación de una nueva República realmente posfranquista.

Barcelona, 30 de septiembre de 2017

MAL NACIDOS

Después de haber estado la pasada semana en Barcelona, viajo de nuevo hasta Hidra, una pequeña isla griega preservada del tráfico y la explotación inmobiliaria a tan solo un par de horas en barco de Atenas. Una suerte de paraíso retro para las clases cultas y adineradas: una extensión insular del barrio ateniense de Kolonaki. Las modernas maletas con ruedas de viajero urbano se convierten en estúpidas cajas imposibles de hacer rodar sobre las calles empedradas de la isla. Las mulas cargadas con maletas de colores que suben hacia el pueblo por estrechos caminos casi verticales y escaleras de piedra son una metáfora de la condición del ser vivo en el tercer milenio. Nuestros cuerpos son como esas mulas: silenciosos músculos prehistóricos transportando un sofisticado futuro técnico sobre nuestra espalda. Pero sin las mulas, no hay progreso, no avanza la economía. Duermo en una casa situada a dos pasos de aquella en la que vivió Leonard Cohen. Su casa es anónima, pero la calle lleva su nombre. *Odos* Leonard Cohen. Pensé que venir a Hidra sería como introducir en el cerebro un disco limpiador. No pensé en vacaciones. Pensé en vaciar el archivo, en descargar la memoria. En borrar. En resetear. Pero nada se borra, ni se resetea. Ni siquiera una máquina se puede resetear. Quien dice borrar miente. Como Derrida explicó al leer a Freud, la memoria es una pizarra mágica en la que se escribe una y otra vez sobre lo ya escrito. Al borrar lo escrito pasando la barra, la superficie parece estar siempre lista para recibir una nueva capa de escritura, pero debajo existe un espacio denso e ilegible, cargado de huellas permanentes. ¿Adónde va el amor cuando parece haberse olvidado? Al bajar hacia el puerto de Kamini, en la vieja taberna de desgastados muros rojos y amarillos en la que se reúnen los pescadores suena la canción «documenta». Nada se borra, se reescribe sobre lo ya escrito: el sol imponente, la voz de Sotiria Bellou, el número exacto de veces que hay que girar a la derecha y a la izquierda para encontrar la casa, las buganvillas moradas, los gatos dormidos o hambrientos. Los habitantes locales me hablan primero en griego cuando articulo dos cortas frases. A la tercera se dan cuenta de que ya no puedo seguir la conversación. Preguntan entonces: «¿De dónde viene, amigo?» «De Barcelona», respondo, intentando no pensar demasiado. Por primera vez, hoy a esa afirmación no le sigue la pregunta: «¿Barça o Madrid?» (los griegos son apasionados del fútbol), sino «¿Catalán o español?». «Ni lo uno, ni lo otro», repongo. *«Po-po-po»*, responde. Lo que en griego viene a ser algo así como «Menudo lío».

Estos días, mientras sigo desde el otro extremo del Mediterráneo el desarrollo de las batallas entre independentistas catalanes y unionistas españoles, me doy cuenta de que sufro de una incapacidad para percibir lo que unos y otros llaman «nación». No veo la nación. No la siento. No la percibo. Soy insensible a las modalidades de afección que suscita la patria. Patria, padre, patriarcado. De todo eso he abdicado. No entiendo a qué se refieren unos y otros cuando hablan de «su historia», de su «lengua», de «sus tierras». España. Cataluña. Nada vibra en mí. Nada resuena. Al contrario, siempre he escuchado la palabra «España» con desconfianza y miedo.

La nación es reconocida como Estado allí donde hay norma, violencia, mapa, frontera. Así se expresó la existente-nación-Estado-España frente a la no-existente-nación-Estado-Cataluña el pasado 1 de octubre: como fuerza policial, como límite y negación. El Estado-nación es, en este sentido, el límite que impide la realización de la democracia. Una constitución que legitima y protege ese ejercicio de la violencia no solo no es garantía democrática, sino que se expresa como el límite mismo de una posible democracia por venir.

No entiendo mi cuerpo, ni mi existencia política, como parte de la nación española. Ni identidad, ni independencia. Entiendo mi existencia política solo con respecto a otros cuerpos vivos en una relación al mismo tiempo de extrañamiento y de dependencia. Mi pueblo son las mulas. Las mal nacidas. Las sin nación. Apátridas. Me interesan los no-pueblos en proceso de invención, las no-comunidades políticas cuya soberanía expresada como potencia excede los límites del poder. Los cuerpos silenciosos del mundo que no cualifican ni siquiera como pueblo. Los que llevan el futuro sobre su espalda y a los que nadie concede la legitimidad de sujeto político. El único estatus que entiendo es el de la extranjería. Habitar una tierra en la que no has nacido. Hablar una lengua que no es la tuya y, por tanto, hacerla vibrar con otro acento, hacer que sus palabras sean al mismo tiempo gramaticalmente correctas y fonéticamente desviadas.

Es el proceso de expropiación y de desidentificación, y no la nación, lo que caracteriza de manera retroactiva aquellos paisajes míos que otros podrían considerar como nacionales. Me siento perfectamente extranjero cuando vuelvo al lugar en el que nací, a eso que sé que no son mis tierras, y cuando hablo la que me doy cuenta de que no es mi lengua. ¿Cómo hablar de nación cuando a algunos se nos negó haber nacido? ¿Cómo hablar de tierra cuando nos echaron de lo que se suponía que era nuestra casa? ¿Cómo hablar de una lengua materna cuando nadie escuchó lo que teníamos que decir? Si el estamento médico me calificó un día de disfórico de género por no identificarme con el género que me había sido asignado en el nacimiento, me reivindico ahora disfórico de la nación.

Solo entiendo las políticas de identidad como un instrumento hiperbólico a través del que un sujeto cuya existencia política ha sido negada se afirma y se hace visible en el dominio de lo público. Solo entiendo las políticas de identidad como la antesala a un proceso de desidentificación que ponga en cuestión la nación-Estado como único sujeto político.

Y no digo esto pretendiendo esquivar la toma de posición en un conflicto. Mis simpatías están siempre del lado de la ruptura, de la transformación, de la explicitación en forma real de aquello que todavía no puede ser expresado de manera política o legal. Por la ontología de lo imposible. En cualquier caso, por un proceso de republicanización de la península. Por ese deseo de ruptura (ese empeño mío por borrar y escribir de nuevo, por cuestionar la huella que se hereda), Paul Beatriz, un sujeto político (de política ficción) recién nacido, votó por primera vez el 1 de octubre en un referéndum (de política ficción). Seguramente son los mismos los que piensan que ni Paul existe ni hemos votado. Pero existe, y votamos.

Hidra, 13 de octubre de 2017

DEMÓCRATAS CONTRA LA DEMOCRACIA

Viajo de Barcelona a Oslo y de ahí a Trondheim, en Noruega, para participar en una conferencia sobre el futuro de las instituciones culturales europeas. El encuentro tiene lugar en un barco que recorre la costa noruega, desde el borde del círculo polar ártico hasta los fiordos de Bergen. Entre debate y debate, salgo a cubierta a fumar o simplemente a leer y tomar el sol. Tumbado sobre una hamaca y tapado con una manta contemplo la superficie interminable, lisa y oscura del mar. Las imponentes montañas de roca y vegetación se alzan con una fuerza inconmensurable frente a la pequeñez de mi existencia. La experiencia kantiana de lo sublime se apoderaría de mí si la vibración constante de mi teléfono no viniera a sabotearlo; ¡acaso lo sublime ya no es posible en la era de la comunicación digital!

Desde Barcelona no dejan de llegar noticias sobre la situación de Cataluña. Se suceden los mensajes contradictorios. A las 12.50 se filtra que Carles Puigdemont, con la mediación de Íñigo Urkullu, el presidente de la autonomía del País Vasco, habría aceptado la imposición del gobierno central español de disolver el Parlamento catalán y convocar elecciones autonómicas. Lo habría hecho para acabar con el encarcelamiento de los líderes de las asociaciones civiles del independentismo, y para evitar la aplicación del artículo 155, que conllevaría destitución y cárcel para los representantes políticos del gobierno catalán. Pero un par de horas después, sabiendo que el Partido Popular acabaría aplicando el 155, Puigdemont cambia de idea. Leen ahora la cuarta versión del artículo que intento escribir desde hace unas horas.

El gobierno de Rajoy, con la complicidad del Partido Socialista Obrero Español, se dispone a aplicar el artículo 155 de la Constitución española «en defensa», dice el gobierno, «del respeto a la legalidad y de los derechos democráticos de todos los españoles y especialmente de todos los catalanes». Nos hallamos frente a un giro histórico. Estamos asistiendo a la emergencia en Europa de una nueva forma de «democracia» autoritaria y represiva que usa la ley, la interpretación más violenta posible de la ley, para llevar a cabo reformas conservadoras. Esas reformas «democráticas» incluyen el despliegue de la Policía Nacional contra la ciudadanía, la privación de libertades, el encarcelamiento de miembros de la sociedad civil únicamente en virtud de sus ideas, la confiscación de documentos escritos y digitales, la disolución del Parlamento, la intervención de los medios de comunicación... ¿Alguien dijo democracia?

Como ha afirmado Gabriel Jaraba, la crisis catalana es «un experimento de alcance europeo cuya misión estratégica consiste en poner a prueba hasta qué punto la ciudadanía y las instituciones están dispuestas a tolerar una democracia autoritaria». De no ser porque he vivido durante los dos últimos años en Atenas, quizás me habría pasado por alto que los primeros dos experimentos cruciales de «represión democrática» de larga escala tuvieron lugar en Grecia en 2015. El primero de ellos consistió en la supresión total de la soberanía democrática del pueblo griego tras el referéndum del *OXI* (No). El segundo fue la militarización de las costas griegas para frenar toda forma de migración y la transformación de algunas islas estratégicas en prisiones a cielo abierto. Junto con la extensión de las reformas neoliberales del mercado de trabajo, el recorte de las pensiones, la privatización de los servicios públicos y la gestión militar de la inmigración, el efecto colateral más importante de estos sucesivos golpes de Estado «democráticos» en Grecia fue la destrucción de la izquierda. Syriza es, después de 2015, un partido muerto. Las decisiones de la Unión Europea sirvieron para arrasar con la legitimidad política de la izquierda, abriendo de este modo el paso a los populismos de extrema derecha. La puesta en marcha del artículo 155 y la suspensión del Parlamento de Cataluña anuncia la profundización de ese proceso de destrucción de la democracia que comenzó en Grecia.

La complejidad de la situación catalana reside en el hecho de que el proyecto independentista reúne dos modos de entender la futura República no ya distantes, sino irreconciliables. El PDeCAT, un partido de derecha soberanista que lleva en su historia el estigma de la corrupción ejercida durante décadas por la familia Pujol, representa a la clase terrateniente, a la clase adinerada de profesiones liberales, así como a la pequeña y mediana burguesía industrial catalanista. El *Procés* al que se refieren los soberanistas del PDeCAT conduciría a un Estado dominado por la burguesía nacional catalana, que llevaría a cabo políticas de corte neoliberal. La posición política del PDeCAT podría describirse como liberalismo soberanista corrupto, y en ese sentido, y de forma paradójica, sería el partido más próximo, en sus valores y procedimientos, al PP, el partido españolista en el gobierno central.

Frente al PDeCAT, la CUP, partido de izquierda anticapitalista, constituye el motor utópico y revolucionario del independentismo. Si Suiza sería, en sueños, el modelo nacional para el PDeCAT, para la CUP lo es Rojava, la región del Kurdistán sirio. La CUP apostaría por un modelo de «confederalismo descentralizado», basado en las ideas de la tradición anarquista catalana que lideraron la revolución social en España en 1936 releídas a la luz de los trabajos más recientes del estadounidense Murray Bookchin y el líder kurdo Abdullah Öcalan. Las técnicas de gobierno privilegiadas de este modelo de democracia directa son la organización de asambleas populares para la toma de decisiones, la fijación de cuotas de participación femenina en diversos órganos y la extensión a toda Cataluña de la ecología social y la economía cooperativa, que ya existe en muchas de las regiones rurales. Los órganos hegemónicos mediáticos y de difusión de ideas del *Procés* (Òmnium, ANC y TV3) están genealógicamente ligados al conservadurismo burgués y no son revolucionarios. Por eso no es posible entender el actual proceso independista en Cataluña sin el imaginario político utópico y las formas de desobediencia civil y resistencia no violenta que aportan la CUP y las organizaciones pacifistas catalanas inspiradas en Xirinacs, a las que se unen (sin querer teñirse de independentismo) las bases de Cataluña en Comú, la izquierda catalana de Podemos. La violenta actuación del Estado español ha galvanizado esas fuerzas dispares y las empuja, paradójicamente, hacia una declaración unánime de una república independiente.

La única pregunta ahora es hasta cuándo podrán Francia o Alemania apoyar el golpe de Estado democrático que el gobierno central español pretende llevar a cabo en Cataluña.

Trondheim, 27 de octubre de 2017

ALGUNOS CUERPOS

Algunas personas usan su cuerpo como si fuera una bolsa de plástico desechable. Otras llevan su cuerpo como si se tratara de un jarrón chino de la dinastía Ming. Algunas personas no son consideradas ciudadanos porque sus piernas no pueden caminar. Algunas personas viven para transformar su cuerpo en el de Pamela Anderson. Otras viven para conseguir el cuerpo de Jean-Claude Van Damme. Y otras tienen dos chihuahuas a los que llaman Pamela y Jean-Claude. Algunas personas llevan su cuerpo como si fuera un grueso abrigo de piel. Otras lo llevan como si fuera una combinación transparente. Algunas personas se visten para estar desnudas y otras se desnudan para permanecer vestidas. Algunas personas mueven sus caderas para vivir. Otras no saben ni siquiera que tienen caderas. Algunas personas usan su cuerpo como una plaza pública. Otras se relacionan con él como si fuera el santo grial. Algunas personas entienden su cuerpo como una cuenta de ahorro. Otros como un río que corre. Algunas personas están encerradas dentro de su cuerpo como si se tratara de Alcatraz. Otras solo entienden la libertad como algo que el cuerpo puede llevar a cabo. Algunas personas sacuden las cabelleras al ritmo de una guitarra eléctrica. Otras experimentan sacudidas que surgen directamente de su sistema nervioso central. Algunas personas nunca se atreven a salir del repertorio gestual que aprendieron. A otras se las paga para experimentar con ese repertorio, pero solo dentro del ámbito del arte. Algunos cuerpos son socialmente utilizados como fuente de placer, valor o conocimiento para otros. Otros absorben placer, valor y conocimiento. Algunas personas no son consideradas ciudadanos a causa del color de su piel. Algunas personas caminan sobre una cinta mecánica para mantenerse en forma. Otras caminan seiscientos kilómetros a pie para escapar de la guerra. Algunas personas no poseen su propio cuerpo. Otras creen que el cuerpo de los animales les pertenece. Que el cuerpo de los niños les pertenece. Que el cuerpo de las mujeres les pertenece. Que el cuerpo del proletariado les pertenece. Que los cuerpos no blancos les pertenecen. Algunas personas creen que poseen su cuerpo como se posee un apartamento. Entre ellos, algunos se pasan el día haciendo obras y decorando. Otros cuidan de su apartamento como si se tratara de una reserva natural. Algunas personas creen que poseen su cuerpo como los vaqueros poseían un caballo. Lo montan, cabalgan, lo acarician o le pegan, le dan de beber y de comer, lo dejan descansar para dormir y lo vuelven a montar al día siguiente. No hablan con su cuerpo, del mismo modo que no hablarían con su caballo. Solo se sorprenden cuando se dan cuenta de que si muere su caballo ellos tampoco pueden seguir viviendo. Algunos servicios corporales pueden comprarse con dinero. Otros son considerados inalienables. Algunas personas sienten que su cuerpo está totalmente vacío. Otras experimentan su cuerpo como un armario repleto de órganos. Algunas personas usan su cuerpo como alta tecnología. Otras, como si se tratara de una herramienta prehistórica. Para algunas personas los órganos sexuales son orgánicos e inseparables de su propio cuerpo. Para otras, son múltiples e inorgánicos, y pueden cambiar de forma y de tamaño. Algunas personas hacen funcionar su cuerpo a base únicamente de glucosa, ya sea en forma de alcohol o de azúcar. Algunas personas aspiran tabaco mezclado con veneno directamente en sus pulmones. Otras hacen funcionar sus cuerpos sin azúcar, sin sal, sin alcohol, sin tabaco, sin gluten, sin lactosa, sin OGM, sin colesterol... Algunas personas se relacionan con su cuerpo como si fuera su esclavo. Otras, como si su cuerpo fuera su amo. Algunas personas no son consideradas ciudadanos porque prefieren vivir de acuerdo con las convenciones sociales de la feminidad aunque su anatomía corporal haya sido identificada como masculina. Algunas personas lo hacen todo deprisa, pero nunca tienen tiempo para nada. Otras lo hacen todo lentamente, incluso pasan tiempo sin hacer nada de nada. Algunas personas no son consideradas ciudadanos porque sus ojos no pueden ver. Algunas personas toman los penes de otras en sus manos hasta hacerlos eyacular. Algunas personas meten los dedos en las bocas de otras y ponen pastas blancas en los agujeros de sus dientes. Las primeras son consideradas trabajadoras ilegales. Las segundas profesionales cualificados. Algunas personas no son consideradas ciudadanos porque prefieren obtener placer sexual con cuerpos cuyos órganos sexuales tienen formas similares a las suyas. Algunas personas manejan su sistema nervioso tomando ansiolíticos. Otras meditan. Algunas personas arrastran su cuerpo vivo como si se tratara de un cadáver. Algunos cuerpos son heteros pero se masturban solo con porno gay. Algunos cuerpos no son considerados ciudadanos porque tienen un cromosoma más o un cromosoma menos. Algunas personas aman sus cuerpos por encima de todas las cosas. Otras se avergüenzan de ellos. Algunas personas experimentan su cuerpo como una bomba de tiempo que no son capaces de parar. Otras lo disfrutan mientras lo consumen como si fuera un helado que se derrite poco a poco. Algunas personas llevan incorporados mecanismos que hacen que sus corazones latan solos. Otros llevan en su pecho un corazón que perteneció a otra persona. Otros llevan dentro, por un tiempo, otro cuerpo en proceso de crecimiento. ¿Es posible acaso seguir hablando de un único cuerpo humano?

Zúrich, 10 de noviembre de 2017

CELEBRACIONES

Si todos los eventos festivos que requieren un aumento de la sociabilidad me provocan cierta ansiedad, mi propio cumpleaños ocupa una posición crítica en una escala calamitosa de fobias. Siempre me ha desagradado sobremanera que conocidos cercanos y personas de las que no había oído hablar desde hace tiempo me felicitasen ese día de forma más o menos efusiva. Fenómeno que se ha visto incrementado desde que la fecha de cumpleaños coincidiera por azar con un dramático (y ahora globalmente conmemorado) día del año 2001; imagino que no necesito añadir detalles y que la memoria asociativa del lector hará el resto. Es por ello por lo que, durante los últimos años he tratado de ocultar esa fecha a conocidos o allegados o he pretendido, con estrategias poco convincentes, estar desconectado de las cada vez más ineludibles redes de los sistemas de comunicación circundantes.

Quizás si las celebraciones nos desagradan (a los que nos desagradan) es porque el tiempo de la conmemoración oculta el tiempo en devenir del acontecimiento. Los devenires, afirman Deleuze y Guattari, no tienen la misma temporalidad que la historia. La historia se celebra. El devenir se vive. De ahí que las celebraciones no suelan coincidir con los momentos de la vida en los que realmente se cruza un umbral. Las celebraciones sirven para recordar lo que de otro modo sería olvidado y para olvidar lo que debería recordarse. La cronología política hegemónica impone un orden de la memoria que celebra los ritos sociales que la colectividad avala y reconoce. Durante siglos, por ejemplo, la Iglesia consideró los ritos de celebración del nacimiento como fiestas paganas: las almas de los niños nacían manchadas y la primera fecha celebrable era la del bautizo. Solo cuando se institucionalizó la celebración del nacimiento de Cristo pudieron los cristianos empezar a celebrar sus propios nacimientos.

Desde el siglo XIX, en Occidente es preciso celebrar el nacimiento, la boda, la defunción. Este orden de las celebraciones define una taxonomía de eventos que separa cuidadosamente lo que debe ser recordado de lo que no merece memoria. Lo memorable de lo insignificante. El ritmo de la conmemoración convierte el tiempo singular de una vida en tiempo normal: nacemos, crecemos, vamos al colegio, nos casamos... y morimos, con la única ventaja de que, como sugiere el dicho seguramente inventado por alguien que también sufría de fobia a la celebración: «¡Por lo menos, cuando te mueres, no te toca celebrar tu propio entierro!»

Parece ingenuo afirmar que no se empieza a vivir el día del nacimiento. Los átomos que forman nuestros cuerpos no se crearon cuando fuimos concebidos, sino poco después del nacimiento del universo, hace más o menos quince mil millones de años. Las instituciones que nos permiten existir reconociéndonos o no como humanos no se inventaron el día que nacimos: son el producto de un largo proceso de negociación histórica que se remonta al menos a varios miles de años. ¿Es posible celebrar el Big Bang? ¿Quién se atrevería a celebrar la hominización? En una escala infinitamente más modesta de tiempo, no se empieza a amar el día de la boda, ¡más bien al contrario! A veces un hijo que no llegó a nacer es nuestro único heredero. A veces los amores más importantes no son ni pueden ser celebrados. A veces se muere mucho antes (días, meses, años) de que se certifique la muerte o se celebre el entierro. A veces la muerte no puede ser certificada, o el cuerpo no se encuentra nunca y no puede ser propiamente enterrado. En esos casos no hay literalmente nada que celebrar. Ni aniversario. Ni conmemoración. Borrados de los hitos sociales que merecen reconocimiento, ese nacimiento, ese amor, esa muerte... desaparecen de la historia.

Esta semana he festejado sin ningún tipo de ritual externo y sin necesidad de ocultar la fecha –puesto que nadie o casi nadie la conocía– lo que podría entenderse como un segundo nacimiento. Se trataba del primer aniversario del día en el que se aceptó de manera legal y administrativa que viviera encarnado en la ficción política «Paul». El día en que ese nombre se escribió en el registro de nacimientos. El día en que se publicó en el periódico local de la ciudad donde nací, como obliga la legislación vigente. Se trata de la segunda vez que una colectividad social determinada abrió sus rituales de registro de lo humano y permitió que se inscribiera como ciudadano, cambiando el nombre y el sexo que me había sido asignado el día –ese día que luego estaría obligado a celebrar– de mi primer nacimiento. La fecha anónima de esta segunda inscripción que escapa al rango de las celebraciones existe ahora en algún lugar secreto bajo la fecha certificada, visible y festejable del cumpleaños oficial. Esa fecha, o más bien el proceso largo y sinuoso que contiene y representa esa fecha, es propiamente *incelebrable* y, en ese sentido, absolutamente inolvidable.

Las conmemoraciones más bellas son aquellas que celebran las revoluciones invisibles, las transformaciones sin fecha de comienzo o de caducidad. ¿Quién celebra la hierba cuando crece? ¿Y el cielo cambiando de color? ¿Quién celebra la lectura de un libro? ¿Y el aprendizaje de un gesto?

¿Quién celebra la última tarde de felicidad antes de una muerte súbita? Es preciso olvidar los aniversarios. Es preciso abatir los hitos y dejar caer las reliquias. Para celebrar otros nacimientos posibles.

Atenas, 24 de noviembre de 2017

NO QUIERO UN PRESIDENTE

No quiero votar por un político que acepte presentarse a unas elecciones que pretenden ser democráticas mientras otros políticos duermen en prisión por sus ideas. No quiero votar en una democracia en la que el teatro se llama elecciones, y los actores, ciudadanos libres. No quiero votar por un político que no dedique cada mitin a liberar a los prisioneros políticos. No quiero votar por alguien que en su campaña no hable de la necesidad de cerrar las cárceles. Todas las cárceles. No quiero votar por alguien que en su campaña no hable de cerrar los CIE. Todos los CIE. No quiero votar por alguien que cree que las cárceles de Cuba son necesarias, que las cárceles de Venezuela son necesarias. No quiero votar por alguien que dijo que la República no pagará traidores. No quiero votar por alguien que aprovechó que sus compañeros de partido estaban en prisión para ir primero en la lista. No quiero votar por alguien que hace campaña para que otros políticos sigan encerrados por sus ideas. No quiero votar por alguien que excluyó a alguien de la lista porque se negaba a aceptar lo inaceptable. No quiero votar por alguien que criticó el nacionalismo catalán promoviendo el nacionalismo español. No quiero votar por alguien que criticó el nacionalismo español promoviendo el nacionalismo catalán. No quiero votar en una democracia donde unos votos valen más que otros. No quiero votar por alguien que en sus campañas nunca habló de los derechos de los enfermos crónicos. No quiero votar por alguien que nunca habló de los derechos de las personas que viven con sida, con cáncer, con hepatitis, con fatiga crónica, con esclerosis múltiple, con mucoviscidosis, con insuficiencia renal. No quiero votar por alguien que nunca ha dicho que ha estado enfermo. No quiero votar por alguien que nunca reconocería que sufre depresión, ansiedad, compulsión o fobia. No quiero votar por alguien que nunca reconocería que sufre de eyaculación precoz o de impotencia. No quiero votar por alguien que condena el consumo y el tráfico de drogas, pero se mete una raya de vez en cuando. No quiero votar por alguien que hace campaña contra los homosexuales, pero es homosexual. No quiero votar por alguien que hace campaña contra la prostitución, pero se va de putas. No quiero votar por alguien para quien la igualdad de salarios entre las mujeres y los hombres no es una prioridad. No quiero votar por alguien para el que el ciudadano solo existe como portador de un voto. No quiero votar por alguien que pretende restringir las condiciones de acceso de las adolescentes al aborto. No quiero votar por alguien que minimiza los daños causados por la colonización de América y que nunca hablará de la esclavitud o del genocidio de los indígenas. No quiero votar por alguien que defiende la autodeterminación de los pueblos, pero no la de los palestinos o de los kurdos. No quiero votar por un político que no es capaz de ejercer la autocrítica. No quiero votar por un político que piense que un travesti es un enfermo mental. No quiero votar por un político que piense que los esquizofrénicos están mejor encerrados en un psiquiátrico. No quiero votar por un político que jamás incluirá en su programa una ley de accesibilidad a las instituciones públicas para personas con diversidad funcional. A todas las instituciones públicas. No quiero votar por alguien para el que la tercera edad solo existe como variable del coste de las pensiones. No quiero votar por alguien que pone como ejemplo de su política el New Deal de Roosevelt como si lo que necesitáramos fuera más producción y más consumo. No quiero votar por un candidato que busca criminalizar a los hablantes de una lengua. No quiero votar por alguien que nunca hablará de los derechos de los animales, porque se comen y no votan. No quiero votar por alguien que nunca hablará de ecología. No quiero votar por alguien para el que la ciudad es un territorio de monocultivo turístico. No quiero votar por un candidato para el que cualquier chica que bebe y besa a un chico no puede quejarse después de que la violen. No quiero votar por un candidato que no habla de transporte público porque nunca va en metro. No quiero votar por un candidato que nunca habla de multiplicar el número de guarderías públicas porque tiene una chica interna en casa. No quiero votar por un candidato que nunca hablará de la legalización de los migrantes, aunque tiene una mujer de la limpieza sudamericana. No quiero votar por un candidato que nunca hablará de colectivizar el agua o la energía. No quiero votar por un candidato que dejó de hablar del derecho a una vivienda digna. No quiero votar por alguien para el que el presupuesto militar es mayor que el de cultura o el de educación. No quiero votar por alguien que hable de democracia y no reclame el derecho de voto para los miles de extranjeros que viven y trabajan en Cataluña. No quiero votar por alguien que hable de la izquierda y no reclame el derecho de voto para los miles de extranjeros que viven y trabajan en Cataluña. No quiero votar en unas elecciones en las que un extranjero (ni catalán ni español) sin papeles no pueda presentarse para ser elegido como presidente. No quiero votar en unas elecciones en las que una transexual sin papeles no pueda presentarse para ser elegido como presidenta.

300

No quiero votar en unas elecciones en las que una mujer de la limpieza no pueda presentarse para ser elegida como presidenta. No quiero votar en unas elecciones en las que un sin techo no pueda presentarse para ser elegido como presidente.

Barcelona, 15 de diciembre de 2017

MEJOR QUE HIJO

Vuelvo a la ciudad donde nací para acompañar a mi madre en el hospital en los días que dura su recuperación después de una operación. Esa ciudad de Castilla, donde cuerpos humanos pasean enfundados en abrigos de pieles de animales que nunca vivieron en esa región y donde las casas tienen las ventanas cubiertas de banderas españolas, me aterra. Me digo que la piel de los extranjeros acaba convertida en abrigo. Y que la piel de los que nacieron allí se transforma un día u otro en bandera nacional. Pasamos los días y las noches en la habitación 314. El hospital acaba de ser renovado y, sin embargo, mi madre insiste en que esa habitación le recuerda a aquella en la que dio a luz cuando yo nací. A mí, precisamente porque no me recuerda a nada, esa habitación de hospital me parece más acogedora que la casa familiar, más segura que las calles comerciales, más festiva que las plazas eclesiásticas. Por las mañanas, después de que el médico haya pasado a hacer la visita, salgo a tomar un café con la excusa de que, en el hospital, situado en una zona casi descampada, no hay cafetería. Bordeo el río Arlanzón hasta la cafetería más cercana bajo un frío radiante que los castellanos llaman «sol de uñas». Respiro un aire gélido, pero perfectamente limpio, que arrastra la ansiedad que se esconde en mi pecho.

Ser el hijo trans de una familia católica y española de derechas no es una tarea fácil. El cielo castellano es casi tan nítido como el de Atenas, pero en Grecia el azul es cobalto, y aquí, acero. Cada mañana salgo y pienso en no volver. En desertar de la familia como se deserta de una guerra. Pero no lo hago; vuelvo y ocupo la silla del familiar acompañante que me fue asignada. De qué vale que la razón se avance si el corazón se queda, decía Baltasar Gracián. En el hospital, desde las doce hasta las ocho, se suceden las visitas. La habitación de hospital se vuelve un teatro público en el que mi madre y yo luchamos, no siempre con éxito, por restablecer los roles. Para presentarme, mi madre dice: «Es Paul, mi hijo.» La respuesta es siempre la misma: «Yo pensaba que tenías solo una hija.» A lo que mi madre añade, mientras mueve los ojos hacia arriba y hacia la derecha intentando imaginar una solución en medio de un callejón sin salida retórico: «Sí, tenía solo una hija y ahora tengo un hijo.» Uno de los visitantes responde: «Ah, es el marido de tu hija, no sabía que estuviera casada, enhorabuena.» Es entonces cuando mi madre entiende que se ha equivocado de estrategia y da marcha atrás como quien intenta recoger a toda velocidad el hilo de una cometa que vuela ya demasiado lejos. Añade entonces: «No, no, no estaba casada. Es mi hija.» Se calla durante un segundo en el que yo dejo de mirarla, y luego sigue: «Es mi hija, que ahora es... mi hijo.» Su voz dibuja una cúpula de Brunelleschi que sube al decir «hija» y se estrella al decir «hijo». No es fácil ser madre de un hijo trans en una ciudad donde tener un hijo maricón es peor que tener un hijo muerto. Y después son los ojos del visitante los que giran en todas las direcciones, antes de responder con un corto suspiro. A veces sonrío: me siento un Louis de Funès en una película de ciencia ficción, que es mi vida. Otras veces, el estupor me gana. Ya no se habla de la enfermedad de mi madre. Ahora la enfermedad soy yo.

No es fácil ser el hijo trans de una familia católica a la que le enseñaron que dios elige y que no se equivoca. Y que decidir algo distinto es llevarle la contraria a dios. Mi madre ha renegado de la doctrina de la Iglesia. Dice que una madre es más importante que dios. Sigue yendo a misa los domingos, por supuesto: va a hacer sus cuentas con el más allá, dice, y en eso la Iglesia no tiene por qué meterse. Lo dice en voz baja, sabe que blasfema. No es fácil ser madre de un hijo trans cuando se vive en una comunidad de vecinos del Opus Dei. Me siento en deuda con ella, porque no soy ni puedo ser un buen hijo. Soy mejor cuidador que hijo, pienso, mientras levanto los pies de esa mujer que es mi madre como si no lo fuera para mejorar su circulación sanguínea. Soy mejor informático que hijo, pienso, mientras actualizo las aplicaciones de su teléfono, le reordeno la pantalla y le instalo algunos sonidos nuevos. Soy mejor peluquero que hijo, sospecho, mientras recojo el cabello de esa mujer que es mi madre como si no lo fuera en forma de moño hacia atrás, ahuecando el pelo en la frente para darle volumen. Soy mejor fotógrafo que hijo, pienso, mientras le organizo un chat en grupo y envío algunas instantáneas nuestras a sus amigas, que han pasado los ochenta y que ya no pueden venir a verla. Soy mejor chico de los recados que hijo. Soy mejor buscador del vídeo de la última actuación pública de Rocío Jurado que hijo. Soy mejor lector de periódico local que hijo. Soy mejor doblador y guardador de ropa de señora que hijo. Soy mejor limpiador de baños que hijo. Soy mejor enfermero de noche que hijo. Soy mejor aireador de habitaciones cargadas que hijo. Soy mejor buscador de llaves perdidas en un bolso que hijo. Soy mejor contador de pastillas que hijo. Soy mejor subidor y bajador de camas que hijo. Soy mejor fotocopiador de pólizas de médico que hijo. Y todo eso, cuidar, peinar, arreglar ordenadores y teléfonos, bajar vídeos, buscar llaves, hacer fotocopias..., me calma, me ordena, me descansa.

Burgos, 12 de enero de 2018

CARTA DE UN HOMBRE TRANS AL ANTIGUO RÉGIMEN SEXUAL

Señoras, señores y otros:

En medio del fuego cruzado en torno a las políticas del *harcèlement sexuel* (de la agresión y del abuso sexual), querría tomar la palabra como contrabandista entre dos mundos, el mundo de «las mujeres» y el de «los hombres» (esos dos mundos que podrían no existir pero que algunos se esfuerzan por mantener separados por una suerte de muro de Berlín del género) para darles noticia de algunos «objetos perdidos» *(objets trouvés)* o más bien «sujetos perdidos» *(sujets trouvés)* en la travesía.

No hablo aquí como hombre, perteneciente a la clase dominante de aquellos a los que se les asignó género masculino en el nacimiento, que fueron educados como miembros de la clase gobernante, a los que se les concedió o más bien se les exigió (y esta sería una clave posible de análisis) ejercer la soberanía masculina. Tampoco hablo como mujer, puesto que he abandonado voluntaria e intencionalmente esa forma de encarnación política y social. Hablo aquí como hombretrans. No obstante, no pretendo, en ninguna medida, representar a ningún colectivo. No hablo ni puedo hablar como heterosexual ni como homosexual, aunque conozco y habito ambas posiciones, puesto que cuando se es trans esas categorías resultan obsoletas. Hablo como tránsfuga del género, como furtivo de la sexualidad, como disidente (a menudo torpe, puesto que carente de código preescrito) del régimen de la diferencia sexual. Como autocobaya político-sexual que ha hecho la experiencia, aún no tematizada, de vivir a ambos lados del muro y que, a fuerza de atravesarlo día tras día, ha acabado harto, señores y señoras, de la rigidez recalcitrante de los códigos y los deseos que el régimen heteropatriarcal impone.

Déjenme que les diga, desde el otro lado del muro, que la cosa está peor de lo que mi experiencia como mujer lesbiana me habría permitido imaginar. Desde que habito como-si-fuera-un-hombre el mundo de los hombres (consciente de encarnar una ficción política) he podido comprobar que la clase dominante (masculina y heterosexual) no abandonará sus privilegios porque enviemos algunos tuits o demos algunos gritos. Tras las sacudidas de la revolución sexual y anticolonial del pasado siglo, los heteropatriarcas está embarcados en un proyecto de contrarreforma, al que se unen ahora las voces «femeninas» que desean seguir siendo *«importunées/molestadas»*. Esta será la guerra de los Mil Años; la más larga de las guerras, puesto que afecta a las políticas de la reproducción y a los procesos a través de los cuales un cuerpo humano se constituye como sujeto soberano. La más importante de las guerras, por tanto, porque lo que nos jugamos no es el territorio o la ciudad, sino el cuerpo, el goce, la vida.

Lo que caracteriza a la posición de los hombres en nuestras sociedades tecnopatriarcales y heterocentradas es que la soberanía masculina está definida por el uso legítimo de las técnicas de la violencia (contra las mujeres, contra los niños, contra otros hombres no blancos, contra los animales, contra el planeta en su conjunto). Podríamos decir, leyendo a Max Weber con Judith Butler, que la masculinidad es a la sociedad lo que el Estado es a la nación: el detentor y usuario legítimo de la violencia. Esa violencia puede expresarse socialmente como dominio, económicamente como privilegio, sexualmente como agresión y violación. Al contrario, la soberanía femenina solo se reconoce en relación con la capacidad de las mujeres para engendrar. Las mujeres son sexual y socialmente súbditas. Solo las madres son soberanas. En este régimen, la masculinidad se define necropolíticamente (por el derecho de los hombres a dar la muerte), mientras que la feminidad se define biopolíticamente (por la obligación de las mujeres a dar la vida). La heterosexualidad necropolítica, podríamos decir, sería algo así como la utopía de la erotización del encuentro sexual entre Robocop y Alien..., esperando que, con un poco de suerte, alguno de los dos se lo pase bien.

La heterosexualidad no es solo, como Monique Wittig nos enseña, un régimen de gobierno: es también una política del deseo. Lo específico de este régimen es que se encarna en un proceso de seducción y de dependencia romántica entre dos agentes sexuales «libres». Las posiciones de «Robocop» y de «Alien» no son individualmente elegidas o conscientes. La heterosexualidad necropolítica es una práctica de gobierno que no es impuesta por los que gobiernan (los hombres) a las gobernadas (las mujeres), sino una epistemología que fija las definiciones y las posiciones respectivas de los hombres y de las mujeres a través de una regulación interna. Esta práctica de gobierno no toma la forma de una ley, sino de una norma no escrita, de una transacción de gestos y códigos que tienen como efecto establecer en la práctica de la sexualidad una partición entre lo que se puede y lo que no se puede hacer. Esta forma de servidumbre sexual reposa sobre una estética de la seducción, una estilización del deseo y una coreografía del placer. Este régimen no es natural: se trata de una estética de la dominación históricamente construida y codificada que erotiza la diferencia de poder y la perpetúa. Esta política del deseo es la que mantiene vivo el antiguo régimen sexo-género pese a los procesos legales de democratización y empoderamiento de las mujeres. Este régimen heterosexual necropolítico es hoy tan denigrante y destructivo como lo eran el vasallaje y el esclavismo en plena Ilustración.

El proceso de denuncia y visibilización de la violencia que estamos viviendo forma parte de una revolución sexual, ciertamente lenta y tortuosa, pero imparable. El feminismo *queer* situó la transformación epistemológica como la condición de posibilidad de un cambio social. Se trataba de poner en cuestión la epistemología binaria y naturalizada afirmando frente a ella una multiplicidad irreductible de sexos, géneros y sexualidades. Hoy entendemos que tan importante como la transformación epistemológica es la transformación libidinal: la modificación del deseo. Es preciso aprender a desear la libertad sexual.

Durante años, la cultura *queer* ha sido un laboratorio de invención de nuevas estéticas de la sexualidad disidentes frente a las técnicas de subjetivación y los deseos de la heterosexualidad necropolítica hegemónica. Somos muchos los que hemos abandonado hace tiempo la estética de la sexualidad Robocop-Alien. Aprendimos de las culturas *butch-femme* y BDSM, con Joan Nestle, Pat Califia y Gayle Rubin, con Annie Sprinkle y Beth Stephens, con Guillaume Dustan y Virginie Despentes, que la sexualidad es un teatro político en el que el deseo, y no la anatomía, escribe el guión. Es posible, dentro de la ficción teatral de la sexualidad, desear limpiar zapatos con la lengua, ser penetrado por cada orificio, o cazar al amado en un bosque como si este fuera una presa sexual. Sin embargo, dos elementos diferenciales marcan la distancia entre la estética *queer* de la sexualidad y la heterodominante del antiguo régimen: el consenso y la no-naturalización de las posiciones sexuales. La equivalencia de los cuerpos y la redistribución del poder.

Como hombre trans me desidentifico de la masculinidad dominante y de su definición necropolítica. Nuestra mayor urgencia no es defender lo que somos (hombres o mujeres) sino rechazarlo, desidentificarnos de la coerción política que nos fuerza a desear la norma y a repetirla. Nuestra praxis productiva es desobedecer las normas de género y sexuales. Después de haber sido lesbiana la mayor parte de mi vida y trans los últimos cinco años, estoy tan lejos de vuestra estética de la heterosexualidad como un monje budista que levita en Lhasa lo está del supermercado Carrefour. No me corro con vuestra estética del antiguo régimen sexual. No me pone «molestar» a nadie. No me interesa salir de mi miseria sexual metiendo mano en los metros. No siento ningún tipo de deseo por el kitsch erótico-sexual que proponéis: tíos que aprovechan su posición de poder para echar polvos y tocar culos. Me repugna esa estética grotesca y asesina de la heterosexualidad necropolítica. Una estética que renaturaliza la diferencia sexual y sitúa a los hombres en la posición del agresor y a las mujeres en la de la víctima (dolorosamente agredida o alegremente importunada).

Si es posible afirmar que en la cultura *queer* y trans follamos más y mejor es porque no solo hemos extraído la sexualidad del ámbito de la reproducción, sino sobre todo del de la dominación de género. No estoy diciendo que la cultura *queer* y transfeminista escape a toda forma de violencia. No hay sexualidad sin sombra. Pero no es necesario que la sombra (la desigualdad y la violencia) presida y determinen la sexualidad.

Representantes del antiguo régimen sexual, coged vuestra parte de sombra *and have fun with it*, y dejadnos enterrar a nuestras muertas. Gozad de vuestra estética de la dominación, pero no pretendáis hacer de vuestra estética ley. Y después, dejadnos follar con nuestra propia política del deseo, sin hombres ni mujeres, sin penes ni vaginas, sin hachas ni fusiles.

Arles, 15 de enero de 2018

ÍNDICE

Impreso en Talleres Gráficos
LIBERDÚPLEX, S. L. U.,
ctra. BV 2249, km 7,4 - Polígono Torrentfondo
08791 Sant Llorenç d'Hortons